D0588016

CORIANDRE

BARBARA VICTOR

CORIANDRE

JEAN-CLAUDE LATTÈS

Titre original :
Coriander

Traduit de l'américain
par Lili Sztajn

© Barbara Victor, 1993.
© Éditions J.-C. Lattès 1993.
ISBN 2-266-06152-6

A mes parents, avec amour

PREMIÈRE PARTIE

Ces disparus me rendent folle

Isabel Peron,
Buenos Aires, Argentine, 1975.

J'avais l'habitude de m'endormir en pensant que je tirais sur des gens ou que je me faisais tirer dessus et quand je me réveillais j'y pensais encore. Il faut un truc qui crache, comme un AK-47 qui fait pawpawpaw, *et pas seulement* pan... pan pan

Raymond, 15 ans,
patient en traumatologie,
Brooklyn General Hospital,
Brooklyn, New York, 1992.

Chapitre un

« Aime-moi... » Des heures durant, il avait murmuré ces mots, et elle, des heures durant, l'avait aimé. Pelotonnée contre lui, qui restait en elle, encore dur, elle somnolait, leurs souffles confondus, leurs cœurs battant au même rythme. Un seul amour, une seule vie. « Tu es à moi pour toujours », chuchotait-il dans le noir.

Il faisait encore nuit quand il la prit pour la dernière fois. Les bruits de la rue emplissaient la chambre, les prismes lumineux des voitures et des bus jouaient sur les poutres du plafond. Il la tenait par les poignets, cette fois, l'obligeait doucement à s'agenouiller, l'attirait à lui, la bouche enfouie dans ses cheveux. « Aime-moi toujours », souffla-t-il avant que leurs lèvres ne se trouvent. « Ne t'en va pas », répondit-elle dans un murmure. Alors, il l'embrassa, commença à la manger de baisers, ne s'arrêtant que pour plonger ses yeux au fond des siens, pour lâcher un léger soupir quand sa main le toucha enfin. « Je suis là, petite, je suis avec toi », susurra-t-il, et ses yeux noirs se plissèrent en un sourire infime. Il contempla sa bouche puis la couvrit avec la sienne, reprenant le cycle des baisers, la caressant, enfonçant son visage entre ses seins, agaçant ses mamelons à petits coups de langue circulaires, la serrant contre lui pour absorber son tremble-

13

ment, pour le faire sien. Lèvres soudées, langues batailleuses, il vint sur elle, un genou entre ses cuisses, le corps durci, soudain plus impérieux dans son étreinte.

Ils gémirent ensemble lorsqu'il la pénétra, puis s'abîmèrent dans la sensation d'un temps transcendé. Il la tenait si serrée qu'elle pouvait à peine respirer, lui faisait l'amour avec une telle intensité qu'elle laissa même échapper un cri de surprise. Mais quand il l'obligea à jurer qu'elle l'aimerait toujours quoi qu'il arrive, il n'eut pas à bouger un muscle pour la combler ; et quand il la supplia de ne jamais le quitter, ses caresses devinrent presque hésitantes. Une éternité, jura-t-elle ; pour toujours, répétat-il, pour toujours et au-delà.

Avec humour, Coriandre déclara à Danny qu'il lui suffisait de la regarder, de la toucher, de lui faire l'amour pour qu'elle perde tout semblant de raison. Elle avait l'intention de lancer une étude à l'hôpital, plaisanta-t-elle, sur la façon dont les femmes intelligentes et sensées pouvaient être réduites à l'état d'épaves amoureuses par les hommes. Elle avait même une théorie sur l'imprégnation par le sperme des zones rationnelles du cerveau... Elle avait l'habitude d'en rire, mais ces temps-ci, elle se sentait exclue de tous les autres domaines de la vie de Danny. Il lui fallait lire le journal pour savoir s'il avait eu une bonne ou une mauvaise journée ; elle n'avait rien à lui offrir quand il se mettait à rabâcher les mêmes histoires, à éluder certains sujets ou à passer des nuits entières à faire les cent pas en tirant sur une cigarette.

En temps normal, il n'est déjà pas très rassurant de se réveiller pour trouver son mari déguisé en rat d'hôtel. Mais en ouvrant les yeux ce matin-là, elle fut particulièrement troublée de le voir debout devant la fenêtre, fumant, tout de sombre vêtu, pantalon et pull à col roulé noirs...

14

Son profil, se découpant sur la lumière rose de l'aube d'été, paraissait presque irréel. Les volutes de sa cigarette l'obligeaient à plisser les yeux. Feignant de continuer à dormir, elle l'observa par-dessus les couvertures, se demandant si elle devait ou non relancer la discussion.

S'il y avait une chose qu'elle avait apprise au cours de ces six derniers mois, c'était bien à ne pas le bousculer sur ce qui avait trait à son travail, puisque ses réponses étaient toujours les mêmes. Contrairement à la profession qu'elle exerçait, dont la bonne marche n'était pas soumise aux fluctuations de l'économie et des finances, celle de Danny réagissait aux moindres sautes d'humeur de la planète. La demande était plus stable dans sa partie à elle que dans celle de son mari ; à croire que les gens préféraient se faire poignarder ou tirer dessus qu'épargner et investir. Un accord avait fini par s'instaurer entre eux. Si elle ne l'ennuyait pas avec ses donneurs d'organes, il s'abstiendrait de l'accabler avec ses organes financiers. Mais curieusement, en cette aube particulière, il semblait que ces règles aient perdu toute validité.

Elle attendit encore une ou deux minutes pour s'étirer, comme si elle venait d'ouvrir les yeux, pour allumer une petite lampe, jeter un coup d'œil à la pendule de chevet et murmurer :

— Il n'est que six heures...

Il ne bougea pas, mais sa main tremblait quand il porta la cigarette à ses lèvres.

— Dors, Coriandre, dit-il, d'un ton qui manquait de conviction.

Elle se redressa contre les oreillers, se passa les doigts dans les cheveux, tendit la main vers lui.

— A quelle heure part ton avion ?

— Pas avant six heures ce soir.

Il se retourna.

Il était le seul homme qu'elle aie jamais aimé.

– Qu'est-ce qui te presse, alors ?

Elle remarqua que ses yeux étaient rouges, comme s'il avait pleuré, cernés de noir, comme s'il n'avait pas dormi depuis des mois.

Au lieu de répondre, il demanda :

– A quelle heure dois-tu être à l'hôpital ?

– Pas avant midi.

Il était le premier homme à lui avoir jamais fait l'amour.

Il posa la question suivante avec beaucoup de sérieux.

– As-tu fait une erreur en m'épousant ?

Avec Danny, il y avait toujours des sous-entendus, des notes en bas de page, des significations cachées.

– Qu'est-ce que c'est que cette question ? fit-elle.

– Tu aurais pu épouser n'importe qui, tu sais, un médecin ou un diplomate.

Il s'approcha du lit. Il avait parfois de ces façons de lui briser le cœur...

– Le destin, répondit-elle avec légèreté. C'était écrit dans les étoiles.

– Dans les étoiles, répéta-t-il doucement. Je suppose que tous ceux qui se trouvaient à la prison de Puesto Vasco du temps de la Junte étaient Verseau et que tout le monde à Auschwitz était Lion...

Elle se pencha en avant, luttant encore pour ne pas se laisser contaminer par son humeur morbide.

– Après toutes ces années sans toi, tu crois que j'aurais été assez bête pour ne pas t'épouser quand tu as fini par te décider à faire ta demande ?

Il s'assit au bord du lit. Ses yeux noirs étincelaient.

– Tu n'as pas besoin de tous ces problèmes, Coriandre. Tu t'en tirerais mieux sans moi.

Elle le dévisagea un moment et fut frappée par l'abondance des cheveux blancs apparus ces derniers temps dans les épais favoris noirs qu'elle adorait.

– Les conseils qui commencent par : « C'est pour ton bien » ne présagent jamais rien de bon, sourit-elle. Et quiconque fait débuter une phrase par les mots : « Au fait » n'est pas non plus porteur de bonnes nouvelles. Tu le savais ? Ce n'est jamais : « Au fait, je quitte ma femme » mais plutôt : « Au fait, tout est fini entre nous. » (Malgré les nœuds qui lui tordaient l'estomac, elle parlait sur le ton de la conversation.) On dit : « C'est pour ton bien que je m'en vais », jamais : « C'est pour ton bien que je reste avec toi pour toujours. »

Elle tendit la main vers lui pour lisser une mèche rebelle.

Il semblait tellement sérieux.

– C'est ce que je pense...

– La dernière fois que tu m'as repoussée « pour mon bien » tu as disparu pendant dix ans.

– Tu étais si jeune, murmura-t-il en secouant la tête. A peine vingt ans...

– C'était dans cet horrible café de Cordoba, près de l'université.

Il tira une longue bouffée et exhala la fumée.

– Ce n'était pas un mauvais conseil, à l'époque.

– Est-ce que l'utilisation des bons conseils est limitée par les accords de Genève ?

Il la regarda tendrement.

– Ce ne serait peut-être pas une mauvaise idée.

– Tu regrettes que je n'aie pas suivi ton conseil ?

– C'est pour toi que je le regrette.

17

— Je t'aime, Danny, fit-elle avec une certaine solennité.

— *Te amo*, répondit-il, revenant à son espagnol maternel.

Pour une raison inconnue, elle n'en éprouva nul soulagement. Peut-être son *te amo* sonnait-il comme le prélude d'un *adios*.

— On s'en sortira, souffla-t-elle en cherchant sa main. On surmontera cette épreuve comme on a surmonté toutes les autres. (Ses yeux d'ambre s'illuminèrent quand elle toucha les lèvres de Danny d'un doigt léger.) Ne pars pas ce week-end, j'essaierai de trouver quelqu'un pour me remplacer à l'hôpital.

Comme il ne répondait pas, elle insista :

— Dis oui, mon amour. On ira faire un tour à Coney Island et manger des hot dogs chez Nathan...

— Tu ne trouveras jamais personne pour te remplacer à la dernière minute un week-end de fête. (Il écrasa sa cigarette dans le cendrier posé sur la table de chevet.) De toute façon, j'ai rendez-vous là-bas avec quelqu'un qui pourra peut-être me sortir de ce pétrin.

— C'est la première fois que tu laisses percer une note d'espoir...

— C'est un pari...

— Qu'est-ce que tu veux dire ?

— S'il y a bien quelqu'un qui devrait comprendre ce principe, c'est toi. Cinquante pour cent de chances de survivre à une opération compliquée, ça ne signifie rien. Si le patient s'en tire, les chances sont de cent pour cent. S'il meurt, elles sont de zéro.

— Et quel est ton pronostic ?

— Qui sait ? Je me bats comme un beau diable, et à chaque fois que je crois avoir surmonté un obstacle, il en surgit deux autres encore plus infranchissables...

18

– Et ce quelqu'un qui peut t'aider, qui est-ce?

– S'il y arrive, je te raconterai tout...

– S'il y arrive, je le lirai dans les pages financières du *Times*.

– Cette fois, je te raconterai tout, même s'il n'y arrive pas.

– Quand?

Elle détestait le harceler.

– Quand je rentrerai.

– Promis?

– Juré.

Il leva la main.

Elle commença à dire quelque chose, mais s'interrompit en remarquant qu'il l'observait fixement.

– Pourquoi me regardes-tu comme ça?

Il se pencha et l'embrassa tendrement.

– Tu es encore plus belle que quand je t'ai trouvée...

Elle lui fit une grimace.

– Quelques bonnes années d'inquiétude rendent les femmes intéressantes.

– *Quiereme para siempre no importe lo que pase*, répéta-t-il, insistant sur le second terme. *Aime-moi toujours, quoi qu'il arrive.*

Elle prit sa main entre les siennes et les larmes lui vinrent aux yeux.

– Bien sûr que je t'aimerai toujours, et il n'arrivera rien de mauvais.

Ce n'était pas de sa faute, il lui fallait être rassurée une dernière fois avant de le laisser partir pour le week-end.

– Rien de mauvais. Promets-le.

– Il y a beaucoup de risques, répondit-il sans répondre vraiment.

– Lesquels?

Parfois, elle avait le sentiment de le connaître à peine, cet homme qui l'avait séduite quand elle avait vingt ans, abandonnée à vingt et un, épousée à trente, et qui lui donnait aujourd'hui, à trente-quatre ans, l'impression de s'apprêter à recommencer tout le cycle.

– Quand je rentrerai, fit-il d'un ton las, je te dirai tout.

– Une question, murmura-t-elle, cœur battant.

Il hocha la tête.

– Si tu te retirais du jeu, tout simplement?

– Beaucoup de gens souffriraient.

– Tu n'es pas assuré?

– Ça fait deux questions. (A nouveau, ce regard grave.) Mon premier devoir est envers ceux qui ont avancé l'argent pour l'achat de la banque et ma principale obligation est de ne pas laisser tomber mes clients...

Ce qu'elle aimait le plus chez lui c'était cette droiture qui le rendait si soucieux de justice et d'équité.

– Pense, mon chéri, que si tout s'écroule, ni ton intégrité ni ton éthique ne seront en cause. Après tout, ce ne sont que des histoires de banque...

– Tu ne comprends pas, Coriandre, c'est la même chose. La banque, c'est moi. Chaque débit, chaque dette, chaque perte, chaque virement, chaque dépôt... Je suis responsable de tout.

– Il s'agit d'affaires, pas de toi, insista-t-elle.

– C'est plus que des affaires, *amor mio*, c'est la vie des gens.

– La vie ne se réduit pas à l'argent, argua-t-elle.

– J'ai peut-être été trop ambitieux, murmura-t-il comme pour lui-même.

– Nous n'aurions peut-être jamais dû venir à New

York, dit-elle, se sentant à la fois furieuse et coupable pour toutes ces années troublées qu'ils avaient vécues en Argentine. Peut-être aurais-je dû insister pour que nous retournions à Buenos Aires. (Sa voix se fit presque implorante.) Je t'aurais suivi n'importe où.

Une ombre d'infinie tristesse passa sur le beau visage de Danny.

– Il y avait trop de souvenirs en Argentine. Et puis, j'ai pensé que tu préférerais rester à New York pour ta carrière. (Ses yeux s'emplirent de larmes.) J'aurais fait n'importe quoi pour te rendre heureuse.

L'une était prête à suivre l'autre n'importe où, l'autre était prêt à faire n'importe quoi pour le bonheur de l'une, et pourtant c'était comme si leur destin était déjà scellé. Autrefois, à la faculté de Cordoba, alors qu'ils n'étaient encore qu'étudiante et professeur, elle avait essayé de le convaincre de rester dans le giron de l'université au lieu de se lancer dans les affaires. Il n'y a rien de plus pathétique qu'un guérillero urbain sans cause, avait-il protesté, rien de plus misérable qu'un idéaliste qui ne sait pas raccrocher son bandana ; les perdants étaient ceux qui continuaient à errer entre forêt pluviale et sommets écologiques avec leurs sacs à dos et leurs barbes clairsemées ; les gagnants étaient ces rebelles qui importaient leurs tactiques terroristes dans les conseils d'administration et dans les banques, troquant leurs vieux slogans et leur dialectique fatiguée contre de gros salaires et des paquets d'actions.

Elle n'y crut pas une minute à l'époque et n'y croyait toujours pas aujourd'hui. Rien ne pourrait la persuader qu'il s'intéressait à l'argent, au pouvoir ou au monde des affaires, ni qu'il deviendrait un jour un rebelle sans cause, étant donné qu'il était incapable de distinguer une forêt pluviale d'un marigot. Elle lui effleura le visage et remarqua que la barbe clairsemée n'était pas non plus au programme; elle ne comptait plus les fois où elle avait eu le menton râpé par ses baisers rugueux.

Tandis qu'elle le regardait, il lui parut si accablé et si inquiet qu'elle décida de lui dire ce qu'elle n'avait pas eu l'intention de lui avouer avant son retour.

— Je suis enceinte, lança-t-elle sans prévenir, simplement, presque en s'excusant.

Puis elle attendit.

Mille émotions passèrent dans ses yeux, surprise, tristesse, joie incommensurable, puis il la prit dans ses bras et répéta dans un murmure :

— Merci mon Dieu, merci pour ce présent.

Mille pensées se déployèrent dans l'esprit de Coriandre, stupeur, incertitude, soulagement, puis se cristallisa sur la couleur du doute. Qu'avait-il voulu dire exactement par « Merci mon Dieu » ? Merci de quoi ? Merci pour un bébé qui remplacerait le père... ?

Chapitre deux

Manuel Rojas avait vu Jésus. C'était arrivé hier, alors qu'il roulait sur cette même route, en direction de l'aéroport international d'Acapulco. Il était là, debout sur le bas-côté de la piste de terre qui quittait Cerro el Burro, près d'un panneau indicateur donnant les distances, douze miles pour Chilpancingo, cinquante pour Acapulco. Sauf que Jésus ne se tenait pas vraiment sur le bas-côté, on aurait plutôt dit qu'il flottait au-dessus. C'était l'une des premières choses que Manuel avait remarquées, Ses pieds dans les sandales de cuir brun touchant à peine le sol, Ses bras écartés, paumes en l'air, pas comme s'Il faisait signe aux voitures, plutôt comme s'Il était en train de bénir tout ce qui l'entourait, la poussière, les caméléons, les cactus et même les antennes de télé plantées sur les cahutes qui bordaient la grand-route.

Manuel avait freiné et s'était arrêté. Descendant de sa camionnette, il s'était contenté de rester là, debout, à regarder, pas trop près, juste assez pour ne pas manquer un seul détail. Il aurait voulu avoir un appareil photo. Jésus était là, debout lui aussi, juste à côté du poteau indicateur, Sa longue robe blanche flottant dans la brise, mais il n'y avait pas de brise, Manuel l'avait remarqué immédiatement. A Cerro el Burro en plein juillet, il

23

n'était pas question de vent. Tout juste de soleil, de chaleur accablante et de poussière.

En rentrant d'Acapulco ce soir-là, Manuel s'était précipité directement à l'église pour parler à son prêtre. Le père Ramon avait paru plutôt excité par toute l'affaire, même s'il essayait de se comporter avec calme. Il n'avait pas cessé d'interrompre Manuel, le priant de raconter sa vision depuis le début, sans se presser, de façon à ce qu'il puisse tout porter par écrit en vue du rapport officiel.

Non pas qu'il mît sa parole en doute, simplement il savait que son paroissien pouvait parfois céder à l'émotion quand il était question de sa foi. Ce dernier relata l'affaire par le menu, avec une maîtrise étonnante, comment il se rendait à l'aéroport international d'Acapulco pour répondre à une offre d'emploi, la première chance de travail après six mois sans salaire, comment il s'apprêtait à réciter une petite prière pour se porter bonheur quand c'était arrivé. Manuel avait un peu honte de réclamer de telles faveurs à Dieu, mais les temps étaient durs et le boulot ne courait pas les rues. Un job d'aide-serveur au Pelicanos Rosas Lounge du terminal Aeromexico n'était pas l'idéal, dans la mesure où il impliquait plus de cent cinquante kilomètres de trajet quotidien. D'un autre côté, c'était la garantie d'un revenu régulier agrémenté d'heures supplémentaires tous les lundis, à l'arrivée des charters.

Il décrivit la façon dont les cheveux châtain clair de Jésus tombaient sur Ses épaules, parla de Sa barbe clairsemée, de Ses yeux qui semblaient si bons, si pleins de compassion, et pourtant emplis de souffrance, marqués par la trahison. Le père Ramon voulut savoir ce que Manuel avait fait à part rester planté là, à regarder Jésus comme un idiot, et celui-ci lui répondit qu'il était tombé à genoux, qu'il avait pleuré, et que lorsqu'il avait relevé les yeux, Jésus s'était estompé lentement.

Le prêtre était troublé. Cette vision n'avait rien de particulier, rien qui la distinguât des quelque quinze autres apparitions qui avaient été signalées dans les environs de Mexico au cours de l'année passée. Ce qui tracassait le père Ramon, c'était de savoir si le Vatican prendrait l'affaire assez au sérieux pour faire de Cerro el Burro un lieu saint, peut-être même pour l'inclure dans l'itinéraire de Jean-Paul II lors de son pèlerinage en Amérique latine, à l'automne prochain. Si seulement Manuel avait pu se rappeler un détail supplémentaire avant qu'ils n'envoient leur fax à Rome... Peut-être fallait-il s'accorder un jour ou deux de réflexion et prier pour un autre signe ou une nouvelle apparition, n'importe quoi pour retenir l'attention de la Commission des Miracles du Vatican.

Le 3 juillet, deux jours après l'événement, Manuel se retrouva au volant de sa camionnette sur la même route, entre l'aéroport international d'Acapulco et Cerro el Burro. Il n'avait exhumé aucun détail nouveau. Non qu'il doutât un instant d'avoir été témoin d'un miracle. Après tout, n'avait-il pas continué son chemin vers l'aéroport et battu soixante-quatre autres candidats pour décrocher le poste d'assistant serveur au Pelicanos Rosas Lounge. Et même si le directeur l'avait fait débuter en équipe de nuit au même salaire horaire que les gars de la journée, ce n'était pas grave. Seules deux choses lui importaient. Il avait un boulot et il avait vu Jésus.

Songeant à son nouvel emploi, il aborda le virage dangereux où la piste rencontrait la route pavée à deux voies qui menait à Acapulco. Il était exactement onze heures cinquante-sept quand il vit l'explosion. Il n'y avait aucun doute sur l'heure. Manuel venait juste de consulter sa nouvelle montre digitale phosphorescente pour s'assurer qu'il était dans les temps.

Le bruit fut assourdissant, l'éclair de feu si saisissant que Manuel pila durement et perdit le contrôle de sa camionnette. Sa tête vint heurter le pare-brise. Il lui fallu plus de trente secondes pour parvenir à s'arrêter sur le bas-côté. La main en écran devant les yeux, il vit une boule de feu retomber et embraser les collines autour d'Acapulco. Une série d'explosions de moindre intensité secoua la nuit tandis qu'une pluie de débris s'abattaient sur le sol. Il y eut un dernier coup de tonnerre et le ciel redevint calme, piqueté d'un semis d'étoiles et traversé d'un fin panache de fumée blanchâtre montant d'une des hauteurs lointaines. Manuel se signa.

Sa première idée fut qu'un avion avait explosé en vol, foudroyé en plein ciel comme l'une de ces boîtes de conserve dont il se servait parfois pour s'entraîner au tir. Puis il pensa à Jésus, bien qu'il fût certain de ne pas avoir assisté à une nouvelle apparition. Il y songea pendant dix bonnes minutes et finit par se convaincre qu'il venait d'être témoin de la destruction d'une machine et de ses occupants. Quelques secondes avant l'événement, il avait aperçu un groupe de lumières clignotantes descendant vers l'aéroport.

A présent, il était confronté à un dilemme. A moins de se presser, il arriverait en retard au travail et perdrait son emploi avant même d'avoir commencé. Et pourtant, il ne pouvait pas repartir sans avoir signalé ce à quoi il venait d'assister. Le poste de police le plus proche se trouvait à une quinzaine de kilomètres à l'écart de la grand-route, dans une localité nommée Chilpancingo. Il savait au fond de lui qu'il n'avait pas le choix, puisque tout ceci concernait Jésus. Après tout, sans Lui, il ne se serait pas trouvé sur cette route dans la mesure où il n'aurait pas eu à aller à l'aéroport pour prendre son service. Manuel arriva à un compromis avec sa conscience. Il décida de signaler l'explosion au poste de police de l'aéroport après le travail. Personne n'avait pu survivre à cet enfer, ce n'était surement pas une question de vie ou de mort.

Cinq heures après l'accident, vers six heures du matin, le chef de la police de l'aéroport international d'Acapulco finit par décréter l'état d'urgence. Il notifia la disparition et le crash présumé d'un jet privé Falcon Dassault en provenance de La Guardia, New York. Un appareil de reconnaissance Cessna 185 décolla. A son retour il signala que les débris de ce qui pouvait être un avion avaient été repérés au sud-ouest de Chilpancingo, sur une hauteur, à environ deux mille mètres d'altitude. Le terrain étant très accidenté, seul un hélicoptère de la police put s'approcher suffisamment pour constater les dommages et vérifier que l'appareil était complètement détruit, sans aucun survivant en vue.

Le soleil était levé quand Manuel quitta son service. Sa lumière rose se reflétait sur les grands buildings blancs bordant la plage. Le poste de police de l'aéroport était situé au rez-de-chaussée des Cocos Condominiums, à mi-chemin de Caleta Beach. Manuel passa la porte coulissante aux panneaux de verre teinté et pénétra dans un hall de marbre noir où une flèche indiquait que le poste se trouvait à l'arrière du bâtiment. Poussant un battant de fer forgé, il s'approcha du comptoir et expliqua à l'homme de garde la raison de sa visite. On l'expédia le long d'un interminable couloir jusqu'à une autre pièce où il décrivit ce qu'il avait vu au capitaine de service. Il fut étonné par l'ennui profond et l'apparent manque d'intérêt de ceux qui écoutèrent son récit. Plus surprenant encore, personne ne semblait au courant d'un quelconque accident.

Manuel se retrouva dans une petite pièce meublée d'un bureau de bois sculpté et d'un gros fauteuil de cuir brun. Trois chaises capitonnées de noir faisaient face à cet ensemble, et trois portraits étaient accrochés au mur, un de Pancho Villa, un du président Carlos Salinas, le dernier de Jésus-Christ. Manuel se signa à nouveau. Le capitaine était installé derrière le bureau, tandis qu'un homme, vêtu d'un costume de soie grise froissé occupait l'une des chaises. A première vue, il semblait avoir près de quarante ans, mais les boucles brunes qui encadraient ses traits délicats et poupins démentaient cette impression.

Un personnage nettement plus jeune, grand et mince, le visage dur, les cheveux noirs lissés en arrière était assis sur un autre siège. Manuel s'efforça de ne pas le regarder fixement. A la place de ses mains, il y avait deux prothèses de métal.

— Il y a quarante-huit heures, vous voyez Jésus, et la nuit dernière, vous assistez à l'explosion d'un avion en plein ciel.

Le capitaine se pencha sur son bureau, le visage mangé par ses lunettes d'aviateur aux verres miroirs.

Manuel regretta d'avoir mentionné l'apparition de Jésus, mais c'était pour leur faire comprendre à quel point il connaissait bien cette route, avec quelle fréquence il la prenait et pour leur montrer qu'il avait assisté à des choses plus époustouflantes qu'une explosion en vol.

— C'était différent la nuit dernière, Señor Capitàn, affirma-t-il avec conviction. Ce que j'ai vu, c'était une bombe !

– Pourquoi avez-vous attendu tout ce temps pour le signaler ? demanda l'homme au visage poupin.

Il parlait espagnol avec un accent, son phrasé était plus mélodieux que celui des Mexicains, mais non dépourvu d'arrogance.

– J'avais peur d'être en retard à mon travail, Señor. C'était ma première nuit.

– Vous en avez parlé à vos collègues ?

C'était l'homme aux prothèses. Lui non plus n'avait pas l'accent mexicain, son ton était aussi doux que celui de l'autre, mais il y avait de la sympathie dans sa voix et pas la moindre trace d'arrogance.

– J'avais peur qu'ils me prennent pour un baratineur.

– C'est le cas ? demanda le capitaine avec un sourire. Vous n'aviez pas un peu forcé sur la tequila ?

Manuel se sentit insulté.

– Je vous jure que je n'avais pas bu, Señor Capitàn. Je conduisais, et j'ai vu un avion exploser comme ça – bang! (Il frappa du poing dans sa paume.) De mes yeux, je l'ai vu.

– On n'a signalé ni accident, ni explosion la nuit dernière, prononça le capitaine en se redressant dans son fauteuil.

A cet instant la porte s'ouvrit et un homme entra dans la pièce. Trapu, complètement chauve, il présentait une étrange ressemblance avec le Monsieur Propre des produits d'entretien. Il regarda autour de lui, se dirigea vers le civil au visage poupin et lui murmura quelques mots à l'oreille avant de s'installer sur la dernière chaise libre.

– Peut-être est-ce la visite annoncée du pape Jean-Paul II qui vous a inspiré ? lança-t-il à Manuel.

Les autres rirent.

— Non, *Señor*, murmura Manuel, la tête basse.

Il y eut un silence, pendant lequel le capitaine ajusta ses lunettes sur son nez et agita quelques papiers, semblant réfléchir à la situation. Puis il haussa légèrement les épaules et releva la tête.

— Je vous remercie d'être venu mais j'ai bien peur que nous ne puissions rien faire pour les explosions d'avions fantômes. (Il se leva.) Ni pour les apparitions. (Il contourna son bureau.) Vous pouvez partir, conclut-il. Allez, vous pouvez disposer.

Manuel se leva lentement, raclant sa chaise sur le sol.

— Mais s'il y avait eu un miracle, souffla-t-il. S'il y avait des survivants ?

— Les miracles n'existent pas, Manuel, répondit le capitaine. Tout le problème est là. Pas de miracle.

Il échangea un regard avec les autres hommes.

— Et il n'y a pas eu d'accident d'avion, ajouta le type chauve.

Manuel aurait voulu leur demander comment ils pouvaient être aussi sûrs d'une chose à laquelle ils n'avaient pas assisté, mais il s'abstint.

— Ce que vous avez vu, c'était probablement une étoile filante ou un éclair de chaleur, proposa l'homme au visage poupin avec un sourire.

Manuel resta silencieux, examinant le bout de ses chaussures.

— Ou alors, vous vouliez impressionner votre patron pour qu'il vous transfère dans l'équipe de jour, suggéra le chauve, le regard perçant sous ses arcades glabres.

Le capitaine ouvrit la porte.

— En vous dépêchant, vous pouvez encore attraper la messe du matin à Cerro el Burro.

– S'il y a du nouveau, et si vous voulez que je revienne..., commença Manuel en reculant vers la porte.

– S'il y a du nouveau, on vous le fera savoir, ne vous en faites pas, coupa le capitaine.

Tout le monde se leva.

– Merci d'être venu, lança poliment l'homme aux traits poupins.

– Soyez prudent sur la route, ajouta quelqu'un.

– Et doucement sur les apparitions, conseilla le capitaine avec un sourire.

A sept heures, le matin du 4 juillet, Joe Pasinsky, responsable de vol de la compagnie Gwenda basée à Westchester, terminait son service lorsque le téléphone se mit à sonner. Joe décrocha et entendit une voix provenant de la tour de contrôle de l'aéroport international d'Acapulco lui annoncer que l'un de ses avions s'était crashé quelque part dans les collines entourant la ville mexicaine. Selon les premières informations, il n'y avait pas de survivants. Pasinsky appela immédiatement Fritz Luckinbill, le propriétaire de la compagnie qui lui demanda de ne rien faire avant son arrivée, l'assurant qu'il partait de chez lui dans cinq minutes. Il lui en fallut moins de vingt pour arriver de Greenwich, Connecticut, où il résidait, s'asseoir à son bureau et décrocher son téléphone.

Tout au long de la matinée, Pasinsky et Luckinbill suivirent l'évolution de la situation par téléphone et par fax. Les informations concernant l'accident étaient plutôt évasives, car Washington ne pouvait lancer aucune enquête avant d'y avoir été autorisé formellement par le gouvernement mexicain. Enfin, vers onze heures, environ douze heures après le crash, les autorités locales leur donnèrent le feu vert pour se rendre sur le site de l'accident et récupérer ce qui restait de l'avion, de l'équipage et de son passager. Pour Luckinbill, ce fut à la fois un soulagement et une angoisse supplémentaire. Il allait falloir récupérer la boîte noire installée dans la queue de l'appareil. Une fois en possession de ce dispositif, qui recelait toutes les indications sur le déroulement du vol jusqu'au moment de l'impact et l'enregistrement des conversations entre le pilote et les différentes tours de contrôle, il pourrait savoir ce qui s'était passé. Les Mexicains n'avaient pas mentionné la boîte noire, et quand Luckinbill leur posa enfin la question, on l'informa qu'elle n'avait pas été encore retrouvée. A midi, il embarquait sur un vol régulier pour Mexico.

La circulation restait dense à la sortie d'Acapulco, jusqu'au point où la route à deux voies devenait une piste de terre reliant Chilpancingo à Cerro el Burro. C'est là seulement que Manuel remarqua la voiture. Il n'y en avait plus d'autres à des kilomètres à la ronde. Mais sa plus grande surprise, quand elle arriva à la hauteur de sa camionnette, fut de constater que les deux hommes se trouvant à son bord étaient ceux qu'il avait vus au poste de police. Le chauve trapu tenait le volant tandis que le type au visage poupin lui faisait signe de se ranger sur le bas-côté.

Manuel se sentit lavé de son humiliation, persuadé qu'un avion avait finalement été porté manquant et que le duo lui courait après pour l'emmener témoigner devant les autorités compétentes. Il leur adressa un petit signe de tête, freina et s'arrêta sur l'accotement. Il sauta à terre et attendit, à moins de cinq mètres de l'endroit où il avait vu Jésus. Lorsque les hommes descendirent à leur tour, il remarqua que celui aux prothèses de métal n'était pas avec eux. Pendant quelques instants, il se demanda ce qui se passait. Puis il vit l'arme.

D'un geste preste, le chauve la sortit de son holster d'épaule, visa et lâcha trois balles coup sur coup. Manuel fut touché deux fois à la poitrine, une fois à l'abdomen. Trois nouveaux projectiles furent tirés à bout touchant dans son crâne, alors qu'il gisait déjà sur le sol. Il mourut instantanément. Les deux hommes tirèrent son corps jusqu'à la camionnette, le hissèrent sur le siège du conducteur, l'attachèrent avec la ceinture de sécurité et passèrent ses bras autour du volant.

Le chauve mit le contact et desserra le frein à main avant de rejoindre son compagnon derrière le véhicule. Une petite poussée leur suffit pour envoyer la camionnette dans le ravin. Cahotant puis rebondissant parmi les arbres et les rochers, elle prit de la vitesse et s'enflamma lorsqu'elle toucha le fond.

Chapitre trois

« Respire, vis, ne meurs pas, allez, reviens. »
Coriandre répétait ces mots encore et encore, comme s'il
s'était agi d'une sorte de mantra. « Respire, vis, ne meurs
pas, allez, reviens. » Encore et encore, pendant que Roy
Orbison roucoulait « Sweet Dreams Baby » dans les haut-
parleurs. Sa main, sous la double épaisseur du gant, fouillait entre les chairs rabattues de l'ouverture pratiquée
dans le torse du patient, passait entre les côtes pour
masser son cœur arrêté. Tout autour d'elle, des brancards de la salle de soins, des lits de fortune du hall et
des civières qui encombraient la rampe d'accès s'élevaient des gémissements, des plaintes, des cris angoissés
ou incohérents que de grosses voix autoritaires s'effor-
çaient de faire taire, comme si tous ces gens avaient été
stupides et sourds plutôt que blessés et terrorisés. Seul
un service d'urgence traumatologique pouvait produire
une telle cacophonie.

« Respire, vis, ne meurs pas, allez, reviens. »
Coriandre continua à répéter ces mots jusqu'à ce que le
technicien qui manœuvrait le respirateur lance : « Prêt
pour l'électrochoc. » Une pause sur le tempo d'Orbison
pendant que tous retiraient leurs mains et s'écartaient du
patient, à l'exception de la jeune infirmière pakistanaise

35

qui maintenait les plots électriques sur le cœur. Sur le moniteur, un bip encourageant fit s'élever des soupirs de soulagement au sein du groupe. Puis quelqu'un dit « Ouais, c'est bon, ça marche, on y va! » Coriandre reprit son massage cardiaque. Elle n'était pas prête à crier victoire. Pas encore. Il respire, il vit, il ne meurt pas, il revient, peut-être... « Mais pour combien de temps? » osa demander un des internes, vêtu lui aussi d'une blouse verte souillée. Comment le saurais-je, répondit silencieusement Coriandre en poursuivant son travail. Ce n'était pas elle qui lui avait tiré dessus, elle était seulement là pour recoller les morceaux et assumer la responsabilité au cas où la colle ne tiendrait pas. Sur l'écran, l'indicateur de tension artérielle était visible, bon signe, et le pouls – miracle des miracles – venait également d'apparaître, oscillant aux alentours de trente-six, c'était le jour des prodiges.

– Continuez, lança le médecin qui venait d'arriver, encourageant Coriandre dans son dos. Vous êtes une foutue bonne masseuse, Wyatt. Personne ne vous a jamais dit que vous pourriez réveiller les morts...?

Elle comprit la familiarité du ton. Pour certains, c'était le seul moyen de ne pas succomber à l'angoisse, à la peur paralysante. Elle aurait pourtant préféré un moyen plus doux d'exprimer cette peur et cette angoisse. Un simple « Prends-moi dans tes bras » aurait provoqué une réponse plus chaleureuse.

– Espérons-le, se contenta-t-elle de répondre, se concentrant sur le cœur qui recommençait à battre régulièrement.

– Mettez une sonde dans la trachée, Wyatt, fit le médecin en jetant un coup d'œil par-dessus l'épaule de Coriandre, au cas où il y aurait un saignement dans la gorge.

– Approchez-vous, docteur, elle est déjà en place...

Il se pencha davantage vers elle et murmura à son oreille :

– J'adore la façon dont vous dites ça.

– Pourquoi sentez-vous le charbon de bois ? demanda-t-elle, ignorant sa boutade.

– Je viens d'un barbecue.

On est vraiment des as, pensa Coriandre en continuant son massage ; blessure par balle, code bleu, risque de décès en cours de transport, et à part ça quoi de neuf ? C'était un 4 juillet ordinaire au Brooklyn General Hospital de Brooklyn, New York, et ça aurait pu être pire. Elle aurait pu être de garde la nuit où quelqu'un avait ouvert le feu sur vingt-sept personnes attablées dans un McDonald's quelque part sur Atlantic Avenue. D'un autre côté, elle aurait pu également se trouver en week-end à Acapulco avec son mari.

Rein perforé, possibilité de complications intestinales, point d'entrée du projectile dans le bas du dos, point de sortie au niveau de l'abdomen inférieur gauche. Maintenant qu'elle avait remis son patient sur les rails, cœur battant, respiration régulière, vivant, elle ressentait la même colère, la même nausée, le même désarroi qui l'assaillait à chaque fois qu'elle obtenait une réussite sur ce terrain.

– Ils n'ont vraiment rien de mieux à faire de leur peau, pour l'amour du Ciel ? demanda-t-elle sans s'adresser à personne en particulier, alors qu'elle s'apprêtait à refermer l'incision du thorax.

– Le pouls redevient irrégulier, prévint le technicien. Surveillez la tension ou il faudra le choquer à nouveau.

Quelqu'un tint le fil et l'aiguille courbe en suspens

tandis qu'elle replongeait sa main dans l'ouverture béante pour imprimer au cœur un massage régulier et rythmé. Lorsqu'ils l'avaient amené, le patient avait une liasse de billets de cent dollars, un briquet en or massif et toute une collection de cartes de crédit dans la poche de son pantalon ensanglanté.

— La femme et le frère sont dehors, très secoués. Vous leur parlerez? demanda l'un des internes.

Elle acquiesça avec lassitude tout en continuant à masser. Un passant innocent, avaient annoncé, l'œil goguenard, les flics qui l'amenaient. Il sortait de l'église et se rendait chez sa mère...

Elle se trouvait dans le hall des urgences médicales quand le médecin de garde avait déboulé. Regardez ça, avait-il dit, lui agrippant fermement les épaules pour l'écarter d'un patient qui se plaignait de douleurs dans la poitrine. Regardez ça, docteur Wyatt, un code bleu, avait-il insisté, une lueur de joie dans l'œil. Elle n'était pas particulièrement impressionnée. Le code bleu constituait l'ordinaire du service, quand ce n'était pas le code morgue. Regardez ça, docteur Wyatt, et c'était ce qu'elle avait fait. Elle avait vu un homme noir allongé nu sur une table, son pénis flasque pendant sur le côté. Et alors? A quoi s'attendait-elle? A ce que le médecin de garde lui dise : « Ne regardez pas ça, docteur Wyatt », à ce qu'il l'oblige à détourner les yeux et la protège de cette vision? Non, ce n'était pas à ça qu'elle s'attendait, mais c'était peut-être ce qu'elle aurait préféré. Dès l'instant où elle toucherait cet homme, sa vie serait entre ses mains. D'où son malaise en entendant le médecin l'inviter à entrer dans le jeu, à toucher, à soigner, à guérir ou à ne pas guérir, selon le cas.

C'étaient des mots que son père lui avait dits autrefois – « Ne regarde pas ça, Coriandre ! » – à Buenos Aires pendant la dictature militaire, en 1978, tandis que la police secrète embarquait un vieil homme. Elle avait regardé le vieillard supplier qu'on l'aide, s'accrocher aux passants, les saisir par les revers. Aucun des témoins respectables et élégants qui assistaient à l'incident ce jour-là dans la Calle Florida n'avait manifesté la moindre indignation, la moindre compassion lorsqu'il avait été jeté dans une voiture dont le moteur tournait. Des années durant, cette image l'avait hantée, un symbole de l'horreur de ce qui se passait à Buenos Aires.

C'était en 1978, sous la Junte du général Videla, où plus de huit mille personnes avaient disparu sans laisser de trace, où les fascistes parcouraient la ville en Ford Falcon grises, enlevant les gens dans les rues, les restaurants, les bureaux, dans leur lit au milieu de la nuit, pour les emmener dans des prisons et des centres de torture d'où ils ne ressortaient presque jamais. Coriandre avait vingt ans et commençait ses études de médecine.

Jusque-là, la vie de son père n'avait été qu'une longue série de mutations, toujours en Amérique du Sud, toujours au sein de la même compagnie pétrolière américaine. La récompense était venue en fin de carrière, sous la forme d'une affectation diplomatique en Argentine. Palmer Wyatt avait été nommé ambassadeur sous Nixon, confirmé sous Ford et maintenu en poste par mesure d'exception après l'élection de Carter en 1976. Le Département d'Etat en avait décidé ainsi compte tenu de la complexité de la situation locale et du fait que Wyatt, en plus d'une connaissance parfaite des mécanismes politiques de la région, pouvait se prévaloir d'excellentes relations de travail avec la Junte. Egalement à son crédit, le fait que sa femme soit issue d'une des grandes familles d'Argentine. Floria Lucia Sarmiento Wyatt était la descendante d'un ancien président, Domingo Sarmiento, l'homme qui avait jadis séparé les Argentins en « Européens » civilisés et « caudillos », « gauchos » et « Indiens » barbares. Au cours des années où Palmer et Floria avaient occupé l'ambassade américaine, il y eut plus d'échanges diplomatiques et commerciaux entre les deux pays que pendant tout le reste de leur histoire commune, à l'exception de la période où Juan Peron revint au pouvoir, en 1973. Coriandre était la seule à trouver presque impossible de réconcilier les deux cultures et à se sentir en permanence ballottée de l'une à l'autre.

Moitié américaine et moitié argentine, elle était en fin de compte rejetée par les deux côtés. Les Argentins se méfiaient de ses opinions – *gringa* – et les Américains mettaient en doute son système de pensée – hippie. Il ne lui restait qu'une issue : s'exprimer dans un espagnol impeccable jusqu'à ce que ses paroles soient entendues et ses actes avérés.

Des années plus tard, en 1984, quand elle arriva à Brooklyn pour suivre son internat, elle tenta de se faire comprendre de la même façon. Elle fut frappée par les ressemblances entre le Brooklyn General Hospital et Buenos Aires. La méfiance et la suspicion y étaient aussi endémiques que le chagrin et le malheur, les mots *colère* et *désespoir* aussi fréquemment utilisés que leurs équivalents espagnols. La différence tenait à une douceur de prononciation des consonnes du côté argentin, par opposition à la rudesse de l'espagnol portoricain et dominicain qu'on entendait à Brooklyn. A Buenos Aires, les gens étaient aussi plus détendus; ils prenaient leurs vacances moins au sérieux, pas comme ceux d'ici qui mouraient d'envie d'entrer aux urgences un 4 juillet.

– Cathéter en place, annonça Coriandre en mesurant le tube foley qui se remplissait de sang. Je penche toujours pour un rein perforé, alors emmenons-le en haut en vitesse...

Le médecin s'était approché du pied du lit.

– Quel est le pronostic chirurgical ? demanda-t-il comme s'il existait un autre moyen d'extraire la balle.

– Quel est le pronostic sans chirurgie ? répliqua-t-elle, certaine de ce qui allait venir. Je n'ai jamais entendu parler d'une balle qui se soit dissoute d'elle-même, docteur.

Il ignora le sarcasme.

– Si le patient y passe là-haut, on a un procès sur le dos. S'il meurt ici, aux urgences, on s'en sort avec une comparution devant la commission des décès et *hasta la vista*...

Il haussa les épaules, ses yeux décolorés clignant rapidement derrière ses lunettes à monture rose.

– Vous plaisantez ?

– Je ne plaisante pas.

– Vous rêvez, alors.

– Allons, Wyatt, c'est un très mauvais cheval pour la chirurgie.

– Et un vrai tocard pour la mort.

– Pourquoi ça, Wyatt ?

– Trop jeune...

– Personne ne vit éternellement.

Elle le regarda.

– Il y a une grande nuance entre mourir dans son sommeil à quatre-vingt-quinze ans et mourir à vingt-cinq d'une blessure par balle réparable...

– Vous êtes en train de signer un abonnement, Wyatt. Il reviendra ici sans arrêt...

– Donnez-moi une option viable et je l'examinerai, fit-elle d'un ton suave.

– Faites un scanner pour vous assurer que le rein est atteint.

– Nous n'avons pas le temps...

– Pensez à l'équipe, Wyatt...

– Rendez-moi un service, Stan, retournez à votre barbecue.

– Je n'arrive pas à comprendre pourquoi vous avez choisi les urgences chirurgicales, déclara-t-il avec une componction feinte. Vous auriez pu vous épargner toutes ces décisions déplaisantes en vous cantonnant à la dermatologie...

Le badinage ne venait pas naturellement à Coriandre dans cet environnement où tout la renvoyait aux images de sa jeunesse, les sirènes et les manifestations, le combat et le deuil. Alors, pourquoi optez-vous pour la chirurgie traumatologique de préférence à la dermatologie, la pédiatrie ou la gynécologie, ces territoires féminins sur le continent mâle qu'est la médecine ? Elle n'avait jamais expliqué qu'elle avait besoin de cette intimité, sans doute un héritage de son enfance. Et comment être plus intime avec quelqu'un qu'en réparant ses blessures ? Qu'y avait-il de plus personnel que la mort ? Autant de questions auxquelles elle n'avait jamais fourni de réponses. Il y en avait d'autres. Sur elle-même et sa virginité, par exemple, quand il était devenu embarrassant d'admettre qu'elle était toujours intacte à dix-huit ans, puis à dix-neuf. Alors, elle avait menti et s'était inventé des amants. Sur la fac de médecine, aussi, où elle était gênée d'avouer qu'elle avait commencé sa première année à vingt et un ans à peine. Alors, elle mentait et se vieillissait. De ce malaise et de cette timidité, elle avait gardé l'habitude de la distance, déjà trop enracinée en elle pour qu'elle pût s'en débarrasser.

Il y avait eu une longue suite d'amitiés qui se dénouaient à chaque fois qu'elle déménageait avec sa famille pour un nouveau pays. Des amitiés qui n'atteignaient jamais la véritable intimité. Il y avait eu Coriandre à quatorze ans, provoquant une petite émeute en faisant son entrée à l'ambassade américaine de Buenos Aires sous les vivats du personnel. Elle avait pris le meilleur de son père et de sa mère, la beauté, le tempérament et un dynamisme surprenant. Coriandre Wyatt était ce genre de fille qui est belle même à ses pires moments. A cet égard, elle n'avait pas changé. Elle possédait toujours cette épaisse crinière dans les nuances sombres du blond qui cascadait sur ses épaules, ces yeux d'ambre qui se piquetaient d'or dans les moments de bonheur et de noir sous l'effet du chagrin, ces traits parfaitement ciselés avec une bouche un peu envahissante, ce corps mince avec un petit peu trop de poitrine. Un nez toujours brillant et jamais poudré, touché de quelques taches de rousseur, des mains gracieuses aux doigts effilés qui ne cessaient de remuer quand elle parlait, des membres longs qui semblaient se délier à chacun de ses mouvements, un regard étincelant, attentif à tout ce qu'elle voyait, entendait, goûtait, touchait.

Sa voix pouvait être posée et cultivée ou grinçante comme la boîte d'un 4×4 malmenée sur un chemin désert. Il y avait des moments où la mauvaise diction et les fautes de syntaxe la choquaient et d'autres où elle était capable de lancer des bordées d'injures à faire rougir un routier.

Quelques mois après son arrivée à Buenos Aires, elle avait déjà maîtrisé l'art de rester debout pendant des heures dans la chaleur et le froid extrêmes, de survivre aux discours officiels les plus rébarbatifs et aux promesses politiques les plus vides. C'était l'époque où elle était tenue de participer à toutes les cérémonies, d'observer la présence parfaitement diplomatique de son père et l'absence tout aussi diplomatique de sa mère. On attendait d'elle qu'elle remplaçât au pied levé la seconde au bras du premier. C'était Floria Lucia qui avait déclenché le conflit, elle encore qui y avait apporté une solution...

Floria Lucia Sarmiento Wyatt était de ces femmes qui ne peuvent vivre privées de sucre. Saupoudré sur les petits gâteaux qu'elle dévorait ou mélangé aux cocktails qu'elle sirotait, léché sur ses doigts parfaitement manucurés ou aspiré par ses lèvres au maquillage impeccable, elle était incapable de s'en passer. Au fil des ans, cette accoutumance devait se révéler mortelle, même si Floria Lucia resta fraîche et rose jusqu'à la fin. C'est à n'y rien comprendre, répétait Palmer, même au soleil, cette sacrée bonne femme ne fait pas plus de cinquante ans et à la lueur des bougies, on lui en donnerait facilement quarante. Et quelle importance si ces diamants gros comme des noix du Brésil étaient empruntés, si ces robes brodées de perles étaient louées, si ces mantilles de dentelle ancienne provenaient d'une longue lignée de Sarmiento défuntes; en matière de mode, Floria Lucia faisait la pluie et le beau temps. Elle était ce qu'on appelle une beauté. Elle était également un véritable cauchemar. Charmante, excitante, amusante, et catastrophique en tant que mère. Dans ses jours sobres, elle était imprévisible; le reste du temps, irrationnelle. Dès quatorze ans, Coriandre avait compris qu'une fille qui vit dans l'ombre d'une mère célèbre et belle ne dispose que de trois options. Soit elle demeure dans son ombre à jamais, soit elle la rejette sans pitié, soit elle met tout de côté et s'occupe de sa propre vie. Instinctivement, elle avait opté pour la troisième solution bien que ce ne

fût pas la plus facile à mettre en œuvre. Elle voulait devenir médecin et travailler en traumatologie à New York,
alors que pour son père il était entendu qu'elle resterait à
Buenos Aires. En fin de compte, le choix s'opéra malgré
elle lorsque Floria Lucia accomplit le seul acte altruiste
de toute son existence. Elle mourut. Dans une chambre
aux murs rose pâle près de la clinique française de La
Rioja à Buenos Aires, derrière un paravent de chêne ciré
et de soie beige, elle s'éteignit comme une chandelle souf-
flée par la brise tiède et printanière d'un soir argentin.

Coriandre se tenait dans le hall du service des
urgences et parlait à la femme et au frère du blessé qu'on
avait déjà transféré en chirurgie.

— Nous avons jugulé l'hémorragie et évalué les dommages commis par la balle. Il a une très bonne chance de
s'en sortir.

— Dieu vous bénisse, docteur, pleurait la femme. On
n'oubliera jamais ce que vous avez fait.

— Vous serez toujours dans nos prières, ajouta le
frère.

Ce genre d'adulation la mettait toujours mal à l'aise,
mais elle aurait répondu si une jeune fille n'était pas
apparue. Vêtue d'un léopard moulant et de cuissardes
noires, les cheveux bleus coiffés à l'iroquoise, les yeux
cernés d'ombre à paupières, les lèvres barbouillées de
rouge violent, elle s'approcha, une cigarette à la main.

— Vous avez rien pour mes nerfs, doc ?

— On ne fume pas ici. Il y a de l'oxygène...

— Allez vous faire foutre, doc.

La femme, toujours en pleurs, ne prêtait aucune
attention à la nouvelle venue.

— Quand est-ce qu'on pourra le voir ? demanda-
t-elle.

Coriandre se trouva prise dans le feu des deux conversations.

– Dès qu'il sera en salle d'éveil, répondit-elle avant de se tourner vers la fille. Vous êtes dans un hôpital...

– C'est pas un hôpital, ici, c'est un abattoir. Vous avez pas du Demerol, doc ? C'est pour mes nerfs.

– Il est vraiment tiré d'affaire ? continuait le frère.

– Une chose à la fois, dit Coriandre. Pour l'instant, il a surmonté la première phase critique.

– Grâce à vous, docteur. C'est vous qui l'avez sauvé.

– Allez, doc, juste un Demerol.

– Je ne peux pas vous donner de Demerol sans vous avoir examinée...

– Allez chier, doc...

Coriandre se retourna vers le couple.

– Vous devriez aller boire un café. Il y en a au moins pour trois heures avant qu'il ne sorte du bloc. Puis, se tournant à nouveau vers la fille : si vous n'éteignez pas cette cigarette, je vais être obligée d'appeler la sécurité...

– Vous êtes une sainte, docteur.

– Un boucher, ouais.

Les vigiles arrivèrent et enlevèrent sa cigarette à la fille avant de l'escorter jusqu'à la salle d'attente tandis qu'elle glapissait des obscénités. Aux yeux de Coriandre, ce genre de scène était typique de l'absurdité de l'existence. Comme elle traversait le hall, elle fut interceptée par une infirmière d'un certain âge, une de ces baroudeuses qui auraient pu accomplir n'importe quel acte chirurgical mieux qu'un interne de première année.

– La femme et le frère du blessé par balle vous attendent là-bas.

Coriandre, désarçonnée, regarda dans la direction qu'elle désignait.

– Mais je viens de leur parler...

L'infirmière leva les yeux au ciel en la poussant gentiment vers un couple en larmes.

– Vous avez parlé à la petite amie et au copain du type, dit-elle. L'épouse et le frère, c'est ceux-là.

En se dirigeant vers eux, Coriandre décida de ne pas mentionner les imposteurs. Après tout, le chagrin et l'amour se moquent des états civils. Quelle importance ? Il y avait pire sous le soleil.

A Buenos Aires, en 1978, la situation empirait de jour en jour. Les rafles, les fouilles et les descentes de police se multipliaient, ainsi que les arrestations arbitraires d'hommes, de femmes et même d'enfants. Après des semaines de torture, une dizaine de jours au secret suffisaient généralement pour amener un prisonnier à dénoncer ses amis, sa famille, n'importe qui pour survivre encore quelque temps ou pour être exécuté le plus vite possible. Telle était l'atmosphère quand Palmer Wyatt retira sa fille de l'université de Buenos Aires pour l'inscrire à celle de Cordoba qu'il pensait plus sûre. C'est là que Coriandre rencontra Danny Vidal...

Le blessé était déjà sous assistance respiratoire, intubé et relié à toute une série de flacons et de tuyaux en vue de l'intervention. La mort imminente était écartée, remplacée par un risque de mort par infection, erreur opératoire, ou par récidive de la violence. Adieu rein droit, pensa Coriandre en quittant le bloc pour regagner la salle de triage où elle disposait en général d'à peine trente secondes pour décider si le patient qui se présentait méritait qu'on mobilise le matériel pour lui, qu'on lui consacre du temps et des efforts.

Tube trachéique en place, drain ouvert, rappelat-elle à l'équipe qui poussait le blessé hors de la pièce, surveillez sa tension dans l'ascenseur, son pouls en arrivant là-haut. C'était une espèce de club privé dans le sens où tout le monde était impliqué dans les procédures d'urgence. Personne n'oubliait les règles et les automatismes, même en plein désastre. Vous êtes cordialement invité à sauver une vie lors de la fête du 4 juillet – VAVPS, Veuillez Apporter Votre Propre Sang. Jusqu'à la prochaine fois, où le même blessé arriverait avec la même excuse : « J'étais là bien tranquille, doc, à m'occuper de mes affaires, quand... »

Alors qu'elle s'apprêtait à quitter le service, Coriandre croisa des brancardiers qui poussaient une civière sur laquelle était allongée une grande et grosse femme amputée d'une jambe, une expression de terreur animale dans le regard. Elle prit la feuille médicale des mains de l'un des deux hommes et se mit à suivre la civière.

– Comment allez-vous aujourd'hui madame Rodriguez ? demanda-t-elle à la femme avant de répéter la phrase en espagnol. *Como està Señora Rodriguez* ?

Bouche et langue remarquablement enflées, côté droit immobile, le côté de la bonne jambe, pas de chance.

– Elle peut pas parler, expliqua l'un des brancardiers, AVC, accident vasculaire cérébral – une attaque.

Coriandre lui jeta un regard ironique. Ces types adoraient apprendre leur boulot aux médecins. Et maintenant, qu'est-ce qu'elle était censée dire ? Désolée, Señora Rodriguez, vous venez de faire un accident vasculaire, mais hélas ce n'est pas ce qui convient pour ce côté-ci du couloir. Vous comprenez, ici, c'est pour les balles et les couteaux. Le chagrin, c'est en face. La compassion de Coriandre ne s'étendait pas à tous les patients de son service, mais elle ne pouvait la refuser aux plus désespérés, à ceux qui faisaient halte ici avant d'être renvoyés vers le tas d'ordures de l'assistance publique. Elle prit la main de la femme et vit ses yeux se remplir de larmes. Elle lui parla doucement.

– Vous pouvez écrire ?

La femme hocha la tête.

– Inscrivez le numéro de téléphone d'un ami ou de quelqu'un de votre famille...

Les larmes ruisselaient sur les joues de la femme. Coriandre lui tendit un papier, un stylo, et la vit tracer le mot PERSONNE. Son cœur manqua un battement. Elle reprit la main de la patiente et s'adressa aux brancardiers.

– Amenez madame Rodriguez en médecine et inscrivez-moi à la fois comme médecin d'admission et médecin en charge.

Puis elle reprit son chemin, en quête du prochain malheur disponible. Elle n'eut pas à aller très loin.

Une infirmière la rappelait en salle de triage.

– Une blessure à l'arme blanche, docteur Wyatt. Pas trop grave, le patient est ambulatoire, il s'est présenté seul aux admissions. Vous pouvez vous en occuper s'il vous plaît ?

Vous en occuper, s'il vous plaît ; s'occuper de la drogue, de la politique, de la colère, des victimes. Elle retourna faire son diagnostic au triage où, pour cette fois, elle disposait de plus de trente secondes, puisque la blessure à l'arme blanche était ambulatoire. Ici on les classe selon leurs blessures, là-bas, c'était selon leurs opinions.

– Vous avez besoin d'un stylo, docteur Wyatt ? demanda l'infirmière.

Secouant la tête, Coriandre entreprit de palper le patient. Qui aurait eu l'idée de prendre des notes dans un endroit pareil ? Le type souriait. Pourquoi pas, au fond ? Il était vivant, non ?

– Blessure au niveau de l'abdomen inférieur gauche, la rate est peut-être atteinte, sensibilité au toucher. Envoyez-le à la radio mais ne le remuez pas trop et assurez-vous qu'il est sur le côté gauche pour la photo. (Elle se redressa.) Branchez-le sur un moniteur.

– Le patient sent l'alcool, annonça l'infirmière en se penchant sur le blessé. On prend le risque d'une perfusion ?

– Qu'est-ce qu'il a à perdre ? demanda Coriandre d'un ton las. A part sa vie ?

Non, elle n'était pas dénuée de compassion à leur égard, mais elle n'allait tout de même pas se mettre à hurler et à les secouer jusqu'à ce qu'ils comprennent que l'existence était dure mais qu'il n'y avait rien d'autre à mettre à la place. De l'éducation, Coriandre, des bonnes manières, du tact. Le décorum, docteur Wyatt, la procédure, s'il vous plaît.

– Alors, perfusion ou pas ? interrogea l'infirmière, étouffant un bâillement.

– Allez-y, on fait le mélange. Médicaments, alcool, tout. On le désintoxiquera s'il le faut quand il sera d'aplomb.

Elle souffrait de ne pas pouvoir modifier leur destin, comme elle souffrait de ne pas pouvoir s'en aller sans se retourner avant la fin de sa garde. Elle se sentait coupable de vivre dans un autre monde, en plein ciel au-dessus de la 5e Avenue, à Manhattan, avec vue plongeante sur Central Park. Un jour, à Buenos Aires, dans une limousine, elle s'était sentie submergée d'impuissance, de désespoir et de colère en voyant les enfants qui vivaient dans les bidonvilles de San Telmo et de Monserrat. Mais la voiture n'avait pas ralenti pour autant sur le chemin de l'aéroport où l'attendait l'avion qui devait la ramener à l'hôpital et à son internat.

Regardez ça, Wyatt... Oui, elle avait parfaitement le droit de regarder ce patient-là, avec son rein perforé, même s'il était nu, puisque c'était elle qu'on avait choisie pour lui plonger la main dans la poitrine. Et après tout, n'était-ce pas Danny qui lui avait appris à toucher les cœurs bien des années auparavant en Argentine, bien avant qu'elle n'applique cette technique à un niveau plus littéral... Elle repoussa ses cheveux en arrière et prit une profonde inspiration ; vingt-sept heures sans dormir, plus que neuf à tirer avec un peu de chance. Elle aurait pu être sur la plage d'Acapulco avec son mari.

Chapitre quatre

Le flic voulait se faire soigner les mains après une altercation sans gravité, doc, rien de sérieux, juste une peignée qu'il s'était pris et maintenant il n'arrivait plus à fermer les poings.

Coriandre écoutait ses doléances, se demandant si ces mains n'avaient pas donné des coups plutôt que d'en avoir reçus. Après quelques heures de calme plat, le chaos recommençait. D'habitude entre deux et neuf heures du matin, il y avait un bref répit dans le service après l'admission d'une première vague de cas liés à l'alcool et aux drogues, qui étaient triés, soignés, expédiés vers la morgue ou renvoyés au caniveau pour cuver. Il était neuf heures et quart et une nouvelle fournée avait déjà ingéré et digéré les substances nécessaires pour parvenir au degré de comportement irrationnel qui allait la conduire aux urgences.

– Comment vous y êtes-vous pris pour vous abîmer les mains ? demanda Coriandre au flic qui était sorti de la mer des uniformes bleus massés autour de l'entrée.

À chaque fois qu'elle les voyait, elle avait l'impression de s'être égarée au milieu d'une équipe de bowling armée jusqu'aux dents.

– Lit trois, intervint une infirmière, lui collant une

53

feuille médicale dans les mains. Le prisonnier attaché aux montants du lit nécessite un diagnostic rapide.

Coriandre parcourut la feuille, puis reporta son attention sur le flic.

– Il est à vous, celui-là ?

– Il refusait de se laisser arrêter, doc...

Elle revint à la feuille, lut, releva les yeux.

– Il est quasiment mort, fit-elle, incrédule.

– C'est une bête, doc. Il a balancé sa petite amie dans l'escalier pour pouvoir se tirer par la fenêtre avec la came...

Celle-là, elle l'avait entendue si souvent qu'elle en arrivait à souhaiter qu'ils changent de numéro.

– Où est la petite amie ?

– Oh, allez, doc, vous les connaissez, ces gens-là, ils se cassent pas, ils rebondissent...

– On dirait que vous en avez trouvé un plus friable que les autres, lâcha-t-elle avant d'aller retrouver le prisonnier.

Le flic lui emboîta le pas.

– Et mes mains, doc ?

– Demandez à un infirmier de vous emmener en radio.

– Et mon arrêt-maladie ?

Elle ne s'arrêta qu'au pied du lit.

– Attendons d'abord le résultat.

– Et mon prisonnier ? Quand est-ce que je pourrai le récupérer ?

– Jamais si ça ne tenait qu'à moi, répondit-elle d'une voix glaciale.

Elle écarta le rideau qui entourait le lit et s'approcha.

L'un de ceux qui ne se cassaient jamais gisait dans la salle de triage avec un foie en charpie, la rate éclatée, une lèvre ouverte et un œil tellement enflé que l'hématome couvrait toute la partie gauche de son visage. Elle en aurait pleuré.

Elle repoussa doucement les couvertures et se mit à l'examiner, commençant par les pieds et les chevilles à la recherche de fractures, remontant jusqu'au torse, en quête d'autres blessures internes. Le rideau s'entrouvrit et Coriandre vit apparaître Lottie, sa meilleure amie. Elle la connaissait depuis son arrivée à l'hôpital, huit ans plus tôt.

– Agression ?

Coriandre se détourna à peine de son patient.

– Arrestation mouvementée, fit-elle entre ses dents.

Du coin de l'œil, elle surprit une expression d'incrédulité sur le visage de son amie.

– Ça change tout.

– J'ai bien envie de faire un rapport, dit Coriandre en secouant la tête.

– D'accord, et imagine que tu te retrouves dans la rue à trois heures du matin et qu'il t'arrive quelque chose...

– Parce que tu crois que ça va briser cette belle histoire d'amour entre la police et nous ?

– Je ne pense pas que ce soit à toi de la mettre à l'épreuve.

Quelques infirmières les rejoignirent autour du lit.

– Qu'en pensez-vous, docteur Wyatt ? demanda l'une d'elles.

Qu'était-elle censée penser ? Qu'il y avait une paille dans le système, que les criminels devenaient parfois des victimes pendant que les victimes devenaient des statistiques et les représentants de la loi des criminels ?

– Fémur gauche fracturé, voilà ce que je pense, fit-elle plus lasse que furieuse. Alors prenez une radio pendant qu'il est sur la table et mettez-le dans une coquille pour le monter là-haut. (Elle se tourna vers Lottie.) Après tout ce temps, on pourrait croire que ça me laisserait indifférente.

– Quand ça t'arrivera, il sera temps de passer en dermato et d'apprendre à affronter les horreurs du psoriasis.

– Tu es la deuxième aujourd'hui à me suggérer la dermato.

– Ce que j'ai du mal à imaginer, c'est qu'on puisse avoir besoin d'une pension de la ville de New York au point de s'équiper d'un 38 et de descendre patrouiller dans les rues.

Coriandre lui sut gré de son humour irrévérencieux. Lottie, brune, voluptueuse, perpétuellement au régime, avait abandonné l'orthopédie pour la traumatologie après l'échec de son mariage. L'idée générale était de s'abrutir par un travail inhumain de façon à être trop épuisée en rentrant pour remarquer qu'on était seule...

– Ecoute, ce type est vivant alors qu'il aurait pu aller droit à la morgue. Considère ça comme une bénédiction...

– Je suis peut-être au-delà du désespoir, Lottie, mais j'ai du mal à considérer qu'un homme dans cet état soit une bénédiction.

– Il faut que tu arrêtes de te laisser bouleverser par tous ceux qui passent ici.

– Pas tous, protesta Coriandre. Seulement ceux qui sont sans abri, sans espoir, avec un avenir pourri. Quatre-vingt-cinq pour cent.

– Qu'est-ce qui reste pour toi ?

– Tu peux parler.

– Qu'est-ce qui reste pour Danny ? corrigea Lottie.

Une lueur de tristesse flotta dans le regard de Coriandre. Elle la chassa d'un clignement de paupières.

– Plus qu'il ne semble en vouloir ces derniers temps.

– Il est parti pour le week-end ?

– Les affaires..., répondit Coriandre d'un ton léger.

– Quand est-ce que tu vas lui dire ?

– Je le lui ai annoncé avant son départ.

Lottie lui lança un regard aigu.

– Il était excité ?

Elles se tenaient le long d'un mur, dans le couloir animé qui séparait la salle de triage des deux sections du service de traumatologie.

– Excité, c'est beaucoup dire. Plutôt soulagé. J'ai surtout eu l'impression qu'il était content pour moi. Comme si ça allait me donner un nouveau sujet d'inquiétude en dehors de lui.

– Et si tu prenais un congé ? demanda Lottie.

– Quand je ne pourrai plus être utile à quoi que soit autour de la table d'opération, je m'arrêterai un moment.

Lottie s'apprêtait à répondre quand quelque chose capta leur attention du côté des portes à battants. On poussait une civière dans la salle de triage.

– Blessure par balle, annonça Lottie.

– Original, commenta Coriandre.

L'un des deux brancardiers était déjà en train de faire l'article, criant pour couvrir le vacarme du couloir.

– Deux balles dans l'abdomen. J'ai besoin d'un coup de main pour l'hémorragie.

Les deux femmes se ruèrent vers la civière. Coriandre appliqua ses mains sur la blessure pour endiguer le flot de sang tandis que Lottie posait des questions au brancardier.

– Quel calibre ?

– Je ne sais pas, répondit l'homme essoufflé pendant qu'une dizaine de personnes s'agitaient pour préparer une transfusion et ravitailler le blessé en sang frais.

– Combien de temps? lança Lottie au milieu de la confusion.

– Vingt minutes, s'égosilla le brancardier.

– Amenez un respirateur, ordonna Coriandre, notant que l'un des flics s'était approché d'elle.

– Trente foutus témoins dans ce restau et personne n'a rien vu.

Ayant ainsi résumé la situation, il fit l'un des gestes les plus courants dans le service. Il se passa le pouce sur la gorge, demandant :

– Un client pour la morgue, doc ?

Le temps avait rendu Coriandre aussi indifférente au geste qu'à la question.

– On ne peut rien dire pour le moment, répliqua-t-elle en se redressant pour prendre un clamp des mains d'un interne et effectuer une suture temporaire. Attendez un peu avant de prévenir les homicides, continua-t-elle, relevant le pouls et la pression sanguine. Il se stabilise, conclut-elle à l'intention de ses assistants.

Avant même que le diagnostic ne soit fait, avant qu'on ait pu commencer les soins, les flics voulaient un pronostic, ils voulaient une sentence avant que le patient ne meure. L'hémorragie fut contrôlée et on brancha l'homme sur un respirateur.

– Vous allez opérer, doc, demanda le flic ?

– Pas moi. Il y a une équipe en haut. (Elle prit une inspiration.) Une chose est sûre, celui-là me paraît mal parti pour la morgue.

Le flic haussa les épaules.

– Je vais quand même traîner dans les parages un moment. Avec ce genre de truc, on sait jamais.

Ils étaient comme des vautours, pressés de transformer une agression en meurtre. Ayant fait franchir à son patient la première phase critique, elle le confia à l'équipe qui continuerait à le stabiliser avant de l'envoyer en chirurgie. Lottie était déjà à l'autre bout de la pièce. Coriandre jeta un coup d'œil dans l'une des salles d'examen et remarqua la fumeuse à l'iroquoise bleue et au maquillage outré assise sur une table. Apparemment quelqu'un lui avait donné une cigarette, qu'elle tenait au-dessus d'un petit cendrier en fer blanc posé sur ses genoux.

— Hé, doc, appela-t-elle, il y a un tas de gens qui se font tuer, par ici, non ?

Coriandre ne répondit pas. Elle retourna en salle de triage où elle vit le médecin de garde et deux de ses internes faire une entrée remarquée. Blouses blanches flottant dans le courant d'air des portes battantes, ils avançaient en ligne, ignorant tous ceux qui les entouraient, comme une équipe de secours en quête d'un désastre. Elle ne douta pas un instant de la raison de leur présence. Le médecin venait discuter de la blessure par balle au rein droit éclaté qui était passé sur le billard ce matin. Elle se rappelait sa mise en garde. Il est à vous, Wyatt. S'il y reste en chirurgie au lieu de mourir aux urgences, c'est le procès à tous les coups. Ignorant sa présence, elle se dirigea vers son dernier blessé par balle qui s'apprêtait à partir en salle d'op' et vérifia le dosage de sa perfusion.

— Pourquoi ne pas laisser le docteur Bruner s'occuper de ça ? demanda le médecin avec une douceur surprenante.

Coriandre jeta un regard à Lottie, qui se tenait au pied du lit, et haussa les épaules.

— Allons là-bas, fit le médecin, désignant une petite pièce à l'autre extrémité de la salle.

Coriandre acquiesça, remarquant que les deux internes avaient quelques réticences à la regarder dans les yeux. En silence et en file indienne, ils gagnèrent la petite pièce. Devant la porte, ils s'arrêtèrent, laissant Coriandre et le médecin y entrer seuls. Ils restèrent dehors, comme si c'était convenu d'avance.

Le médecin attendit qu'ils soient assis pour parler.

— Ma petite Coriandre..., commença-t-il sur un ton plus amène que celui dont il était coutumier.

Puis il s'arrêta.

Ce qu'il avait à dire semblait avoir du mal à sortir.

— Ecoutez, Stan, simplifions les choses, lança Coriandre, énervée. Quoi qu'il se soit passé là-haut, en chirurgie, j'en accepte la responsabilité. Si ça peut vous soulager, avant même de savoir ce qui est arrivé, je vous confirme officiellement qu'en présence des mêmes circonstances et des mêmes signes cliniques, je referais exactement la même chose.

— Il y a eu un accident, l'interrompit-il.

Elle faillit lui rire au nez.

— Et à part ça, quoi de neuf?

Mais elle vit une expression de profonde tristesse s'inscrire sur son visage et son humour s'envola.

— Quel genre d'accident? demanda-t-elle, inquiète.

— On a appelé d'Acapulco.

Ce fut comme si quelqu'un l'avait incisée pour une opération à cœur ouvert et avait oublié de la refermer. Elle pouvait entendre les mots, mais pas comprendre leur sens.

— L'avion de votre mari s'est écrasé, Wyatt, fit doucement le médecin.

Non. Elle pensa le mot avant de le dire, puis le murmura, non, secouant la tête très lentement, puis le répéta plus fort, non. Et elle le redit, sa crinière lui balayant le menton, les pommettes, avant de lui fouetter les épaules et le cou. Non. Les yeux écarquillés, remplis d'effroi, l'ambre dilué par les larmes.

– Grave ? parvint-elle à articuler.

Le médecin prit une profonde inspiration et se pencha vers elle.

– Un homme a appelé d'Acapulco. Il s'est présenté comme votre beau-frère. Jorge Vidal.

Ce n'était pas une réponse.

– C'est grave ? répéta-t-elle dans un murmure.

– Il est mort, Cory. Votre mari est mort...

Quelqu'un d'autre dut crier, car ce ne pouvait être elle. La mort violente était son lot quotidien, non ? Son métier. Ça pouvait arriver aux autres. Pas à elle. Elle était là pour gérer les désastres et la souffrance, pas pour les subir, nom de Dieu, il ne savait pas ça ? Elle prit la main du médecin et déclara d'une façon qui pouvait paraître raisonnable à condition de faire abstraction de ce qu'elle disait :

– Mais mon mari est allé à Acapulco pour voir quelqu'un qui devait l'aider à tout arranger, vous comprenez...

Son idée, c'était qu'en lui expliquant les choses posément, il se rendrait compte qu'il y avait eu une terrible méprise. Si elle parvenait à garder son calme, elle arriverait peut-être à le convaincre de tout reprendre par le début et de lui dire ce qu'il était venu lui dire en réalité, à savoir que ce patient qui était passé sur le billard ce matin... *Regardez ça, Wyatt.*

– Vous comprenez, plaida-t-elle, si quelque chose était arrivé, quelqu'un aurait appelé...

– C'est ce que j'essaye de vous dire, Cory. Quelqu'un a appelé. Votre beau-frère, Jorge Vidal.

— Je vous en prie, Stan, supplia-t-elle, la voix étouffée par les larmes, ne dites pas ça, je vous en prie. Dites que ce n'est pas vrai...

Comment le persuader que c'était une erreur sans lui expliquer à quel point Danny était vivant et comment il la tenait dans ses bras la nuit dernière, ou était-ce celle d'avant, en tout cas moins de quarante-huit heures plus tôt, avant qu'elle ne prenne sa garde et qu'il ne s'envole pour Acapulco ? Comment lui dire que Danny lui avait fait l'amour pendant des heures et des heures, qu'il était resté en elle tandis qu'ils dormaient, que seules ses lèvres remuaient pour lui répéter qu'il l'aimait, jusqu'au dernier moment, jusqu'à ce qu'elle parte au travail ? Elle lui donnait sa force et sa substance, lui avait-il dit. Il lui donnait sa joie et son courage, avait-elle répondu. Il était son obsession. Elle était sa faiblesse.

— Je suis atterré, Cory, bon Dieu, je suis atterré...

Il y avait des larmes aussi dans la voix du médecin.

C'était le bout du chemin et elle le savait. Il n'y avait plus rien à dire ou à faire que de se répéter les mots jusqu'à finir par y croire. *Il est mort. Mon mari est mort.* Comme ça. Aussi simple que ça, à part qu'elle n'arrivait pas à comprendre comment il avait pu entrer dans cette terrible petite phrase. *Il est mort...* Sans avertissement, sans un signe avant-coureur, même pas la question du flic de tout à l'heure, *Un client pour la morgue, doc ?* Ce qu'elle ne parvenait pas à comprendre non plus, c'était comment une chose aussi affreuse avait pu arriver à Danny alors qu'il s'était donné tellement de mal pour repartir à zéro.

Les internes avaient dû entrer dans la pièce à un moment ou à un autre, car l'un des deux était accroupi devant elle et lui prenait le pouls, quelle idée, pendant que l'autre discutait avec le médecin du fait qu'il valait mieux éviter de la laisser conduire jusque chez elle. Lottie était là aussi, agenouillée près d'elle, et elle pleurait. Etrange, pensa-t-elle. D'habitude, ce genre de scène se produisait dans la salle d'attente, avec d'autre gens, d'autres maris qui mouraient et certainement pas le sien.

Il fut décidé que Lottie la reconduirait chez elle et resterait à ses côtés pendant qu'elle prendrait les dispositions nécessaires. Il existe un ordre sourd derrière les pires tragédies, elle en avait une conscience douloureuse, un processus particulier lié à toute mort violente ou annoncée. Des coups de téléphone à passer, des places d'avion à réserver, des valises à préparer, une infinité de détails qui tournaient dans sa tête tandis qu'elle ôtait sa blouse pour remettre ses vêtements de ville. Il fallait appeler Jorge à Acapulco, son père à Buenos Aires. Bizarre comme tous ceux dont elle avait besoin se trouvaient hors du pays, à commencer par Danny qui était hors de sa vie.

Quand elle sortit de la pièce, Lottie et un homme qu'elle ne reconnut pas l'attendaient dans le hall. Un nouveau flot de larmes lui monta aux yeux et se mit à couler sur ses joues. La main sur le ventre dans un geste involontairement protecteur, elle écouta son amie lui présenter l'inconnu.

– Cory, voici Adam Singer. Il fait partie du bureau du District Attorney.

Coriandre le dévisagea. Il paraissait assez aimable. La quarantaine. De la gentillesse dans le regard. Lottie attendit que l'homme exposât la raison de sa présence. Il était évident que, pas plus que son amie, elle n'en avait la moindre idée.

– Madame Vidal, commença-t-il, veuillez m'excuser d'arriver ainsi sans m'être annoncé, mais il est important que j'entre en contact avec votre mari. Je sais qu'il se trouve actuellement au Mexique et j'ai pensé que vous pourriez me donner un numéro de téléphone.

Coriandre vit l'expression stupéfaite de Lottie et l'entendit répondre :

— Vous ne savez donc pas...

Elle la coupa brutalement comme s'il fallait qu'elle prononce les mots elle-même. Comme une catharsis.

— Mon mari est mort...

L'homme pâlit.

— Quoi ?

Instinctivement, Lottie se rapprocha de Coriandre et l'entoura de son bras.

— De quoi s'agit-il ? voulut-elle savoir.

Perplexe, l'homme secoua la tête.

— Je ne sais pas quoi vous dire. J'ai une assignation à comparaître pour monsieur Vidal. (Il tapota sa poche.) Trente-quatre charges de fraude bancaire et autres délits, en rapport avec la disparition de cinquante millions de dollars à l'Ìnter Federated Bank.

Chapitre cinq

Son père la tenait par le bras. Debout en plein soleil dans la cour poussiéreuse de l'établissement de pompes funèbres Sanchez, à Chilpancingo, Palmer Wyatt plissait à peine les yeux.

— Coriandre, je t'en prie, n'entre pas là-dedans. Tu n'as aucune raison de t'infliger un spectacle aussi affreux...

Coriandre tourna vers lui son beau visage figé dans une expression polaire. Courage, disait son regard, ces gens ne savent pas de quoi ils parlent. Danny ne se serait jamais permis de finir en morceaux – oh, Seigneur! – dans un trou comme celui-ci.

— C'est à moi de l'identifier, prononça-t-elle, s'étranglant sur les mots. Si je ne le fais pas, il restera toujours un doute.

Elle s'accrocha plus fort au bras de son père.

— Pourquoi te torturer? plaida Palmer. Laisse ton beau-frère s'en occuper. Il n'y a plus rien que tu puisses faire ma chérie. C'est fini.

Un bel homme avec sa crinière blanche, son teint cuivré, son allure élégante, malgré le chagrin qui marquait son visage tandis qu'il parlementait doucement avec sa fille unique.

– Ce n'est pas fini, murmura-t-elle. C'est seulement que rien ne se passe quand Danny n'est pas là, ajouta-t-elle silencieusement.

– Pas de ça, dit Palmer, rattrapant du bout d'un doigt une larme qui s'apprêtait à rouler sur la joue de Coriandre. Elle l'observa. Malgré les années d'hostilité qui l'avaient opposé à Danny, il avait accouru dès qu'elle l'avait appelé.

– Je t'aime, mon bébé, fit-il, comme s'il avait lu dans ses pensées. Il ne s'est pas passé un jour, ces deux dernières années, sans que je me demande comment tu allais.

– J'allais bien. Mieux que bien. J'étais heureuse. Je l'aimais. Je l'aime toujours.

– Je voudrais tellement que tu ne souffres pas. Que rien de tout ça ne soit arrivé...

– Je ne voulais pas qu'il parte. Je lui ai proposé de ne pas aller travailler mais il disait que je ne trouverais personne pour me remplacer.

– Il serait parti de toute façon, dit son père en la serrant contre lui. Tu n'as aucun reproche à te faire. (Il lui caressa les cheveux.) C'est une terrible épreuve pour toi...

– Pas pour moi. Pour Danny. Tu as vu ce qui lui est arrivé...

Etouffée par les larmes, elle ne put continuer. Palmer lui dispensait son réconfort, la laissait sangloter dans ses bras.

– Tu oublieras, ma chérie. Je te promets que tu oublieras...

Des paroles en l'air. Elle n'avait jamais rien oublié de ce qui concernait Danny. Elle se rappelait la première fois qu'ils avaient fait l'amour comme si c'était la veille. Dans une chambre avec vue sur le delta du Tigre de l'élégant et suranné Hotel el Tropezon. Elle revoyait les cinq vieilles filles qui tenaient l'établissement, cinq sœurs qui faisaient leur possible pour préserver l'atmosphère années 20, l'ambiance art déco de l'endroit, jusqu'à ce réverbère de couleur planté au milieu de la pelouse. Elle se souvenait de l'odeur de son eau de cologne citronnée quand il était sorti de la salle de bain drapé dans une serviette, quand il l'avait prise dans ses bras pour l'attirer contre lui. Elle entendait les mots qu'il avait prononcés en l'entraînant vers le lit.

— Je ne te laisserai jamais partir Coriandre. Tu m'appartiens pour toujours.

La voix de son père la rappela à la réalité.

— Il a toujours été fataliste. Même à Buenos Aires, quand il complotait contre la Junte, il se croyait intouchable.

Coriandre se dégagea de son étreinte.

— Il n'avait pas tort, non ? Il a survécu à tout. Et il a fallu que ce soit un accident asburde qui...

A nouveau, ses larmes la suffoquèrent.

— Je remercie le ciel que tu n'aies pas été dans cet avion, fit Palmer, passant d'un pied sur l'autre.

— Le destin, dit-elle, se rappelant les mots que Danny avait prononcés quelques heures plus tôt lorsqu'ils faisaient l'amour.

Dans les étoiles, avait dit Danny. Comme si tous ceux d'Auschwitz et de Puesto Vasco étaient nés sous le même signe. Et tous ceux qui se trouvaient à bord de cet avion, ajouta-t-elle pour elle-même.

— Je me demande si Danny avait des ennemis capables de faire une chose pareille...

— Moi aussi, souffla Coriandre. C'est ça le plus horrible.

— Comment le savoir, reprit Palmer. Il voyait le

diable partout. Il avait cette perception biaisée des choses. Quiconque n'était pas prêt à risquer sa vie était un ennemi.

– Etais-tu son ennemi à cette époque, papa? demanda Coriandre en se rendant compte qu'elle ne l'avait pas appelé ainsi depuis des années.

– J'étais dans une situation impossible.

Elle se mordit la lèvre inférieure pour retenir le flot de larmes qui menaçait de rompre ses digues.

– Si tu l'avais défendu, les choses auraient peut-être été différentes...

– Tu serais restée?

– Comment aurai-je pu rester alors qu'il était déjà parti?

– Je me fais des reproches.

– C'est un peu tard.

– Qu'est ce que tu veux dire?

– J'attends un enfant, lâcha-t-elle tout de go.

La réaction de Palmer fut celle qu'elle attendait, comme si elle venait de lui annoncer un décès et non l'arrivée d'une vie nouvelle.

– Qu'est-ce que tu comptes faire? murmura-t-il.

– L'aimer, dit-elle simplement.

– Ma pauvre Coriandre, toute seule...

Elle secoua la tête.

– Pas toute seule...

– Je n'aurais jamais dû t'envoyer à Cordoba, soupira Palmer comme pour lui-même.

– C'est la meilleure chose que tu aies jamais faite pour moi. C'est là que j'ai rencontré Danny...

Des centaines de gens avaient été emmenés dans un champ proche de l'université de Buenos Aires et fusillés. Le gouvernement du général Videla prétendait qu'il s'agissait de détenus de la prison Villa Devoto impliqués dans des émeutes qui avaient coûté la vie à des gardiens et à des civils innocents. La gauche, cependant, affirmait que les victimes étaient des *desaparecidos*, ces *disparus* qu'ont avait tenus au secret pendant des mois. Contrairement à l'habitude, Washington avait décidé de ne pas réagir à cette violation des droits de l'homme par la Junte car une situation dangereuse était en train de se développer à l'autre bout du monde. Le Département d'Etat fit savoir à l'ambassadeur Wyatt que dans la mesure où les fondamentalistes musulmans menaçaient de renverser le régime proaméricain du shah d'Iran, il serait imprudent d'éveiller des sentiments antiaméricains en Amérique du Sud. C'est dans cette atmosphère de violence et d'hostilité envers les Etats-Unis que Palmer Wyatt retira sa fille de l'université de Buenos Aires pour l'inscrire à celle de Cordoba.

Cordoba est l'une des plus anciennes cités d'Argentine, une ville semée d'une quantité incalculable d'églises, de chapelles et de couvents construits par les franciscains, les carmélites et les jésuites. Ces derniers dirigeaient l'université. Une économie agricole, une terre faite de plates pampas et de sierras escarpées, une étonnante juxtaposition topologique, le présage de contradictions plus graves à venir. Ce que Palmer ignorait, c'était que la faculté était également le centre d'une fébrile activité antigouvernementale, et le quartier général d'un groupe de guerilleros de gauche, les Montoneros. En surface, pourtant, l'atmosphère semblait paisible après les horreurs quotidiennes de Buenos Aires. De fait, la vie de Coriandre à Cordoba se déroula sans incident notable pendant le mois suivant le massacre des détenus de Villa Devoto.

Elle se trouvait dans une petite *boliche* près de l'université et écoutait un ami jouer du bandonéon tandis que des étudiants dansaient le tango. A l'instant où elle vit le garçon s'approcher de sa table, elle se rendit compte qu'Hernando avait cessé de jouer. Elle ne réagit pas assez vite. Le garçon lui cracha au visage. *Fascista, gringa*, cria-t-il tandis que certains de ses congénères se joignaient à lui pour la tourmenter. Chrétienne ou non, elle tendit l'autre joue et reçut de nouveaux crachats. En quelques secondes, la confusion régnait, tout le monde montait sur les chaises, proférait des opinions politiques contradictoires dans les hurlements et la bousculade. Hernando avait sauté de scène et tentait de s'ouvrir un chemin vers elle lorsqu'un professeur et deux prêtres jésuites entrèrent dans le café. Ils ne perdirent pas un instant et se jetèrent dans la foule furieuse, écartant les uns, contrôlant physiquement les autres. L'un des ecclésiastiques appelait à la paix et au dialogue tandis que l'autre, grimpé sur une table au centre de la salle, sifflait entre ses doigts. Le professeur rejoignit Coriandre, acculée dans un coin.

— Suivez-moi, lui ordonna-t-il dans un anglais empreint d'une pointe d'accent argentin.

Elle le reconnut immédiatement. C'était lui qui lui enseignait l'économie. Sans attendre sa réponse, il lui prit la main, l'entraîna vers la porte, puis sur la place aux pavés inégaux qui s'ouvrait devant l'établissement.

— Vous tremblez, dit-il.

— Je tremble, confirma-t-elle et l'embryon d'une passion naquit de cette infime répétition.

Il retira son sweater et le lui mit sur les épaules.

— Pourquoi vous asseyez-vous toujours au fond de ma classe ?

— Pour ne pas empêcher les autres de voir, je suppose, répondit-elle, surprise qu'il sache qui elle était. Je suis grande, ajouta-t-elle, comme si la chose avait pu lui échapper.

Il sourit.

– Dites-moi, est-ce que je risque de provoquer un incident diplomatique si je vous invite dans mon bureau pour un *mate* ?

L'étendue de ses informations accentua son étonnement.

– Comment savez-vous qui je suis ?

– C'est de notoriété publique. Ce genre de nouvelle circule vite dans le coin.

Il lui jeta un regard pénétrant.

– C'est à cause de mon père qu'ils s'en sont pris à moi, n'est-ce pas ?

Lui saisissant le bras, il se mit en route vers son bureau, dans le bâtiment dévolu aux sciences sociales.

– Nous réagissons très fort à l'injustice, par ici...

Elle s'arrêta pour le regarder.

– Mais pourquoi moi ?

– Vous êtes sa fille.

– Qu'avez-vous à lui reprocher ?

– Complicité par omission. (L'intensité de son regard sombre lui faisait l'effet d'une brûlure.) Il n'y a rien qui vous fasse réagir passionnellement ?

Elle se sentit rougir.

– Je ne suis pas sûre que mes capacités passionnelles incluent la violence.

– Vous n'êtes pas véritablement belle, vous savez, lâcha-t-il après l'avoir étudiée avec attention. Juste incroyablement attirante...

Elle hésita un instant entre la contrariété et le sourire.

71

— Quel rapport avec le reste?

— Si vous aviez été moins attirante, j'aurais fait un effort pour vous connaître dès votre arrivée, il y a un mois.

— Je ne comprends pas...

— J'ai attendu que vous ayez besoin de moi...

— Comment saviez-vous que ça arriverait? demanda-t-elle, consciente qu'il rendait sa voix rauque.

— Ce n'était qu'une question de temps. Soit vous iriez au devant des ennuis, soit les ennuis viendraient à vous. (Il eut un grand sourire.) De cette façon, j'étais sûr de ne pas risquer de rebuffade.

Son explication la chiffonnait.

— Ce qui signifie que votre perception de l'injustice est en rapport direct avec vos attirances sexuelles?

Ce fut son tour de s'arrêter de marcher pour la regarder avec admiration.

— Bravo, Señorita Wyatt. Vous n'êtes pas seulement séduisante, vous êtes aussi intelligente. (Il lui reprit le bras.) Mais je ne devrais pas m'en étonner, puisque votre mère était l'une des plus jolies femmes de notre pays et que votre père a fait preuve d'assez de subtilité pour survivre à trois administrations.

— Laquelle de ces deux raisons m'a valu de me faire cracher dessus? demanda-t-elle, le regard droit.

— Nous reparlerons des raisons qui justifient ce qui s'est passé, répondit-il, lui ajustant le sweater sur les épaules.

Elle se dégagea d'un mouvement preste.

— Rien ne peut justifier ce qui vient de se passer...

— Si vous ne comprenez pas l'angoisse et la colère fondamentales du peuple, vous ne comprendrez rien au mal qui s'est emparé de cette société.

— Ce qui vient de se passer était inutile et inapproprié, ça n'a pas sauvé une seule victime innocente...

— Ce n'est qu'un exemple de l'instabilité explosive de la situation...

— Et sur qui serait retombée la faute s'ils avaient tous été embarqués et jetés en prison ?

— Ce n'aurait été qu'un exemple de plus du mal ambiant.

— Non, répliqua-t-elle. Plutôt un exemple de stupidité. J'aurais été la cause de tout et mon seul crime est d'être la fille de mon père et une Sarmiento par ma mère.

— Quelle qu'en soit la cause, il y aurait eu de nouvelles disparitions dans les geôles du régime.

— Et vous êtes prêt à sacrifier des vies pour démontrer cette injustice ?

— Je ne suis prêt à rien du tout. Je ne peux pas dicter aux gens ce qu'ils doivent penser ou ressentir. Je ne suis là que pour les soutenir.

— Et tout ça aurait pu finir par une plaque sur le mur de ce café ou par une rue à laquelle on aurait donné comme nom la date de l'incident. Et quand quelqu'un demanderait ce qui s'était passé, si les années n'avaient pas altéré la vérité, on lui raconterait qu'un homme avait craché sur la fille de l'ambassadeur des Etats-Unis et provoqué une émeute qui avait attiré la police.

— C'est mieux qu'un incident qui passe inaperçu...

— Je trouve préférable de sauver des vies que de créer des martyrs.

Sa réflexion parut l'amuser.

— C'est très américain, ce pragmatisme. Vous devriez peut-être en apprendre un peu plus sur l'abstraction et les symboles.

— Il n'y a rien d'abstrait ni de symbolique dans la

73

mort. Si la colère abstraite ou la rage symbolique coûtent leur vie aux gens, alors la Junte aura gagné le prochain round...

– Quiconque ne prend pas parti est suspect, vous ne comprenez pas ? Ce n'est pas une abstraction, ça. Le régime a des espions partout...

– En ce cas, vous devriez apprendre à ne pas préjuger des opinions de quelqu'un en vous fondant uniquement sur son hérédité.

Il y avait de la colère dans les yeux de Coriandre. Il la regarda un moment, muet d'admiration.

– Pourquoi n'avez-vous pas parlé plus tôt ?

– Aurais-je obtenu un aussi franc succès ?

Il sourit.

– Pourquoi ne pas être venue me voir ? Tout le monde sait qui je suis...

– Apparemment, c'est aussi mon cas.

Il hocha lentement la tête sans la quitter des yeux.

– Nous n'avons perdu qu'un mois, Coriandre Wyatt. C'est peu de chose à l'échelle d'une vie...

Il s'appelait Danny Vidal et enseignait l'économie à l'université de Cordoba lorsqu'il n'était pas occupé à préparer le renversement de la Junte au sein des Montoneros dont il était l'un des membres éminents. Pendant ses classes, ou au café où il tenait sa cour, il provoquait, raillait, insultait ses étudiants et pouvait les faire éclater en sanglots aussi vite qu'il les incitait à se surpasser et à atteindre des sommets d'intelligence.

Il n'était beau dans aucun des sens classiques du terme, mais possédait une intensité sensuelle qui enflammait quiconque se trouvait en sa présence, même lorsqu'il adoptait cet air d'indifférence calculé qui lui permettait de tenir les gens à l'écart. Il n'était pas particulièrement grand, de la même taille qu'elle, à peine un mètre soixante-dix, bâti en force, avec des épaules larges et des hanches étroites, des traits raffinés et expressifs, des mains étonnamment épaisses et fortes pour un homme de sa stature. Le teint mat, les cheveux noirs touchés de gris ici et là, ce qui lui donnerait un jour un air d'absolue distinction, s'il arrivait à vivre jusque-là. Un anglais mélodieux, délicatement teinté d'accent argentin, un espagnol chantant, une voix faite pour séduire. C'était un homme à qui rien ne manquait, qui ne se privait de rien non plus, bien que vis-à-vis des femmes, il eût la réputation d'être émotionnellement inaccessible, ce qui ne faisait que renforcer son mystère.

Il y avait quelque chose de douloureusement excitant chez un homme portant le deuil d'une femme assassinée par la Junte. Et le fait que cette femme ait été une belle et fameuse comédienne militante de gauche rendait le personnage encore plus désirable, le plaçant sous les auspices d'une sainte martyre. Alicia Morena avait été arrêtée sur la scène d'un théâtre de Buenos Aires par la police, accusée par le gouvernement d'œuvrer à son renversement. Ce qui n'était pas faux. Après une disparition de deux mois et demi, elle avait soudain réapparu comme un paquet égaré dans le dédale inefficace du système postal argentin. Violée, battue, torturée, plus morte que vive, elle avait été jetée d'une Ford Falcon en marche au moment où le régime avait estimé qu'il n'avait plus rien à tirer d'elle, sinon un exemple de ce qui arrivait à quiconque osait se dresser contre lui. Elle mourut dans les bras de Danny. Plus tard cette nuit-là, lors d'une veillée aux chandelles sur la place de Mai, celui-ci avait expliqué dans un discours enflammé qu'au moins tous ceux qui avaient aimé Alicia savaient à présent quel avait été

75

son sort. C'était plus qu'on ne pouvait en dire de milliers d'autres citoyens de Buenos Aires qui ignoreraient à jamais ce qui était arrivé à leurs amis, leurs parents, leur bien-aimé...

Lorsqu'ils entrèrent dans son bureau, Danny désigna un siège à Coriandre et se mit à préparer le *mate*, cette tisane argentine hachée dans une gourde creuse puis ébouillantée, qu'on aspirait à l'aide d'une paille appelée *bombilla*. Il posa le breuvage sur une table et le versa avant d'approcher une chaise de la sienne. Il s'assit, but une gorgée et lui tendit la paille.

— Vous vous réchauffez ?

Elle acquiesça, les yeux posés sur lui.

— Expliquez-moi le rapport entre l'antiaméricanisme ambiant et cet incident anti-Wyatt.

— A l'élection de Carter, nous avions espéré que la politique américaine à l'égard de la violation systématique des droits de l'homme qui a cours ici changerait, dit-il d'un ton brusquement las. Aussi, quand votre père a été reconduit dans ses fonctions d'ambassadeur et qu'aucun changement n'est survenu, il a paru logique de lui en faire porter le blâme plutôt qu'aux bureaucrates sans visage de Washington...

— Vous est-il jamais venu à l'esprit que si mon père est resté en poste c'était que Washington souhaitait avoir quelqu'un ici qui ait accès à des gens inaccessibles ?

Elle ne reconnaissait pas sa propre voix.

— Vous parlez des gens de la Junte ou des victimes ?

— Des deux.

— Votre père ne semble pas s'intéresser particulièrement aux victimes...

— C'est inexact...

— Il n'a pas fait une seule déclaration officielle contre la violence.

— Il ne peut s'exprimer à titre personnel. Il lui faut l'approbation de Washington.

— Encore un point intéressant. Pourquoi Washington ne prend pas position contre la Junte ?

Il l'observait avec intensité.

— Vous n'avez pas de contacts qui puissent répondre à cette question ? Des gens du Département d'Etat ?

— Tout ce que nous avons pu obtenir de nos bons amis à Washington, ce sont des promesses. C'est pourquoi nous avons essayé de parler à votre père. Malheureusement, il fait partie de ces gens inaccessibles...

Elle fonça dans l'ouverture.

— Vous aimeriez le rencontrer ? Si oui, vous pourriez venir à la fête de Noël de l'ambassade.

— C'est une invitation officielle ? fit-il, vaguement ironique.

— Oui, murmura-t-elle, perturbée à l'idée qu'elle agissait sans la permission de son père.

Il la dévisagea encore, cherchant son regard.

— A une condition...

— A savoir ?

— Que vous dansiez avec moi et que ce soit vous qui fassiez les présentations, dit-il, une lueur amusée dans l'œil.

— Ça fait deux conditions...

Il sourit à nouveau. Son regard s'était posé sur la bouche de Coriandre. Elle frissonna.

— Vous avez encore froid ?

Elle secoua la tête.

Il se leva et alla allumer des bougies sur une table poussée contre le mur du fond. Puis il revint s'asseoir, dangereusement près de ses lèvres. Il lui toucha la joue.

— Qu'est-ce qu'on parie que je tombe amoureux de vous ?

– Vous allez perdre, fit-elle dans un souffle.

– Je ne perds jamais...

Il se pencha pour effleurer ses lèvres des siennes puis se retira presque aussitôt. Elle garda les yeux fermés, attendant la suite, mais rien ne vint. Elle les rouvrit et le vit la regarder tendrement. Il s'approcha pour l'embrasser à nouveau, cette fois de façon plus pressante. Elle sentit sa langue dans sa bouche et se serra contre lui.

– Et maintenant ? susurra-t-elle quand leurs lèvres se séparèrent.

– Aussi longtemps que je serai près de vous, Coriandre Wyatt, il ne vous arrivera plus aucun mal, je le promets...

Il ne revint pas sur sa parole. Simplement, il ne resta pas près d'elle assez longtemps pour la tenir.

A Noël, le général Videla avait ordonné l'incarcération de deux mille civils supplémentaires dans des maisons de détention secrète et des centres de torture éparpillés dans le pays, Palmer Wyatt avait organisé une réception somptueuse et Danny Vidal était devenu l'amant de Coriandre. Le printemps suivant vit des femmes en foulards blancs défiler sur la Plaza de Mayo de Buenos Aires. Elles brandissaient des écriteaux portant les noms de leurs enfants ou petits-enfants disparus. *Donde Estan*, Où sont-ils, pouvait-on lire tandis qu'elles tournaient sur la place que les généraux découvraient depuis les fenêtres de la Casa Rosada. Selon Coriandre, la Plaza de Mayo était devenue un dispensaire ouvert à tous ceux qui avaient à souffrir du régime, le lieu de rendez-vous des malheureux rendus fous par l'empire de violence qui s'était emparé de l'Argentine. A ce moment, elle avait commencé à assister Danny dans ses activités anti-gouvernementales, photocopiant des tracts, dactylographiant des listes d'étudiants disparus, servant le café lors de réunions clandestines, manifestant. A l'été, Danny annonça brusquement qu'il démissionnait de son poste à l'université pour prendre la direction de la banque Credito de la Plata à Buenos Aires. Mais avant cela, il mit fin à leur liaison. Il la quittait pour son bien, expliqua-t-il, pour ne pas l'empêcher de vivre sa vie. Il ajouta qu'il l'aimerait toujours. Après la rupture, elle n'entendit plus jamais parler de lui. Ses coups de téléphone restèrent sans réponse et ses lettres lui revinrent sans qu'il les aie lues. Puis ce fut l'automne et elle apprit que la banque avait été fermée par la Junte, tous ses dirigeants arrêtés et accusés de blanchir de l'argent pour les Montoneros. Danny avait réussi à s'échapper. Des rumeurs faisaient état de sa fuite à Cuba, mais personne n'était sûr de rien, ou ceux qui savaient se taisaient.

Des années plus tard, en 1984, Coriandre débarqua à Brooklyn avec son diplôme de Cordoba et une aversion profonde pour la souffrance humaine. Elle arrivait aussi avec un cœur brisé. Danny Vidal était le seul homme qu'elle eût aimé dans sa vie et elle l'aimait toujours. Le Brooklyn General Hospital n'était pas dépourvu d'avantages, elle s'en rendit compte presque immédiatement. Ici, au moins, quand on lui crachait dessus elle pouvait agir, tâcher d'améliorer les choses. Elle n'était pas forcée de tendre l'autre joue.

Marchant vers le long bâtiment de stuc dans la chaleur poussiéreuse d'un juillet mexicain, elle retrouvait sur ses lèvres le goût de sa bouche, de sa langue ; elle revoyait le sourire paresseux qui retroussait ses commissures juste avant un baiser, le sourire soudain qu'éclairaient deux rangées de dents parfaitement blanches – c'est pour mieux te manger, mon enfant. La tête droite, les cheveux frôlant ses épaules, la frange balayant son front, le regard décidé derrière ses lunettes noires, Coriandre s'avançait vers l'enfer. Une cuvette. L'image la hantait. Le corps de Danny en morceaux dans une cuvette, attendant d'être réclamé. Un sanglot réprimé la fit hoqueter.

– C'est une très mauvaise idée, dit Palmer sans grande conviction.

– Une idée horrible, confirma-t-elle, tandis que les larmes se remettaient à couler sur ses joues.

Elle s'arrêta, retira ses lunettes et posa sa tête contre l'épaule de son père.

Des chiens insouciants aboyaient, des gens se saluaient comme ils l'auraient fait dans les restaurants de l'élégante Recoleta, sur l'Avenida Corrientes ou la Calle Florida de Buenos Aires. Un homme se détacha d'un groupe de personnages à l'allure officielle. Il était voûté, verdâtre, vêtu de gris et portait sur le visage une expression d'affliction professionnelle. Elle comprit immédiatement.

– *Buenos dias*, Señora Vidal. Je suis Enrique Sanchez, l'entrepreneur des pompes funèbres de Chilpancingo.

Il lui tendit une main décharnée qu'elle décida d'ignorer. Entrepreneur ou pas, elle n'était pas preneuse. Entrant en action, Palmer avança sa dextre diplomatique, hautement entraînée au shake-hand conciliateur et à la signature d'infructueux traités d'amitié.

– Je suis l'ambassadeur Wyatt, le père de la Señora Vidal. Vous comprendrez, j'espère, quel choc terrible nous venons de subir. Si vous pouviez nous épargner les tracasseries administratives...

– J'ai parlé à quelqu'un de votre bureau, dit Coriandre, s'animant soudain.

– Oui, c'était Annuncio, mon secrétaire...

– Il m'a dit qu'il ne restait presque rien à identifier, continua-t-elle, à nouveau écrasée par l'implication de ses propres paroles.

L'homme jeta un regard à Palmer, puis revint à Coriandre.

– C'est exact, fit-il tristement. Presque rien.

Elle se mit à trembler. Le spasme partit de ses mains et gagna tout son corps. Elle était glacée, atrocement, abjectement glacée. Elle aurait voulu que Danny la serre dans ses bras.

– Je vous en prie, Señor Sanchez, dit-elle, prenant une profonde inspiration. J'ai besoin que vous me racontiez tout.

L'homme parla rapidement, comme pour se débarrasser d'une information qui l'empêchait de passer à la phase suivante de ce désastre.

– Eh bien, l'accident s'est produit de nuit. Il y a des loups dans la région et bien sûr les paysans qui vivent là-haut ont ramassé tout ce qu'ils ont pu trouver. Le contenu de l'avion a été éparpillé sur un rayon de quatre-vingt-dix kilomètres et pour ce qui est des papiers ou des bagages, eh bien, les éléments de la nuit rendent toute recherche vaine...

Elle se sentait basculer lentement dans la folie. Sa voix chevrotait quand elle demanda :

– Que me reste-t-il à identifier ?

Palmer la prit par les épaules, la serra contre lui.

– Tu ne devrais pas, Coriandre...

Mais elle ne lui prêtait aucune attention.

– Continuez, monsieur Sanchez.

L'homme en gris se tortilla, troublé par le regard de Palmer.

– L'enquête proprement dite ne peut pas commencer avant que l'identification ne soit formelle, bredouilla-t-il. Le señor Jorge Vidal a déjà identifié certaines parties du corps, mais si nous n'avons pas... Nous espérions que la señora Vidal pourrait, eh bien...

Il s'arrêta, jetant au ciel un regard éperdu.

– Trier les morceaux, c'est ça ? s'écria-t-elle, incrédule.

Pouce levé ou baissé. Oui, non.

– Si vous vouliez bien, soupira l'autre, soulagé.

Palmer essaya de dire quelque chose mais Coriandre l'interrompit.

– De qui vient cette idée, Señor Sanchez ? demanda-t-elle doucement.

Une bonne idée, faillit-elle ajouter.

– De Jorge Vidal, expliqua l'infortuné entrepreneur. Voyez-vous, Señora Wyatt, nous disposons de trente-cinq kilos de vestiges humains que nous avons divisés en trois fractions réparties dans trois récipients. Dans les circonstances présentes, eh bien, la seule façon d'identifier les victimes est de procéder par élimination.

Si Coriandre avait pu prendre un peu de recul, peut-être aurait-elle trouvé la proposition fascinante. D'un point de vue strictement professionnel, l'idée lui serait apparue comme inattendue. Diviser les restes en trois parts égales représentant trois êtres humains – deux pilotes, un mari – dénotait une imagination plutôt originale. Et si d'aventure la répartition s'avérait inégale, on pouvait supposer qu'elle s'était effectuée en fonction du poids de chacune des victimes. Elle commençait à déraisonner.

– Señor Sanchez, je suis médecin, déclara-t-elle à travers ses larmes, mais elle aurait aussi bien pu dire astronaute, tant elle se sentait loin de l'objectivité de sa profession. Comment puis-je savoir que mon mari a réellement trouvé la mort dans cet accident s'il ne subsiste ni fragment d'os, ni dents, ni empreintes digitales?

Se mordant la joue jusqu'au sang, elle se rappela le jour où Danny et elle s'étaient embrassés si fort, si longtemps, avec une telle insistance, qu'ils avaient fini par avoir l'un et l'autre ce goût dans la bouche.

– Nous disposons d'une partie substantielle, murmura Sanchez, à peine audible.

Où sont les parties qui comptent, faillit-elle hurler, où sont les parties qui justifiaient son regard arrogant, son côté « j'ai ce qu'il te faut » qui ne s'effaçait jamais, même dans les pires moments?

– Quelle partie?

Palmer tenta à nouveau de reprendre la barre, se penchant comme s'il avait le vent dans le dos, mais Coriandre le prit de vitesse.

– Quelle partie? répéta-t-elle, une pointe d'hystérie dans la voix.

– Le torse, bafouilla l'homme en gris. Le seul élément qu'on ait retrouvé intact...

Je veux tout de toi, chaque morceau de toi... Et comment diable Danny avait-il pu partir pour Acapulco dans un avion privé pour finir ici, dans un bac individuel?

– Seulement le torse? demanda-t-elle.

– Eh bien, oui, balbutia Sanchez. Tout ce que je sais, c'est que le señor Jorge Vidal a pris des dispositions en vue d'une crémation, alors si vous pouviez confirmer l'identification...

– Quoi? s'écria Palmer.

– Crémation? répéta Coriandre, comme si elle avait mal entendu.

– Seulement pour éviter les complications administratives, s'empêtra l'autre. Votre mari est étranger, comprenez-vous, ce qui rend tout compliqué au Mexique. Il y a tant de formulaires à remplir pour le transport d'un corps... Les cendres ne sont...

Il s'arrêta, cherchant le mot approprié.

– Rien, mumura Coriandre, l'air égaré. Les cendres ne sont rien.

– C'est ahurissant, intervint Palmer. Comment ose-t-on prendre une telle décision sans même consulter ma fille ? C'est elle l'épouse, non ?

Coriandre était pâle, même sous le hâle qui brunissait son nez et ses pommettes. A ses yeux, cette décision outrepassait toute bienséance, bafouait les titres et les prérogatives, mais l'ironie de la situation ne lui échappait pas. Pour la première fois depuis des années, son père la présentait comme l'épouse de Danny Vidal, mieux, lui reconnaissait ce statut. Bien sûr, elle comprenait que c'était plus facile pour lui maintenant que le rôle appartenait au passé.

– Où sont ces fragments ? parvint-elle à demander.

– A la morgue, Señora, répondit Sanchez, se mettant à marcher à reculons. Je suis terriblement désolé mais, eh bien, je croyais que vous saviez...

Il continua à reculer ainsi, bredouillant des condoléances à chaque pas. Il avait dû répéter ce pas de deux des centaines de fois pour le réussir aussi bien, sans se prendre les pieds dans les racines et les pierres qui jonchaient la cour, sans percuter le panneau qui indiquait aux visiteurs qu'ils se trouvaient aux *Pompes Funèbres Sanchez*, au cas où ils auraient risqué de confondre avec le *Ranch du Canyon*. Lorsqu'il disparut enfin à l'angle du bâtiment, Coriandre annonça d'une voix éplorée :

– J'entre.

– Laisse-moi au moins t'accompagner, plaida Palmer.

– Seule, dit-elle, le souffle court.

Elle se dirigea vers l'arche qui menait à la bâtisse décrépite pompeusement baptisée morgue.

Dans le vestibule mal éclairé, Jorge Vidal se précipita sur elle pour l'étreindre avec maladresse, des larmes ruisselant sur son visage poupin, ses boucles noires en bataille, ses traits délicats crispés dans une expression pitoyable. Elle recula pour éviter le contact de sa joue. Trois cafards escaladaient un mur au-dessus d'un petit tas de poussière proprement balayé dans un coin.

– Coriandre, *querida, que desastre!* se lamenta-t-il. Je devais accueillir Danny à Acapulco. Nous allions te faire la surprise d'une villa magnifique.

– Quelle villa? questionna-t-elle, déconcertée. Danny ne m'avait pas dit qu'il devait te retrouver.

– Une surprise, il allait t'acheter une villa pour te faire une surprise. Nous avions décidé de nous retrouver quand il a appelé de Houston.

– Il devait voir quelqu'un pour la banque...

Jorge parut surpris.

– Non, *querida*, c'était pour une villa...

C'était absurde. Danny lui en aurait parlé. Il n'aurait jamais acheté une maison pour lui en faire la surprise, sans en discuter avant. C'est fou.

– Que faisait-il à Houston? demanda-t-elle, glaciale.

– Une escale technique.

– Et il est descendu de l'avion pour t'appeler?

Ça n'avait aucun sens.

– *Si*, *querida*, je devais l'amener à son hôtel et le lendemain matin nous serions allés voir l'agence immobilière.

Mais elle s'intéressait moins aux villas et aux coups de téléphone qu'aux efforts de Jorge pour détruire le peu qui restait de son mari. Le fait qu'elle se montre à peine polie n'était pas une nouveauté. Leurs relations s'étaient toujours tenues à l'extrême limite de la cordialité. Il avait perdu son respect et son admiration le jour où il avait quitté une femme et trois enfants pour une succession ininterrompue de mannequins et de starlettes à peine pubères qu'il plaquait généralement dans une variété de situations déplaisantes, enceintes ou éplorées.

— Tu ne peux pas faire ça, dit-elle, remarquant dans sa propre voix une nuance plaintive qui lui déplut. Tu ne peux pas le faire incinérer.

— Sanchez ne t'a pas expliqué?

— Je me moque des explications. Tu ne toucheras pas à mon mari.

— Il ne reste rien de lui, geignit-il.

Le minuscule contrôle qu'elle exerçait encore sur elle-même s'évapora d'un coup. Sa voix se fit stridente.

— Ça ne fait aucune différence, ce qu'il reste de lui... glapit-elle, en larmes. Tu ne t'approcheras pas de Danny.

— Mais Coriandre, tout est organisé, insista-t-il. Je l'ai fait pour toi, pour que tu échappes aux formalités. Pour t'épargner le crève-cœur de ces problèmes bureaucratiques.

Si quelqu'un lui avait dit qu'elle était en train de tanguer, elle l'aurait cru.

— Sur quelles preuves? cria-t-elle. Comment sais-tu que c'est Danny?

— *Por favor, querida, no hay nada*, il ne reste rien.

— Sur quelles preuves?

— Sa poitrine, murmura-t-il. Un morceau de sa poitrine.

Elle avança d'un pas, saisie de vertige, et eut la satis-faction de voir son beau-frère reculer.

– Tu ne feras rien, rien du tout, parce que ça ne te concerne pas, parce que c'est à moi de décider.

Il resta là, muet, l'œil fixe, la bouche entrouverte, tandis qu'elle passait devant lui et pénétrait dans la morgue.

Chapitre six

Ce fut d'abord l'odeur qui l'assaillit. Une odeur putride, pire que celle du formol, une puanteur qu'elle connaissait depuis qu'elle avait travaillé dans un service de grands brûlés lors de sa formation. Elle reconnut l'odeur de la chair carbonisée qui lui rappelait toujours celle des côtes de mouton trop cuites. Elle faillit vomir. Ouvrant son sac, elle en tira un mouchoir qu'elle se colla sur le nez et la bouche. Elle embrassa d'un seul regard tout ce qui l'entourait, le sol carrelé, les murs écaillés, les tuyauteries rouillées qui couvraient un côté entier de la salle, les chaises cassées qu'on avait poussées de l'autre côté. Cela lui rappela un taudis de Brooklyn où elle avait un jour supervisé l'enlèvement du corps d'un bébé mort enveloppé dans du papier journal.

Elle se força à respirer à petites goulées et concentra son attention sur la longue table installée au centre de la pièce. Il était là, ou plus exactement, ils étaient là, puisqu'il y en avait trois, trois bacs ordinaires en métal émaillé noir et blanc contenant des morceaux de chair. Elle remarqua les étiquettes, portant chacune un nom, un numéro, une signature ; trois bacs, trois victimes, deux pilotes, un passager, et un raton laveur. Tremblante, elle leva les yeux vers les lampes fluorescentes du plafond s'efforçant en vain de réprimer ses larmes.

Elle pleura en silence, le visage dans son mouchoir Puis elle sentit une présence. Un homme se tenait de l'autre côté de la table. Lui aussi plaquait un mouchoir contre son nez et plissait les yeux, luttant contre la puanteur. Il lui parut vaguement familier.

– Ça va ? demanda-t-il.

Quelle question bizarre.

– Qui êtes-vous ? répondit-elle, se rendant compte qu'il lui faisait signe de sortir.

– Par ici.

Mais elle ne lui prêtait plus attention. Son regard était rivé sur le bac de droite. Ce qu'il contenait ressemblait à un torse velu. C'était grotesque. Elle n'avait jamais rien vu dans sa vie qui l'eût préparée à ce spectacle. Elle ferma les yeux, au bord de l'évanouissement. Aussitôt, l'inconnu fit le tour de la table et lui passa un bras autour de la taille. La seconde d'après, elle se sentit guidée vers la sortie.

Elle ne le reconnut qu'une fois arrivée dans le hall. C'était l'homme du bureau du District Attorney qui s'était présenté à l'hôpital avec une citation à comparaître pour Danny. Elle ne pouvait toujours pas parler, les sens engourdis par la vue de ces morceaux de chair, ces vestiges de trois êtres humains dont l'un était censé être son mari, à ce détail près que rien de ce qui se trouvait dans ces bacs ne lui appartenait. Elle n'avait jamais vu ce torse de sa vie et elle connaissait chaque centimètre carré du corps de Danny.

– Qu'est-ce que vous faites ici ?

Comment expliquer en quelques mots ce qu'il avait en tête ? Qu'il la trouvait belle ainsi vêtue de noir, vulné-

90

rable, encore plus touchante que lorsqu'il l'avait vue à l'hôpital ? Avait-il même le droit de penser une chose pareille dans de telles circonstances ?

– Alors, vous me reconnaissez ?

– La citation, dit-elle. N'est-il pas un peu tard pour ça ?

– En principe, si...

Il parlait sur un ton perpétuellement embarrassé. Il secoua la tête avant de reprendre :

– Ecoutez, je suis vraiment navré...

C'était vrai. Il trouvait inadmissible de lui infliger cette épreuve. Adam Singer était un type bien, réservé, attentionné, sensible, autant de qualités inhabituelles pour un homme qui avait commencé sa carrière comme flic et avait fait son droit en suivant des cours du soir pour finir enquêteur spécial auprès du District Attorney du Comté de New York.

– Les excuses sont un peu superflues, non ? répliqua Coriandre.

Il n'y avait rien à répondre.

– On ne pourrait pas aller parler dehors ?

Les yeux baissés sur ses escarpins noirs qui foulaient le linoléum sale, elle se dirigea vers la sortie, l'inconnu à ses côtés. Une fois dans la cour, elle s'arrêta pour écouter ce qu'il avait à dire.

– Mon bureau n'est pas convaincu que votre mari soit mort, déclara-t-il.

Il se tut pour observer sa réaction, mais ne vit dans ses yeux qu'un regain d'attention tandis qu'elle attendait la suite.

– On m'a envoyé ici pour identifier officiellement le corps. Mais il semble qu'il n'y ait pas de corps à identifier, ajouta-t-il en haussant les épaules.

– Si mon mari n'est pas mort, alors qui se trouve dans ce bac ?

– Je l'ignore, fit Adam sincèrement. Mais c'est quelque chose que j'ai l'intention de découvrir...

– Et si ce n'est pas lui, qu'est-il advenu de Danny ?

Sa voix tremblait presque autant que ses mains.

– Tout ce que je sais, c'est que votre mari avait de gros problèmes professionnels, dit Adam, souhaitant ne jamais avoir mis les pieds dans cette histoire.

– C'est ce qui vous fait penser qu'il pourrait être en vie ? demanda Coriandre, le regardant comme s'il était fou d'envisager une telle hypothèse.

– Plus que des problèmes professionnels. Danny Vidal devait répondre de graves accusations de vol et de fraude bancaire.

– Et ça vous suffit pour supposer qu'il a décidé de disparaître et de m'infliger cette... (L'émotion lui étreignait la poitrine.) C'est cruel de suggérer une chose pareille. C'est cruel, c'est inepte et c'est un mensonge, termina-t-elle, les larmes aux yeux.

Elle se détourna et commença à s'éloigner. Mais il la rattrapa.

– Je comprends que ce soit un choc pour vous, mais donnez-moi au moins une chance de m'expliquer.

Elle continua à marcher.

– Je pense que vous ne comprenez rien du tout.

– Ecoutez, fit-il, posant la main sur son bras pour l'arrêter, je comprends et je ne minimise en rien ni l'horreur de la situation ni le choc...

Elle dégagea son bras, se demandant si elle allait se mettre à courir ou le laisser s'expliquer.

– Que voulez-vous de moi ?

Il dut s'empêcher de la prendre dans ses bras pour la

consoler, surtout à cause de cette lèvre inférieure qu'il voyait trembler tandis qu'elle s'efforçait de ne pas pleurer. A quarante ans et après dix années d'un métier où le cynisme est une nécessité et le regret un luxe, Adam Singer se croyait vacciné contre les belles dames en détresse. Coriandre Wyatt Vidal lui prouvait le contraire.

— Je veux que vous m'aidiez à découvrir la vérité et ne me demandez pas pourquoi, parce que c'est vraiment simple. (Il parlait vite à présent. Il n'y aurait pas d'autre occasion de la convaincre et il le savait.) S'il y a une chance pour que votre mari soit vivant et si je peux le retrouver ou vous prouver qu'il n'est pas dans ce bac, alors vous allez accepter, même si cela signifie une inculpation, un procès et une peine de prison. (Il s'arrêta.) Même si c'est cruel et fou. Me laisser le retrouver, c'est le seul moyen pour vous de savoir la vérité.

Elle le dévisagea. Vêtu d'un jean et d'une veste de toile fripée, la cravate fourrée dans sa poche de poitrine, il avait un style bizarre, une sorte d'élégance naturelle. Il respirait l'assurance et pourtant il n'avait pas du tout l'air à sa place en ce lieu. Les cheveux châtain clair, plus longs que ne le voulait la mode. Le nez un peu pointu. Les yeux réduits à une ligne dure et bleue, le regard direct et brûlant d'intensité. Il ressemblait moins à un enquêteur spécial du bureau du DA qu'à un joueur de football américain. Grand, les épaules larges, un refuge dans lequel, sans savoir pourquoi, elle eut presque la tentation de se blottir pour oublier les douleurs du monde... Elle secoua la tête.

— Je n'arrive pas à y croire, murmura-t-elle. Je n'y arrive pas...

— Accordez-moi un quart d'heure, souffla-t-il, portant l'estocade.

– Où êtes-vous descendu ? finit-elle par demander, les yeux brouillés de larmes, la voix chevrotante, l'air égaré.

– Au Parador.

Il dut s'empêcher de pousser un soupir de soulagement, de tendre la main pour la toucher.

– Retrouvez-moi au restaurant à sept heures, fit-elle d'une petite voix distante et résignée.

Elle le planta là et il la regarda s'éloigner, un peu surpris. Deux chiens galeux vinrent renifler autour de lui.

Et elle, tout en marchant, songeait qu'elle se raccrochait peut-être à n'importe quoi mais qu'il était la première personne à confirmer ses espoirs. D'ailleurs, pourquoi étaient-ils tous si pressés d'incinérer des restes qui, elle en avait la certitude, n'étaient pas ceux de son mari...

Chapitre sept

La vie était pleine de surprises. Un jour on était bien portant et on carottait des millions de dollars à une banque, le lendemain on gisait dans un bac de métal émaillé au fond d'un trou paumé à quatre-vingt-sept kilomètres au nord d'Acapulco. Adam sentit l'émotion l'étreindre tandis qu'il quittait la cour de l'établissement et se dirigeait vers l'hôtel. Le soleil se couchait, une brise sèche et fraîche descendait de la lointaine Sierra Madre del Sur. Il ôta sa veste et roula les manches de sa chemise, songeant qu'un peu de marche à pied lui ferait le plus grand bien. Il puait le formol et avait besoin de remettre ses idées en place.

Elle le tracassait, cette Coriandre Wyatt Vidal – c'était quoi ce nom, Coriandre ? – et pas seulement parce que c'était une très jolie femme avec un très vilain problème. Il ne pouvait s'empêcher de penser qu'elle en savait plus qu'elle n'en disait, et son existence même compromettait la théorie qu'il avait échafaudée à propos de Vidal mettant en scène sa propre mort. Ce type n'aurait pas été assez stupide pour laisser derrière lui une femme comme elle, à moins qu'elle n'en sût plus qu'elle ne voulait bien le dire, ce qui le renvoyait à son dilemme d'origine...

Parvenu à la route principale, Adam décida d'emprunter le chemin des écoliers pour traverser Chilpancingo, petite ville charmante avec ses toits de tuiles rouges et ses trottoirs immaculés. Une cité bien différente de toutes celles qu'il connaissait au Mexique ; pas de tas d'ordures, pas de taudis, pas de pauvreté. Pour autant, il n'aurait pas eu l'idée de venir passer des vacances ici. Il n'y avait rien à faire ni à voir, à moins de vouloir s'inscrire à l'université de Guerrero ou d'admirer les peintures murales de l'hôtel de ville commémorant le bref moment d'histoire où Chilpancingo avait tenté de faire sécession. C'était sans doute la dernière fois que la morgue avait été aussi pleine, en 1813, lorsque José Luis Morales y Pavon avait eu cette brillante idée avant d'être fusillé avec l'ensemble de ses troupes par les soldats espagnols. Ce matin aussi, la morgue avait connu une activité fébrile. Pas seulement à cause du crash aérien. Apparemment, un habitant du coin avait raté un virage et brûlé dans son camion au fond d'un ravin. En y réfléchissant, Adam se rendait compte que l'affaire était compliquée depuis le début. Dès l'ouverture de l'enquête, il y avait eu trop de réponses pour les mêmes questions.

Par exemple, Danny Vidal avait-il loué un avion pour l'emmener à Acapulco passer le week-end avec l'intention de s'éclipser avant que ne survienne cet accident opportun ? Etait-il à présent mollement allongé sur une plage avec cinquante millions de dollars, une piña colada et pas l'ombre d'un regret ? Et elle ? Le rejoindrait-elle d'ici six mois ou un an pour filer des jours heureux en sa compagnie dans quelque havre d'Amérique latine dépourvu de lois d'extradition ? A moins qu'elle ne sût vraiment rien, et dans ce cas il fallait croire que ce type possédait une libido atrophiée et une vue déficiente pour s'être tiré sans elle. Dans six mois, dans un an, elle referait sa vie avec quelqu'un d'autre. Inévitable... Ou alors, ce pauvre bougre était vraiment tombé en panne de chance et s'était écrasé avec l'avion, ce qui ne disait pas où était passé l'argent. Coriandre l'avait-elle caché? Quelqu'un d'autre savait-il où il se trouvait? Adam secoua la tête. Toute l'histoire se réduisait à une série d'hypothèses confuses, même pour lui qui vivait dedans depuis maintenant six mois. Le seul avantage, c'était qu'il en oubliait ses problèmes personnels...

Il n'avait pas pour autant cessé de souffrir, la nuit quand il était seul, ou à ces moments de la journée où il avait le temps de penser. Tout au fond de lui, à un endroit qu'il aurait eu du mal à définir, il ressentait cette impression de vide morbide que son médecin diagnostiquait comme un début d'ulcère du duodénum. Quelle importance, d'ailleurs? Qu'il sache ce que c'était – après avoir avalé un mélange baryté et s'être soumis à une radiographie – ne changerait rien à rien et ne lui rendrait certainement pas les dix dernières années de sa vie...

Tous s'était emmanché de travers, il en avait désormais l'absolue certitude, même si cela ne lui apportait aucune consolation. S'il ne s'était pas fait tirer dessus, il ne l'aurait jamais rencontrée, mais ce type d'incident bouleverse toutes les perspectives qu'on peut avoir sur la vie. Se trouver allongé dans le caniveau en pissant le sang tend à modifier l'ordre de vos priorités. Voir toutes ces lumières rouges clignoter à l'envers, tous ces visages horrifiés se pencher sur vous en remerciant le ciel de ne pas être à votre place vous donne une mesure de la fragilité de l'existence et de la stupidité qu'il y a à la traverser sans éprouver de véritables sentiments, sans aimer personne...

Lorsqu'il s'était éveillé dans le service de soins intensifs, il avait tout juste vu de belles dents blanches qui lui souriaient, un casque de cheveux noirs surmonté d'un petit bonnet blanc amidonné. Il était tombé amoureux. Il ne savait ni son nom, ni où il se trouvait, mais il savait qu'il était profondément, définitivement amoureux. *Eve...* Etait-ce même croyable ? Elle s'appelait Eve et il ne l'aurait pas cru s'il ne l'avait lu sur la barrette de plastique blanc épinglée au-dessus de son sein droit, la première chose qu'il parvint à déchiffrer lorsque son regard s'accommoda enfin. Il pensa qu'il était mort, qu'il venait d'arriver au paradis. Pendant les trois semaines qui suivirent, Eve lui changea son cathéter, lui passa de l'huile sur le bout du pénis, changea ses draps plus de deux fois par jour, le frotta à l'alcool et lorsqu'il sortit enfin des soins intensifs pour s'installer dans une chambre à un lit, elle vint lui rendre visite tous les jours.

Peu importent la gratitude, l'attirance, ou le moment. C'était simplement parfait – Adam et Eve – jusqu'au nom de ce restaurant chinois de Soho – *le Jardin d'Eden* – où un de ses amis avait réservé pour leur dîner de mariage. Six mois plus tard, Adam était toujours en arrêt maladie et suivait ses cours de droit à plein temps, tandis qu'Eve attendait déjà un enfant. Il fallut deux années de plus à Adam pour obtenir sa licence, quitter définitivement la police et entrer au Bureau du District Attorney où il fut chargé des enquêtes mineures. Bien mieux que d'arpenter les rues en première ligne des forces de l'ordre de la ville. Penny venait d'avoir un an et demi et Eve avait quitté sa place à l'hôpital pour travailler en indépendante. La vie allait son cours, avec son lot ordinaire de problèmes et de gratifications ; l'enfant grandissait harmonieusement, Eve avait même le temps de prendre des leçons de cuisine et Adam appréciait son nouveau poste d'enquêteur spécial auprès du DA de Manhattan. Les ennuis vinrent en même temps que sa promotion. On lui confia une importante affaire de terrorisme et il se retrouva à faire équipe avec un agent spécial détaché du FBI de Washington. Ils enquêtaient sur une cellule du groupe Abou Nidal soupçonnée d'avoir monté des entreprises suspectes dans l'Upper East Side. L'investigation leur prit des mois, et tout naturellement, Adam et son partenaire du FBI devinrent amis. Le type prit l'habitude de venir dîner chez eux, où Eve le faisait profiter de sa science culinaire fraîchement acquise. Ainsi, Adam pouvait voir Penny et l'autre n'était pas obligé de prendre tous ses repas dehors ou dans sa chambre d'hôtel. Le plus ironique fut qu'on mit l'affaire en sommeil après s'être aperçu que les suspects n'avaient rien fait de plus sérieux que d'ouvrir une chaîne de restaurants de falafels sur Lexington Avenue. On ordonna à Adam et à son partenaire d'attendre que quelque chose de plus spectaculaire se produise avant de passer à l'action; quelque chose de spectaculaire survint, en effet, mais dans la cuisine d'Adam...

Il en prit conscience d'une façon étrange. Il lui fallut un certain temps pour s'en rendre compte et recevoir l'enclume sur la tête. La liaison durait depuis des mois. Ils étaient tous autour de la table, un soir – l'avant-veille de la suspension de l'enquête – mangeant des pâtes, buvant du vin, et l'agent du FBI avait même amené une invitée, une femme qu'Eve lui avait présentée, quand il surprit un regard entre le type et Eve. Ce qu'il vit dans cette microseconde transforma toute son existence. Ce qu'il perçut le temps que leurs yeux se trouvent au-dessus de la table pour se détourner aussitôt lui donna envie de vomir. Ils étaient assis là, tout habillés, parlant et plaisantant sans l'ombre d'un badinage, sans le moindre sous-entendu, mangeant leurs spaghettis, essuyant la sauce tomate au coin de leurs lèvres à petits coups de serviette, sirotant leur vin, en renversant de petites gouttes sur la nappe, et pourtant il savait que ces deux-là s'étaient vus nus, s'étaient touchés, avaient fait l'amour, avait atteint les sommets du désir. Dans le temps infinitésimal qu'il fallut à ce regard pour traverser la table et flotter au-dessus des gressins Stella d'Oro, Adam eut le temps de voir défiler toute sa vie, avec ses secrets partagés, ses moments d'intimité, et ses désirs dévorants jamais apaisés. Il s'excusa et alla vomir dans la salle de bain. La scène qui suivit fut encore plus pénible, pleine de larmes et d'excuses. « Nous n'avons jamais voulu ça », disait le type, tandis qu'Eve répétait : « Je tiendrai toujours à toi. »

Après la séparation, Adam commença à coucher avec la femme qui s'était trouvée là et avait assisté à l'écroulement de son mariage. C'était plus facile d'en parler avec quelqu'un qui vous comprenait à demi-mot, à qui il n'était pas nécessaire de raconter tous les détails, qui savait même ce qu'il y avait eu à dîner ce soir-là...

Un an plus tard, c'était toujours douloureux, surtout à cause de Penny mais aussi parce qu'il avait fait confiance à ce type. Ils avaient travaillé jour et nuit ensemble, nom de Dieu, il l'avait laissé entrer chez lui, jouer avec sa fille, manger à sa table. Les gens ne font pas des choses comme ça. Eve, c'était une autre histoire. Pas vraiment une sensation de trahison, parce qu'il savait instinctivement que leur histoire ne durerait pas toujours. La seule chose qui le rendait fou après tout ce temps, c'était, à chaque fois qu'il repensait à elle, d'éprouver la même douleur à l'endroit précis où il avait reçu la balle par laquelle tout avait commencé...

Un morne restaurant aux murs de stuc blanc, meublé de tables et de chaises de chêne brut ouvrait sur le hall moderne de l'hôtel *Parador el Marques*. Adam s'installa dans le coin le plus éloigné de la salle, tourné vers l'entrée. Il commanda une bière, dont il lapa la mousse avant d'en boire quelques longues gorgées et de passer en revue les péripéties de l'affaire Vidal qui l'avaient conduit au Mexique...

Quatre ans plus tôt, en arrivant à New York, Danny Vidal avait déclaré officiellement posséder pour plus de cinquante millions de dollars de biens à Buenos Aires. En deux mois, il était parvenu à établir les contacts adéquats pour prendre le contrôle de l'Inter Federated Bank.

Lorsqu'il le racheta, l'établissement traînait déjà un lourd passé de prêts malsains et d'hypothèques mal garanties, ce qui lui avait permis d'en faire l'acquisition à un prix si bas avec une mise de fonds aussi minime. Personne ne voulait d'une faillite, et surtout par le *FDIC*, ce qui expliquait que la proposition de Vidal eût obtenu si facilement l'aval de la Commission Bancaire de l'Etat de New York. Nul n'ignorait que l'Inter Federated était au bord de la banqueroute et tout le monde espérait que l'Argentin injecterait du sang neuf dans cette institution moribonde. Mais en deux ans de gestion, Vidal l'avait enfoncée de plus en plus profondément dans les dettes à coups de crédit sauvage, de prêts illégaux et de découverts. Plus inquiétant encore, les versements importants qui sortaient d'Argentine au titre de « capital volant » atterrissaient sur les comptes personnels de Vidal avant de disparaître sans laisser la moindre trace. En fait, presque tout l'argent provenant de ces prêts illégaux, lignes de crédit et découverts, se retrouvait sur les comptes du banquier où ils restaient juste assez longtemps pour faire apparaître un bilan équilibré à la fin de chaque mois, quand les audits menaient leurs inspections de routine. Un jeu de bonneteau sophistiqué, estimait Adam, « un coup tu la vois, un coup tu la vois pas », à ce détail près qu'il ne pouvait rien prouver puisque les livres et les feuilles de transactions avaient disparu avec l'argent. Il lui fallait des noms, une idée des itinéraires utilisés pour les transferts, des relevés de banque. Il lui fallait quelqu'un de l'intérieur qui fût prêt à parler.

Le coup de chance se produisit le matin du 4 juillet au moment où Adam se préparait à prendre le train de Washington pour aller passer le week-end avec Penny. Apparemment, l'assistant de Vidal, un homme qui refusait de coopérer depuis le début de l'enquête, avait été bouleversé par un élément inconnu et se trouvait soudain prêt à traverser la ville pour se mette à table. Comme Adam l'expliqua à Eve, il lui fallait rester disponible, vacances ou non. Même si le DA n'avait pas déjà décollé pour sa maison des Hamptons, même si les autres membres du bureau ne s'étaient pas trouvés à la campagne ou sur la plage ou simplement cachés derrière leur répondeur, il n'aurait laissé personne d'autre parler à cet homme. C'était son affaire et il y avait travaillé trop dur et trop longtemps pour ne pas la mener jusqu'au bout. A Penny, il se contenta d'expliquer qu'il n'arriverait que le soir.

La climatisation était coupée dans le bureau d'Adam, ce matin du 4 juillet. Pas seulement dans le sien, mais aussi dans celui du District Attorney et dans toute l'aile est du bâtiment. Bien que l'immeuble situé face au vieux Palais de Justice de Center Street fût archaïque, une défaillance électrique était inexcusable. L'installation avait été entièrement refaite l'année précédente à l'occasion de la mise en place de climatiseurs et de radiateurs individuels dans chaque bureau. Pour ceux qui travaillaient pendant les week-ends, les vacances ou le soir, les températures extrêmes n'étaient plus un problème. Ce jour-là, pourtant, l'un des plus chauds de l'été, avec le thermomètre frôlant les trente-cinq degrés et une humidité record, le système avait choisi de tomber en panne et il n'y avait personne pour le réparer.

Fernando Stampa était un petit homme, un modèle réduit parfaitement proportionné, vêtu d'un costume bleu sombre un peu fatigué, d'une chemise blanche, d'une cravate bordeaux retenue par une pince à l'ancienne mode. Sa main gauche s'ornait d'une alliance et d'une montre à bracelet extensible. Dans la droite, il tenait un mouchoir blanc froissé à l'aide duquel il s'épongeait le front. Il souffrait de la chaleur, mais sa nervosité aurait pu expliquer à elle seule cette abondante transpiration.

— Avez-vous de la famille à New York ? demanda Adam. Il nous faudrait un numéro de téléphone pour pouvoir vous contacter. Pure routine.

— J'ai une femme.

— Pas d'enfant ?

Stampa parut anxieux.

— J'ai eu un fils...

— Que lui est-il arrivé ?

— Il fait partie des *disparus*, souffla l'autre.

Adam ne comprit pas tout de suite.

— Que voulez-vous dire ?

— Il y a quatorze ans, pendant la *Guerra Sucia*, la sale guerre, à Buenos Aires, le général Videla et sa Junte se sont trouvés à l'origine de la disparition de plus de huit mille personnes. Mon fils a été capturé avec d'autres étudiants qui se dressaient contre la Junte.

— Qu'est-il devenu ?

103

– Nous avons eu la chance de retrouver son corps. C'était difficile de trouver des paroles de consolation.

– Est-ce pour cette raison que vous êtes parti, monsieur Stampa?

– Trop de souvenirs, murmura-t-il.

– A l'évidence, vous connaissez M. Vidal depuis des années, reprit Adam. Combien de temps avez-vous travaillé pour lui à la Banque de Buenos Aires?

– Guère plus de six mois, mais mes relations avec Danny étaient d'ordre amical. Nous nous sommes adressés à lui quand nous essayions de retrouver notre fils.

– C'est là qu'il vous a engagé?

– Oui. Il savait que mon fils avait été arrêté par les militaires et que nous n'avions pas d'argent. Il me payait même quand je ne venais pas, quand j'étais en train de chercher mon garçon.

– Avez-vous jamais rencontré Coriandre Wyatt Vidal?

– Pas à l'époque. Je l'ai connue à New York.

– Je ne savais pas qu'ils étaient mariés depuis si longtemps.

– Ils ne se sont mariés qu'il y a trois ans et demi, mais ils s'étaient rencontrés alors qu'elle était son étudiante à l'université de Cordoba.

– Elle est américaine, n'est-ce pas?

Stampa hocha la tête.

– Son père était l'ambassadeur des Etats-Unis en Argentine.

– Parlez-moi de ce qui s'est passé quand le gouvernement a fermé la banque de Buenos Aires.

– Ils accusaient la banque de blanchir de l'argent pour les Montoneros.

– C'était vrai?

– Oui.

– Avez-vous été arrêté ?

– Non, ce qui m'a sauvé, c'est que je ne figurais pas sur les fiches de paie. Le gouvernement ignorait que je travaillais là. Et je n'étais pas physiquement présent quand la police a investi la banque.

– Etiez-vous au courant de ces activités à ce moment ? demanda Adam. Voyant que Stampa ne répondait pas, il ajouta : écoutez, je n'enquête pas sur le Credito de la Plata.

Finalement, au bout d'un moment, Fernando Stampa lui raconta comment les Montoneros s'étaient embarqués dans une série de hold-up et de kidnappings pour récolter de l'argent, comment cet argent était déposé sur des comptes à la banque sous des noms fictifs et comment Danny Vidal supervisait l'ensemble des transactions financières.

– Quiconque possédait un minimum de bienséance était prêt à faire son possible. Nous n'avions aucun mal à trouver des recrues.

– Votre fils faisait-il partie des recrues de Danny ?

– Mon fils était un idéaliste, c'est pourquoi il est devenu une victime...

A nouveau, Stampa s'enferma dans le silence.

Adam essayait d'assembler les pièces du puzzle le plus vite possible, de découvrir le rapport entre une période de violence dans le pays le plus austral du monde, une escroquerie dans une banque de New York et un homme brisé s'efforçant de sauver le peu qui restait de sa propre existence.

– Et Mme Vidal ? Etait-ce une recrue elle aussi ?

– Elle, c'était autre chose. Elle était amoureuse de lui.

105

– Comment avez-vous découvert ce qui est arrivé à votre fils ?

Des larmes montèrent aux yeux du petit homme.

– Le gouvernement avait l'habitude de jeter les corps depuis des hélicoptères dans le Rio de la Plata. Nous avons retrouvé son cadavre sur la berge.

– Les membres de la Junte ont-ils été sanctionnés ?

Stampa émit un rire sans joie.

– Aujourd'hui, nous avons la démocratie en Argentine, ce qui signifie que notre président a amnistié tous les hommes de la Junte qui se trouvaient en prison...

En douceur, Adam s'efforça de ramener la conversation vers le point qui justifiait la visite du petit homme.

– Je voudrais que vous m'autorisiez à enregistrer ce que nous disons.

– Vous m'aviez promis...

– Je vous ai promis que personne ne lirait la transcription sans autorisation préalable de votre part.

L'autre acquiesça.

– Allez-y.

Adam se leva.

– J'ai demandé une sténographe, dit-il, se dirigeant vers la porte.

Il ne resta absent qu'un instant et revint accompagné d'une femme portant une petite machine carrossée de plastique lourd. Il la présenta à son visiteur, puis elle s'assit derrière son bureau, enleva le couvercle de sa machine et attendit les doigts sur le clavier.

– D'abord, quelques formalités, commença Adam.

Il lui demanda de confirmer qu'il renonçait à se faire assister d'un avocat, qu'il était venu de son plein gré sans mandat ni citation à comparaître, et qu'il comprenait que tout ce qu'il allait dire pourrait avoir force de preuve devant une cour de justice dans l'éventualité d'un procès.

– Pourquoi avez-vous décidé de venir ? Que s'est-il passé ?

– J'ai des ennuis, répondit Stampa, à nouveau au bord des larmes.

– Pourquoi ne pas commencer par le commencement ? Je pourrais peut-être vous aider.

L'autre secoua la tête, encore hésitant.

– Si vous ne pensiez pas pouvoir compter sur mon appui, insista Adam, vous ne seriez pas ici, monsieur Stampa.

Il s'écoula encore quelques secondes puis le petit homme prit une profonde inspiration.

– Vendredi de la semaine dernière, Danny m'a appelé dans son bureau et m'a parlé de cette affaire sur laquelle il travaillait à Buenos Aires. Pour des raison politiques, son nom ne pouvait apparaître ni sur les chèques, ni sur les papiers. Il avait besoin d'un service.

– A-t-il expliqué en quoi consistait cette affaire ?

– Non. Il m'a seulement demandé de lui signer cinq chèques en blanc sur un compte que je détiens dans une autre banque.

– Pouvez-vous donner le nom de cette banque, monsieur Stampa ?

– Republic Exchange.

– Continuez, dit Adam avec un hochement de tête à l'intention de la sténographe.

– Il m'a dit qu'il n'avait besoin que de ma signature et qu'il ferait les dépôts nécessaires sur mon compte pour couvrir le montant qu'il inscrirait sur les chèques.

– Qu'aviez-vous à gagner dans cette transaction ?

– Rien. C'était un service que je lui rendais et Dieu sait si je lui en dois.

Dieu sait.

– Vous avez signé les chèques ?

– Oui.

– Que s'est-il passé ensuite?

– Il ne s'est rien passé pendant les cinq jours ouvrables qui ont suivi. Et puis, juste avant la fermeture pour le week-end du 4 juillet, j'ai été convoqué par l'un des vice-présidents de la banque où je travaille.

– Notez dans le compte rendu que c'était hier, 3 juillet 1992. Continuez, je vous en prie, monsieur Stampa.

Le petit homme eut l'air embarrassé.

– Tous mes chèques avaient été refusés.

– De quelle somme parlons-nous?

– Danny avait émis cinq chèques de deux cent mille dollars.

Une fois de plus, il parut embarrassé, comme si c'était de sa faute.

Adam était stupéfait. Même la sténographe avait sursauté.

– Un million de dollars?

Stampa hocha la tête.

– La sténographe ne peut pas noter un hochement de tête, souffla Adam.

– Oui. Un million de dollars.

Adam se ressaisit.

– Qu'attendait de vous le vice-président?

– Il voulait que je couvre les chèques.

– Lui avez-vous dit qu'il s'agissait d'une transaction entre M. Vidal et vous?

– Je lui ai dit qu'il y avait eu une erreur.

– Vous ne lui avez pas expliqué que M. Vidal vous avait promis de couvrir ces chèques en mettant de l'argent sur votre compte à la Republic?

– Non, car en ce cas, j'aurais dû lui fournir d'autres explications et l'affaire devait rester confidentielle. Danny m'avait demandé de n'en parler à personne. J'espérais vraiment qu'il s'était produit une erreur et que l'argent s'était égaré ou qu'il n'était pas encore arrivé sur mon compte.

Adam secoua la tête, sidéré par le culot de Vidal.

— Etait-ce le cas lorsque vous avez appelé la Republic ?

Stampa prit une profonde inspiration.

— Non. Quand j'ai eu la banque, on m'a dit que rien n'avait été versé sur mon compte depuis le dernier dépôt que j'ai fait moi-même plusieurs semaines auparavant.

Absolument incroyable.

— Avez-vous essayé de joindre M. Vidal ?

— Oui, mais il était déjà parti pour le week-end.

— Quand est-il parti ?

— En fait, il n'est pas venu au bureau de toute la journée du 3. Il a quitté la banque le 2 au soir, à l'heure de la fermeture.

— Avez-vous essayé de l'appeler chez lui ?

— Oui, mais personne n'a répondu.

— Vous n'avez pas pensé à vous rendre là-bas ?

Stampa eut l'air malheureux.

— Comment ? Je ne pouvais pas débarquer comme ça...

La situation était si pathétique qu'elle en devenait presque incroyable sauf pour quelqu'un qui connaissait l'histoire de cet homme. Il avait déjà été brisé par la disparition de son fils et cette nouvelle tragédie lui avait enlevé ses dernières illusions quant à la confiance qu'il pouvait accorder à son prochain.

— Revenons un peu en arrière, monsieur Stampa. Ce que j'ai du mal à comprendre, c'est que l'Inter Federated vous aie appelé, vous, lorsque ces chèques sont revenus avec l'inscription provision insuffisante. Je suppose que c'est à Danny Vidal qu'ils ont été retournés dans la mesure où il en était le bénéficiaire.

— Normalement, ç'aurait dû être le cas. Mais Danny a fait jouer sa garantie personnelle de sorte que la banque à payé mes chèques en liquide.

Adam ne put cacher sa stupéfaction.

— L'Inter Federated a versé un million de dollars en liquide avant d'avoir obtenu une confirmation du paiement par la Republic? Comment Vidal a-t-il réussi cet exploit?

— Il possède la banque, n'est-ce pas? Qui allait lui opposer un refus alors que les chèques étaient rédigés à son nom et signés par moi, son assistant personnel?

La voix de Stampa vira au désespoir lorsqu'il ajouta :

— Je dois l'argent à la banque, moi. Je suis le seul responsable.

Pourtant, Adam n'avait pas tout compris. Quelque chose ne collait pas.

— Une minute, monsieur Stampa. Si Vidal a déposé ces chèques sur ses comptes à l'Inter Federated — même en cash — et qu'ils ont été refusés cinq jours plus tard, pourquoi la banque ne se contente-t-elle pas de lui débiter la somme et d'effacer la transaction de façon à ce que personne ne doive d'argent?

Stampa eut un sourire triste.

— C'aurait été la chose la plus logique à faire. Sauf que Danny n'a jamais déposé l'argent sur aucun de ses comptes.

Un frisson glacé parcourut l'échine d'Adam. Il choisit ses mots avec précaution.

— Vous êtes en train de me dire que Danny Vidal a quitté la banque la veille d'un week-end chômé avec un million de dollars en liquide?

– C'est ce qu'il semble.

Stampa demanda de l'eau. Adam alla lui remplir un gobelet de carton à la fontaine installée dans un coin de la pièce. Il le lui tendit avant de se rasseoir et de lui demander :

– Où est-il à présent ?

– Au Mexique.

– Vous savez où ?

– Quelque part à Acapulco. Il a raconté à tout le monde qu'il partait se chercher une maison. Pour des raisons fiscales, il avait l'intention de partager son temps entre New York et Acapulco.

Une maison d'un million de dollars, sans doute. Et pourtant quelque chose continuait à ne pas coller. Ça n'avait aucun sens pour quelqu'un comme Danny Vidal de prendre de tels risques pour un million de dollars alors qu'il en avait déjà détourné cinquante de sa banque. Pourquoi avait-il volé ce qu'il fallait bien considérer comme de la menue monnaie à un personnage dont il pouvait être sûr qu'il porterait plainte en découvrant que ses chèques avaient été refusés ? Et, en poussant plus loin le raisonnement, pourquoi Vidal n'avait-il rien fait pour empêcher Stampa de découvrir la vérité ? Ça n'avait aucun sens.

– Et sa femme ? Elle est au Mexique aussi ?

– Non, elle est de garde à l'hôpital.

Adam hocha la tête, le regard perdu dans le vide.

– C'est vrai, elle est médecin. Touchant. Il provoque les crises cardiaques, elle les soigne. Une belle équipe.

Il pensa soudain que ce ne serait pas une mauvaise idée de se servir de Stampa pour obtenir une citation à comparaître au nom de Vidal... Et il se dit aussi qu'il ferait bien de pousser jusqu'au Brooklyn General Hospital pour dire quelques mots à la femme du banquier...

111

Il ne fut pas surpris de revoir les larmes briller dans les yeux du petit homme lorsque celui-ci lui demanda :

— Vous voulez-bien m'aider ?

Adam ne tourna pas autour du pot.

— Je vais essayer de trouver un compromis pour vous protéger si vous me donnez accès à certains dossiers et documents. Avant tout, avez-vous les clés de vos bureaux ?

Plongeant la main dans sa poche à la recherche d'un mouchoir, l'autre acquiesça.

— Je suppose que vous avez les noms et les adresses de la plupart de vos clients ?

Mais cette fois, Stampa proposa un accord précis.

— M'accorderez-vous l'impunité si je vous donne ce que vous voulez ?

— C'est dans mes intentions. Mais il faut que je vérifie auprès du District Attorney.

Il se montrait prudent, bien qu'il n'y eût aucune raison d'accroître encore les souffrances de cet homme.

— Ecoutez, vous allez rester ici pendant que j'essayerai de joindre le DA chez lui. (Il eut une inspiration soudaine.) A votre avis, qu'aurait-il fait lundi si vous n'étiez pas venu ici aujourd'hui ?

Une fois de plus, le visage de Stampa se décolora.

— Il m'aurait endormi, m'aurait dit de ne pas m'en faire, qu'il se chargerait de tout... (Il haussa les épaules.) Il m'aurait accusé de ne pas avoir foi en lui. Les trucs habituels...

— Et il n'aurait pas eu complètement tort, puisqu'il s'est toujours occupé de vous par le passé.

Il y avait encore quelque chose de bizarre dans cette affaire.

— Cette fois, c'est différent. Il m'a trahi, dit l'homme à travers ses larmes. Il m'a menti, il ne m'a pas laissé le choix.

C'était soit une question d'honneur entre voleurs, soit un accès de moralité mal placé. L'une et l'autre hypothèse relevaient d'un phénomène étrange qu'Adam avait appris à discerner au fil des ans et qui apparaissait chez la plupart des gens quand leur peau était en jeu. Mais le plus urgent pour le moment était d'obtenir cette citation et de faire transcrire la déposition de Stampa pour qu'il la signe. Quelques minutes plus tard, Adam s'agitait au téléphone pour prendre toutes les dispositions nécessaires et il lui fallut moins d'une heure pour avoir le mandat en poche. Trente minutes après, il se trouvait dans le train B en route pour le Brooklyn General Hospital où l'attendait une petite conversation avec Coriandre Wyatt Vidal...

Et maintenant, deux jours plus tard, il était à Chilpancingo, Mexique, encore moins avancé que lorsqu'il avait commencé son enquête, plusieurs mois auparavant. Il entendit quelqu'un prononcer son nom, se retourna et découvrit le propriétaire de Gwenda Charter qui se tenait derrière lui, dans un état de grande agitation. Fritz Lukinbill voulait parler. N'était-ce pas le cas de tout le monde, se dit Adam, se levant pour lui serrer la main. Tout le monde avait des billes dans cette histoire, et au fond, il n'était que six heures vingt. Il lui restait quarante minutes avant son rendez-vous avec la veuve, ou l'épouse – toute la suite de l'affaire dépendait de la catégorie de laquelle elle relevait...

Chapitre huit

Fritz Luckinbill était un homme corpulent, lourd, massif et visiblement bouleversé. Des cheveux roux touchés de gris, un visage rougeaud sillonné de veines bleues, il paraissait très secoué par cette terrible tragédie qui lui avait coûté deux pilotes dans la fleur de l'âge, un appareil tout neuf et une facture impayée de quinze mille dollars pour un aller-retour New York-Acapulco. La mort du passager était encore une autre affaire, qui lui vaudrait sans doute d'être poursuivi par la famille pour négligence.

Après qu'ils eurent échangé leur impressions sur les personnage du drame, se furent plaints de la chaleur et eurent commandé à boire, Adam finit par demander :

– Vous n'avez pas l'habitude de vous faire payer d'avance ?

L'autre eut un regard fatigué.

– C'est selon que je connais ou non le client, et ça dépend aussi de l'arrangement qu'on a passé...

– Vous connaissiez Danny Vidal ?

– Non.

– Alors pourquoi lui avoir fait crédit ?

– Parce que ce type dirigeait une banque, soupira-t-il. C'est dur d'exiger mieux comme garantie. Et aussi parce qu'il m'a donné à choisir entre être réglé tout de

115

suite sur facture, ou en liquide à l'arrivée. Son frère était censé l'attendre à Acapulco avec le cash...

– Avez-vous parlé à Jorge Vidal depuis l'accident ?

Luckinbill rit.

– Ouais, je lui ai parlé. Ou plus exactement, c'est lui qui m'a parlé. Il m'a dit que la famille pensait engager des poursuites.

– Il faudra qu'il prouve l'erreur de pilotage...

– C'est ce que les Mexicains se sont empressés d'inscrire au rapport préliminaire. (Il se pencha en avant.) Ecoutez, monsieur Singer, je ne veux pas vous faire perdre votre temps, c'est pourquoi j'ai demandé à vous parler. On raconte que vous auriez une citation à comparaître pour mon défunt passager.

Adam entendait un cliquètement de vaisselle et le bourdonnement des deux ventilateurs électriques qui tournaient au-dessus de leur tête.

– Oui.

– Ce qui veut dire qu'il est en vie. Et si c'est le cas, la famille ne peut engager aucune action en justice contre moi, jubila Luckinbill.

Adam ne répondit pas immédiatement, préférant se concentrer sur sa bière.

– Ce n'est pas si simple... (Il releva la tête.) Ecoutez, pourquoi ne pas me dire ce que vous avez découvert en vous rendant sur le site du crash ?

– Comment savez-vous que j'y suis allé ?

– C'est ce qu'on raconte, sourit Adam.

– Je suis monté là-haut pour chercher la boîte noire sans laquelle je ne peux même pas prouver l'identité de mes pilotes.

– Les Mexicains ne l'ont pas récupérée ?

– Non. C'est tout le problème...

116

– Comment peuvent-il remplir un rapport préliminaire sans l'avoir ?

– Parce qu'il y a quelque chose qui pue dans cette histoire, fit Luckinbill d'un ton amer. Je n'arrive même pas à mettre la main sur ce foutu machin.

– Que s'est-il passé quand vous êtes allé là-haut ?

Luckinbill se redressa sur son siège, croisa les bras sur sa poitrine.

– Je suis monté avec *mucho dinero* et j'ai fait savoir que j'étais prêt à racheter tout ce qu'avaient pu retrouver ces paysans.

– On vous a fait des offres ?

Luckinbill acquiesça.

– C'est à peine croyable la façon dont ils ont ramassé tout ce qui traînait. Pour deux dollars, j'ai racheté l'indicateur de vitesse et pour vingt de plus, j'ai eu un des cylindres hydrauliques et les durites. (Son expression se durcit soudain.) Et attendez la meilleure...

– La boîte noire ?

Luckinbill haussa les épaules d'un air accablé.

– Apparemment, quelqu'un était déjà monté fouiner là-haut et s'était tiré avec des morceaux de cette foutue boîte...

Adam sentit son intérêt redoubler.

– Comment le savez-vous ?

– C'est une vieille femme qui me l'a dit. Elle m'a même décrit la bande magnétique enroulée autour de sa bobine de métal, avec du papier d'argent. Ça ressemble tout à fait à l'enregistreur de vol et à la bande vocale. Le type lui en a donné cinquante dollars.

– Vous avez une idée de qui ça peut être ?

– Aucune, mais d'après ces montagnards, c'était un gringo et il n'avait pas un poil sur le caillou... C'est pas

117

fameux comme description mais c'est tout ce que j'ai pu obtenir.

De sa poche, Adam tira un petit carnet et un stylo. Il prit quelques notes.

– Avez-vous identifié certains de ces restes humains comme appartenant à vos pilotes?

Luckinbill fit la grimace.

– Très dur à dire. Mais c'est pour ça que je suis allé à la morgue après le déjeuner. C'est là qu'on m'a parlé de l'incinération, ajouta-t-il en jetant un regard aigu à son interlocuteur.

– Quelle incinération?

– Deux types de la Croix-Rouge qui se trouvaient là-bas ont raconté que le frère de Vidal avait passé les restes à l'incinérateur.

Adam fut frappé de stupeur.

– Pourquoi cette hâte?

– D'après ce que j'ai compris, il s'agissait d'épargner à la famille le chagrin et la paperasse qui vous tombent dessus quand il s'agit de faire sortir un corps du Mexique...

– C'est un peu abusif d'appeler ça un corps...

– J'en déduis que vous êtes allé à la morgue...

– Un peu abusif aussi d'appeler ça une morgue.

Il revoyait son visage, soudain, plus que son visage, chaque larme, sa pâleur, les intonations de sa voix, chaque expression, chaque geste. Il jeta un coup d'œil à sa montre; elle serait là d'une seconde à l'autre à moins qu'elle ait décidé de ne pas venir.

– La veuve assistait-elle à la crémation?

– Je ne suis même pas sûr qu'elle soit au courant. A ce que j'ai entendu dire, elle avait interdit au frère de faire quoi que ce soit. Apparemment, il a fait incinérer le torse, et elle affirme que ce n'est pas celui de son mari.

Adam se rappela l'expression horrifiée de Coriandre lorsqu'elle avait aperçu le bac de droite.

– Vous l'avez vu, ce torse ?

– Oui.

– Qu'est-ce qui vous a frappé ?

– Une abondante toison noire, répondit l'autre sans hésiter.

– Etes-vous en mesure de me dire si ce torse était celui de l'un de vos pilotes ?

– Je peux jurer qu'il n'en était rien.

– Pourquoi ?

– Parce qu'ils sont venus passer des week-ends dans ma maison de Greenwich. Ils étaient blonds tous les deux.

C'était assez pénible, mais moins que ça ne le serait si l'affaire allait jusqu'au tribunal.

– Etes-vous absolument certain que Vidal ait embarqué dans cet avion à New York ?

– Sans l'ombre d'un doute. Il a été vu par des témoins.

– Il paraît que l'avion a fait une escale technique à Houston ?

– Je suis en train de vérifier ça. J'essaye de découvrir qui était de service cette nuit-là.

– Quelle est votre hypothèse ?

– Dur à dire dans la mesure où on n'a pas grand-chose à quoi se raccrocher. Tout ce qui reste de mon appareil, c'est la carlingue, et les quelques pièces éparses que j'ai rachetées à ces montagnards. Il y a aussi ce type chauve qui sort de nulle part et récupère ce qui ressemble à des morceaux de la boîte noire.

Il s'arrêta, semblant se demander si cela avait un sens de continuer. Visiblement, c'était le cas.

– La seule chose dont je sois sûr, reprit-il, c'est ma théorie à propos des arbres.

– Quels arbres ?

– Ceux qui se trouvent au sommet de la montagne. Voyez-vous, si l'avion s'était écrasé sur ce pic de la façon dont le prétendent les Mexicains pour étayer leur thèse de l'erreur de pilotage, ces arbres auraient cassé comme du bois d'allumette.

– Et ils sont intacts, fit Adam, pensif, c'est ça ?

Luckinbill acquiesça.

Adam s'efforça de prononcer sur le ton le plus neutre possible la conclusion qui s'imposait.

– Donc, à en juger par ces arbres, l'avion a explosé en vol et ce sont ses morceaux qui sont tombés sur cette montagne ?

L'information était passée et Luckinbill sembla se détendre pour la première fois depuis qu'il s'était assis à cette table.

– C'est la seule explication rationnelle à laquelle je puisse penser.

– Quelle explication, monsieur Luckinbill ?

Adam avait besoin de l'entendre de la bouche de quelqu'un d'autre.

– Une bombe.

– Et ce pauvre type en train de brûler dans l'incinérateur ?

– Personne de ma connaissance, ça j'en suis sûr...

C'était encore insuffisant. Ce qu'il fallait à Adam, c'était des preuves concrètes – des noms, des comptes rendus précis, des témoins – et d'après ce qu'il savait des pratiques et des règles en vigueur dans ce club très exclusif appelé le Mexique, ça n'allait pas être facile à obtenir. Il devrait aussi aller à Houston et parler avec tous ceux qui avaient pu se trouver en contact avec l'avion, l'équipage et le passager, lorsqu'ils s'étaient posés pour refaire le plein; il lui faudrait également s'entretenir avec Enrique Sanchez et Jorge Vidal et chacun de ceux qui avaient été impliqués d'une façon ou d'une autre dans cette sale histoire. Mais la chose la plus importante qu'il avait à faire était de ne pas oublier que tout le monde était suspect, même Coriandre qui venait d'entrer dans le restaurant.

Chapitre neuf

Coriandre parcourut le restaurant du regard avant de repérer Adam. Il s'était déjà levé et l'observait tandis qu'elle se dirigeait vers sa table. Elle avançait vers lui, un tourbillon d'idées confuses dans la tête. Sa réticence à passer de l'état de femme à celui de veuve était sa seule certitude et celle-ci se renforçait à chaque heure qui passait. Elle restait pour l'instant une épouse en attente, espérant des réponses à des questions qui n'avaient même pas été posées. C'était la raison pour laquelle elle avait accepté de rencontrer l'homme qui avait dans sa poche une citation à comparaître.

Adam lui tendit la main.

– Bienvenue dans mon bureau, dit-il.

Elle la serra brièvement.

– Pourquoi ?

– J'allais vous poser la même question...

Elle s'assit et croisa les jambes sous la table.

– Vous devriez le savoir, c'est vous qui avez cette citation.

– Je voulais parler de l'incinération. Pourquoi refusiez-vous de reconnaître ces restes comme étant ceux de votre mari ?

Elle pâlit.

– Comment ça, *refusiez*? Je refuse toujours...

– *Refusiez*, répéta Adam, sans la quitter des yeux. Votre beau-frère a donné l'ordre de les incinérer il y a à peu près une heure.

– Comment le savez-vous? demanda-t-elle, soudain tendue.

– Le propriétaire de la compagnie de charters me l'a annoncé. Il venait de l'apprendre à la morgue d'où il rentrait quand il est venu me retrouver ici. (Si cette femme mentait, elle était sacrément bonne comédienne.) Ecoutez, je suis désolé pour tout ces...

Elle resta silencieuse pendant de longues secondes, le front dans les mains. Puis elle releva la tête.

– Ce n'était pas à lui de décider de ça, fit-elle d'une voix atone. C'était mon affaire et je lui avais demandé de ne pas procéder à l'incinération.

– Apparemment, il ne vous a pas écouté...

Elle fronça les sourcils.

– Rien, rien de ce qui restait n'appartenait à Danny...

Danny. Seigneur, c'est vrai qu'un être humain est capable de tout endurer et de survivre.

– Si vous le désirez, je vais vous conduire là...

– Je ne peux pas défaire ce qui a été fait, n'est-ce pas?

– Non, c'est impossible, approuva-t-il avec un terrible sentiment de tristesse.

– Et le propriétaire de la compagnie de charters? A-t-il identifié ses pilotes?

Rude question.

– Je n'en suis pas sûr, biaisa-t-il.

– Et ce torse?

– Il ne l'a pas reconnu. (Adam vit arriver le serveur

124

vec gratitude.) Vous voulez manger qu lque chose? demanda-t-il à Coriandre.

– Non merci, mon corps se débrouille très ˌien tout eul avec ses nœuds gastro-intestinaux...

Il aurait souri si la situation n'avait pas été si dramatique.

– Un verre?

Elle croisa les mains sur son ventre.

– Une tasse de thé.

Son regard se perdit dans le vide tandis qu'Adam commandait un Coke sans glace pour lui et un thé pour elle dans un espagnol plat et conventionnel. Elle attendit que le serveur soit reparti pour reposer sa première question.

– Pourquoi?

– Parce qu'il est un peu trop commode pour quelqu'un de trouver la mort la veille de son inculpation.

– Et moi je trouve incroyablement commode que ous débarquiez juste à ce moment-là avec votre citation...

Elle eut un geste vers la fenêtre, en direction des montagnes lointaines.

– Nous manquions d'éléments pour agir jusqu'à présent.

– Je ne comprends pas, fit-elle en secouant la tête. Quoi qu'il se soit passé à la banque, ce n'est pas arrivé ier. Tout ce qu'on lui avait appris quand il avait commencé dans ce métier était inutile face à elle. Affaiblis-les, lui avait-on dit, déstabilise-les en leur posant des questions sans ordre logique, excuse-toi de les déranger, puis recommence à les interroger, et tout ce temps, ne cesse pas de te demander s'il vaut mieux les cajoler ou les sacrifier. Depuis le début, aucune de ces règles ne s'appliquait à Coriandre...

125

– Voulez-vous que je vous explique?

– Si j'avais le choix, je préférerais que vous vous en alliez.

– Je ne vous le reproche pas, dit-il gentiment.

Elle haussa les épaules.

– Je suis ici pour essayer de comprendre...

Il n'hésita pas.

– Toute banque agréée par l'Etat de New York est soumise à des audits réguliers. Le mois dernier, les experts ont découvert une série d'irrégularités et de découverts. Il semble que votre mari ait fait de la cavalerie pour garder toujours une longueur d'avance sur les contrôleurs...

– Sauf le mois dernier, l'interrompit-elle.

Adam acquiesça.

– Soit il ne s'en souciait plus, soit il est devenu négligent. Toujours est-il qu'à la fin juin, il manquait cinquante millions de dollars dans les livres.

Elle était sidérée.

– C'est impossible. Si vous connaissiez mon mari, vous comprendriez qu'il n'aurait jamais pu faire une chose pareille. (Des larmes brillèrent dans ses yeux.) Comment savez-vous qu'il était au courant de ce qui se passait?

D'un côté, il était désireux de tout lui expliquer, de l'autre, il avait envie de se lever et de s'en aller. En l'emmenant avec lui...

– Juste avant de venir vous voir à l'hôpital, j'ai reçu quelqu'un qui nous a apporté une preuve partielle et nous a promis de nous en fournir davantage.

Pour le moment, Adam décida de ne pas mentionner Stampa et son million de dollars.

– Qui?

126

– Je crains de ne pouvoir vous le dire.

– Oui, murmura-t-elle, c'est bien ce que je pensais.

Le serveur arriva avec le thé et le Coke. Lorsqu'il s'éloigna, Adam changea d'angle d'attaque.

– Vous croyez vraiment que votre mari est mort?

– Aucun être humain n'aurait pu survivre à un crash pareil, éluda-t-elle, l'esprit en ébullition. Elle n'avait pas d'alliés, même parmi ceux qui essayaient de prouver que Danny était encore vivant. Elle ne pouvait compter sur personne.

– Aucun être humain, à condition qu'il se soit trouvé dans l'avion, corrigea Adam.

– Avez-vous la preuve que mon mari ne s'y trouvait pas?

Elle croisa les mains sur ses genoux, mais elles continuèrent à trembler.

– De toute évidence, nous disposons d'assez d'éléments pour continuer, bluffa-t-il, conscient de la différence qu'il y avait entre le fait de mentir sur les preuves et celui de jouer avec la vie des gens.

– Ce n'est pas une réponse.

Il se rapprocha d'elle.

– Vous pensez que je n'ai rien de mieux à faire que de poursuivre un homme mort?

A cet instant, elle le détesta, elle les détesta tous.

– Je ne sais pas, répondit-elle d'un ton égal. Il vous suffit d'un coup de tampon pour donner une apparence officielle à n'importe quoi.

Le courage, petite, lui répétait Danny, face aux bureaucrates sans âme, rien n'est plus efficace que le courage.

– Si votre mari n'était pas mort, madame Vidal, la banque aurait été fermée dès lundi matin et n'aurait pas rouvert avant que tous les comptes aient été équilibrés et toutes les écritures examinées. Et nous parlons de trente-quatre charges de prêts illégaux et de quatorze charges de dépôts illicites.

Elle était plus furieuse qu'ébranlée.

– Où est passé l'argent ?

Il aurait préféré qu'elle ne pose pas la question, du moins pas encore.

– C'est un des grands mystères, à moins que vous ne puissiez me l'apprendre...

On s'enfonçait dans l'invraisemblable.

– Vous débarquez à l'hôpital avec une citation à comparaître au nom de mon mari quelques minutes à peine après que j'ai appris son accident, et puis vous faites irruption ici, en espérant que je vous fournirai la preuve qui vous permettrait d'étayer votre affaire.

Elle reprit son souffle, vit qu'il voulait dire quelque chose, et continua néanmoins :

– Il m'est déjà assez pénible de vous voir accuser mon mari de m'avoir abandonnée, mais je trouve franche-ment inhumain que vous le soupçonniez d'avoir mis en scène sa propre mort en tuant deux innocents pour échap-per à une crise professionnelle.

Qu'était-il censé répondre ? Que si son mari l'avait abandonnée, il ne méritait pas les cinquante millions de dollars avec lesquels il avait pris la fuite ? Adam aurait aimé connaître toutes les réponses; il aurait encore plus aimé que les questions ne s'appliquent pas à son mari; et il aurait aimé par-dessus tout qu'ils ne se soient pas ren-contrés dans de telles circonstances.

– Voulez-vous que je vous explique comment l'argent a disparu ?

Son expression était tout sauf amicale.

– Je suppose que c'est mieux que d'exiger de moi que je vous aide à chercher où il est passé.

L'espace d'une seconde, Adam se demanda comment il avait fait pour se retrouver sur la défensive.

– Danny Vidal a ouvert plusieurs comptes à l'Inter Federated, dont certains avec un dépôt initial d'à peine quelques centaines de dollars, avant de dépasser la limite de prêt légale imposée à tous les employés de toutes les banques. Il rédigeait des chèques en bois dont le montant était supérieur, de plusieurs milliers de dollars, à la provision de ces comptes, puis prenait pour les couvrir des crédits de plusieurs centaines de milliers de dollars.

Le meilleur était encore à venir. Elle n'allait pas manquer de réagir, il en avait la certitude.

– Durant les six derniers mois, reprit-il, il a vidé systématique ces comptes. Il a escamoté l'argent sans laisser la moindre trace, n'hésitant pas à faire courir de gros risques à la banque, ainsi qu'à ses clients, en se plaçant lui même dans une situation compromettante vis-à-vis de la Commission Bancaire de l'Etat de New York...

Sans parler de ce qu'il avait fait à leur vie.

Coriandre prit immédiatement la défense de son mari.

– C'est impossible, s'exclama-t-elle avec passion. L'argent n'a aucune valeur pour lui, il ne ferait jamais une chose pareille...

– Il a peut-être des frais dont vous ignorez tout, suggéra Adam, détestant soudain son métier.

– Quoi, par exemple ? demanda-t-elle sur un ton de défi.

Elle n'avait pas l'intention de le laisser s'en tirer aussi facilement.

Adam était sensible à la vulnérabilité de Coriandre, mais le comportement incompréhensible de Danny Vidal le laissait perplexe.

– Il y a de nombreuses réponses possibles à cette question, commença-t-il.

A sa surprise, elle ne le laissa pas continuer.

– Même si j'étais prête à admettre que mon mari avait une double vie... (elle s'interrompit). Une autre femme ou une maîtresse... (elle s'interrompit à nouveau). Ne trouvez-vous pas que cinquante millions de dollars seraient dans ce cas une somme un peu extravagante ?

La logique de Coriandre n'était pas en défaut, mais il en avait trop vu dans sa vie et rien ne pouvait plus le surprendre. Il s'efforça néanmoins de prendre un ton soucieux.

– Ça paraît effectivement un peu irresponsable...

Irresponsable. Comme dans : « Je plaide l'irresponsabilité. »

Pour une raison qu'il ignorait, il remarqua à cet instant précis qu'elle était toujours en noir et qu'elle ne s'était pas changée. Elle avait simplement ramené ses cheveux sur sa nuque et les avait attachés.

– La première chose à faire est sans doute de découvrir ce qui est véritablement arrivé à l'avion.

– Si votre hypothèse est juste, et que mon mari a vraiment extorqué cet argent, il vous sera effectivement plus précieux vivant que mort.

– Je pensais surtout à la possibilité qu'il aurait eu de déposer une bombe à bord avant de quitter l'appareil, disons, à Houston...

– Danny Vidal n'est pas un assassin.

– En êtes-vous sûre ?

– Bien entendu, répondit-elle, furieuse.

Il poussa plus loin.

– Dites-moi, quel bénéfice pouvez-vous espérer tirer de la mort de votre mari ?

– Nous n'en avons jamais parlé.

– Pourquoi ?

– Ça ne s'est jamais présenté. Danny a... (Ces maudits verbes. Parler de lui au passé, elle n'y arrivait pas.) Il n'a que douze ans de plus que moi et il s'est toujours trouvé quelque chose de plus pressé dont il fallait s'occuper.

Elle n'expliqua pas qu'après tout ce qu'ils avaient traversé, elle était incapable de parler de la mort, de sa mort, avec Danny. Lui, en revanche, semblait peu désireux d'évoquer la vie. Quand nous serons installés à New York, nous discuterons de la possibilité d'avoir un bébé ; quand l'aménagement de l'appartement sera terminé, on parlera enfants ; quand les affaires iront mieux à la banque, quand les horaires de travail seront plus réguliers à l'hôpital, quand le Rio de La Plata sera gelé, quand, quand, toujours quand...

– Il y a une chose que vous devriez savoir, commença-t-elle d'une voix hésitante. (Elle prit une profonde inspiration.) J'ai beau vouloir, plus que tout, croire que mon mari est vivant, je sais que c'est impossible.

Adam attendit. Il ressentait un mélange de fureur et de frustration à l'idée qu'une femme comme Coriandre se retrouvât dans une telle situation. Elle s'interrompit pour ravaler ses larmes. Puis les mots se bousculèrent, portés par l'émotion.

– Je suis enceinte et nous nous aimions, et seul un monstre aurait pu faire une chose pareille.

Elle ne put continuer. C'était de tout façon inutile. Le visage d'Adam Singer disait clairement qu'il avait compris. Il pensa à Eve et se rendit compte que c'était la seconde fois de sa vie qu'il était bouleversé au point d'en avoir la nausée...

– Je ne sais que dire.

Puis, comme si c'était la chose la plus naturelle du monde, il tendit la main et toucha celle de Coriandre. A sa grande surprise, elle ne la retira pas mais parut au contraire puiser un réconfort dans ce contact.

– Moi non plus, finit-elle pas répondre avant de reprendre sa main pour essuyer ses larmes.

– Vous êtes certaine qu'il était au courant?

Elle affirma, calme et digne :

– Oui, absolument certaine.

Adam resta perdu dans ses pensées.

– Ecoutez, reprit-il enfin, je ne connais rien de vos relations. Mais ce que je sais, c'est que les gens se mettent parfois dans des situations inextricables au point de perdre temporairement la raison et de commettre des actes qu'ils n'auraient même pas imaginé en temps normal...

– Danny ne l'aurait pas fait, il ne m'aurait jamais abandonné dans une pareille situation, déclara-t-elle d'un ton tranquille.

A voix basse, Adam lui dit :

– J'ai besoin de votre aide, comme j'avais commencé à vous l'expliquer à la morgue.

Il eut un geste vers la fenêtre.

– Je m'en rends parfaitement compte. Vous voulez que je vous aide à prouver la culpabilité de mon mari...

Il était mal à l'aise.

– Plus que quiconque, vous avez un intérêt dans cette histoire. Vous n'avez pas pas envie de savoir si votre mari est vivant? Et si c'est le cas, d'apprendre où il se trouve, comment et pourquoi il en est arrivé là et tout ce qui s'en suit?

Cruel dilemme. Voulait-elle savoir si son mari était vivant, ce qui l'obligerait à le confondre afin de comprendre comment il avait pu lui faire, leur faire, une chose pareille ? Dans son esprit, pourtant, la réponse était limpide.

– Oui, dit-elle simplement.

Pour Adam, c'était insuffisant. Après être allé aussi loin, il savait qu'il fallait porter l'estocade.

– Même si cela implique qu'il finisse en prison ?

Même si cela impliquait d'avoir le cœur brisé et de voir sa vie détruite.

– Oui, répéta-t-elle avant de se renverser sur son siège.

– Puis-je vous poser quelques questions, demanda-t-il d'une voix douce ?

– Allez-y.

– Saviez-vous que l'avion s'était arrêté à Houston pour faire le plein ?

– Oui.

– Qui vous l'a dit ?

– Mon beau-frère.

– Comment le savait-il ?

– Parce que mon mari l'a appelé de Houston, du moins c'est ce qu'il prétend.

– Votre mari vous a-t-il appelé de Houston ?

– J'étais de garde à l'hôpital durant tout le week-end.

– Vous a-t-il appelé là-bas ?

– Non.

– Possédez-vous un répondeur chez vous ?

– Oui.

– Avez-vous eu des messages ce week-end ?

– Juste deux personnes qui ont raccroché, mais Danny n'aurait jamais fait ça, il aurait laissé un message.

S'il ne jouait pas à faire le mort, il aurait laissé un message...

– Pourquoi n'êtes-vous pas partie avec lui à Acapulco ?

– Aux urgences, les week-ends fériés ressemblent aux grandes manœuvres. Personne n'échangerait volontairement son tour de garde contre celui-là.

Il décida de se risquer sur un terrain plus personnel.

– J'ai cru comprendre que vous aviez rencontré votre mari au temps de la Junte, en Argentine...

Elle ne se rebiffa pas.

– J'étais son étudiante.

– J'ai également cru comprendre que votre mari était de ceux qui s'opposaient au pouvoir militaire.

Une lueur de sagacité éclaira son visage.

– Voilà donc votre témoin mystérieux ?

– Quand vous faites une enquête, vous interrogez tout le monde.

Elle le dévisagea un long moment avant de reprendre :

– Fernando Stampa ne s'est jamais remis de la perte de son fils...

– Vous l'en blâmez ?

– Bien sûr que non, mais il n'a jamais non plus pardonné à Danny de ne pas avoir retrouvé son enfant...

– Comment le savez-vous ?

– Parce que nous vivons tous avec la culpabilité d'avoir survécu alors que beaucoup de ceux que nous aimions sont morts.

– Avez-vous perdu quelqu'un de proche ?

– Mon meilleur ami. (Elle eut un sourire triste.) L'ironie de tout ça, c'est que si je n'avais pas perdu Hernando, je n'aurais probablement jamais épousé Danny.

Adam écouta son histoire.

Elle avait rencontré Hernando dans la *boliche* près de l'université où, quelques semaines plus tard, elle allait

134

faire la connaissance de Danny. Elle y était entrée par hasard, un après-midi, pour travailler et essayer de venir à bout de l'essai de Borges sur Don Quichotte. Hernando jouait un tango sur son bandonéon, répétant pour le spectacle du soir. Il était venu à sa table et ce qui avait commencé par une conversation à bâtons rompus sur Borges et le tango s'était terminé par un dîner et une discussion animée sur la situation politique en Argentine.

Hernando Sykes était l'éditeur du journal de l'université, un quotidien qui attaquait systématique le régime. Il y publiait régulièrement la liste des personnes arrêtées par la police secrète, avec leur nom, leur âge et tous les détails qu'il possédait sur leur vie. Il croyait fermement que le fait d'octroyer une identité aux *disparus* leur conférait un statut d'êtres de chair et de sang et non de simples statistiques. De plus, cette démarche soutenait les familles et les amis affligés, leur rendait la force d'exiger des autorités de connaître les conditions de détention des prisonniers ainsi que la nature de leur crime. A mesure que le temps passait, les mères et les grands-mères de la Place de Mai ne s'étaient plus contentées de donner les noms de leurs enfants et petits enfants disparus. Elles fournissaient à Hernando des photographies qu'il imprimait dans son journal.

D'entrée, Coriandre et Hernando avaient éprouvé l'un pour l'autre une attirance qui transcendait le sexuel. Ils reconnaissaient l'attrait mutuel qui les unissaient, mais ni l'un ni l'autre ne se sentait tenu d'agir en fonction de cette donnée. Ils s'aimaient sincèrement, sans toutefois se faire d'illusions sur les limites de leur relation. A juste titre d'ailleurs puisque quelques semaines plus tard, Coriandre avait rencontré Danny et que leur liaison avait débuté.

Hernando était un joli garçon aux yeux et aux cheveux sombres. Grand et dégingandé, calme et intense, il donnait l'impression de porter une sagesse qui n'était pas de son âge. Il avait les traits patriciens de sa mère argentine – cheveux noirs, nez fin, pommettes saillantes, bouche sculptée – et les yeux bruns candides ainsi que le teint coloré de son père écossais. Lorsque Coriandre et lui s'étaient rencontrés, il faisait déjà partie des Montoneros. Disciple de Danny, il était de ces militants marxistes qui croient à la violence comme unique moyen de parvenir à la démocratie. Il cultivait l'image du Che, jusqu'à la barbe et au béret qu'il arborait dans cet unique but...

Un week-end, à la fin de l'été, Coriandre, Danny et Hernando avaient décidé de se rendre en voiture jusqu'à Buenos Aires. Danny s'était rendu à une réunion qui se tenait dans une des planques sûres des Montoneros, à La Boca, le quartier populaire longeant le Canal Riachuelo, pendant que Coriandre et Hernando allaient écouter de la musique et danser le tango à la Verduleria, un club de l'Avenida Corrientes. Il était entendu que si Danny ne venait pas les rejoindre avant la fermeture du club, ils devaient se retrouver à la maison de La Boca.

L'Avenida Corrientes est l'une des artères les plus animées de Buenos Aires. Connue sous le nom d'« Avenue qui ne dort jamais », elle est comparable à Times Square, Pigalle, ou Piccadilly. Des néons, des fast-food et des tubes illuminés qu'on appelle « kioscos » bordent la rue, ainsi que des salles de cinéma, et ces kiosques à journaux minuscules, prolongés à l'intérieur par des cafés, qui vendent de tout, depuis les journaux étrangers jusqu'aux éditions de poche des derniers best-sellers – le tout censuré et approuvé par le gouvernement.

Jadis bar à marins, La Verduleria avait été rénovée et se voulait à présent un endroit chic. Un nain se tenait à l'entrée et guidait les clients vers leur table, tandis qu'un chanteur ouvrait le spectacle avec une imitation affligeante de Frank Sinatra. A partir de trois heures du matin, un orchestre jouait des *cumbias*, des *sambas* et des *tangos*. Coriandre et Hernando arrivèrent à temps pour pouvoir danser.

L'Argentine vivait une époque dangereuse. Le gouvernement n'avait pas vraiment d'excuse pour justifier sa violence. Quelques lignes d'un poème de Pablo Neruda sur la lutte armée ou deux citations de Mao pouvaient suffire à déchaîner la tempête. Un groupe de plus de deux personnes fomentait nécessairement un complot et constituait une menace pour la sécurité nationale. En conséquence, les gens évitaient de se réunir dans les appartements ou les maisons privées et se retrouvaient dans les lieux publics – restaurants, champs de course, stades de football, opéra, cinémas, bus, et même, coin de rue – n'importe où pourvu que ce fût au vu et au su de tous afin de ne pas éveiller de soupçons. Vers cinq heures et demie, Coriandre avait commencé à se faire du souci pour Danny, se demandant ce qui se passait à sa réunion. Elle avait demandé à Hernando de la raccompagner à La Boca.

Ils venaient de sortir de La Verduleria et traversaient Corrientes, bras dessus, bras dessous, quand l'événement s'était produit. Une Ford Falcon grise s'était arrêtée à leur hauteur dans un crissement de pneus, trois hommes en étaient descendus et les avaient entourés. De l'obscurité silencieuse s'était élevé le martèlement des semelles de cuir frappant l'asphalte, le souffle rauque et les grognements de ces monstres qui avaient brandi leurs poings et leurs bâtons. Même le nain de La Verduleria avait pris peur et s'était réfugié dans le club aux premiers coups de freins de la Falcon, claquant la porte derrière lui. Le videur l'avait verrouillée. Quelques jours plus tard, quelqu'un qui s'était trouvé dans la boîte de nuit avait raconté à un de ses amis, qui en avait lui-même parlé à Danny, que la musique avait continué à jouer pour noyer les hurlements d'une femme dans la rue.

Il n'avait pas fallu plus d'une seconde à Coriandre pour comprendre que seul Hernando était leur cible. Il était déjà à terre, et se tordait de douleur tandis que les types le travaillaient. L'un d'eux le tenait par les cheveux et le frappait régulièrement au visage, le second lui ôtait ses chaussures et sa ceinture tandis que le troisième le cognait à coups de pied – *bomp, bomp* –, la botte de cuir s'enfonçait régulièrement dans les côtes d'Hernando.

Coriandre était au cœur de la mêlée, attrapant la chemise d'Hernando, lui agrippant le bras, s'accrochant à lui pendant qu'on le rossait. Et tout ce temps, autant par terreur hystérique que par instinct, elle n'avait cessé de crier son nom, comme si en lui conférant une identité, elle pouvait garantir son existence future. Au bout de dix secondes, elle avait perdu ses chaussures et déchiré sa robe, au bout de trente, elle avait reçu un coup de poing sur la joue et la bouche, pris un coup de pied dans l'estomac et s'était retrouvée projetée sur le trottoir. Elle avait heurté un groupe de badauds qui s'était immédiatement désengagé avant de se disperser. Personne ne voulait être associé à elle de quelque façon que ce fût...

Elle s'était jetée à nouveau dans la mêlée, donnant des coups de griffes, suppliant, esquivant les poings et les bâtons, s'enroulant autour du garçon, s'accrochant à lui tandis qu'on le traînait vers la voiture. C'était inutile. Repoussée une seconde fois, elle s'était retrouvée au milieu de la chaussée, et elle avait compris que ce raid n'avait pas été effectué au hasard. Ils savaient qu'Hernando serait à Buenos Aires pour le week-end. La voiture s'était éloignée dans un nouveau crissement de pneus, laissant dans son sillage une aura de terreur et de soulagement.

Alors seulement, Coriandre parvint à se lever. Les gens s'approchèrent pour l'aider à se remettre debout, osant enfin bouger et échanger des murmures. La circulation reprit son cours et même les policiers qui faisaient leur ronde sur Corrientes émergèrent de l'embrasure des portes où ils s'étaient réfugiés quand tout avait commencé.

Coriandre avait refusé l'aide de ceux qui s'étaient proposés de la raccompagner chez elle ou de la conduire à l'hôpital. Ecœurée par leur soudaine sollicitude, elle les avait ignorés et s'était efforcée de retrouver ses chaussures, qu'elle avait fini par repérer sous une voiture. Elle s'était assise sur le trottoir pour les enfiler. L'esprit en ébullition, elle avait passé en revue toutes les possibilités d'action puis, sans se soucier du temps qu'il lui faudrait pour accomplir ce trajet, elle s'était mise en route pour La Boca, soutenue par la colère plus que par l'énergie. Mais elle avait des kilomètres a parcourir et déjà le soleil se levait sur l'Avenida Corrientes. Les vêtements déchirés, les cheveux hirsutes, endolorie et contusionnée, elle avançait, sans un regard pour les voitures qui s'arrêtaient à sa hauteur, ni pour leurs occupants qui se penchaient aux portières pour la dévisager.

Au bout d'un kilomètre environ, elle avait fini par fléchir lorsqu'un *collectivo* s'était arrêté sur son parcours régulier. Elle y était montée. Une douleur violente lui transperçait la poitrine et elle était épuisée. Appuyée contre la vitre, elle avait regardé la ville tandis que le bus empruntait l'Avenida Pedro de Mendozo puis traversait le pont Nicolas Avellanada. Elle était descendue dans la Calle Necochea et avait continué à pied le long du Canal Riachuelo vers la maison où se trouvait Danny. Elle avait dépassé les *cantinas* bruyantes et les lumières violentes, marchant toujours, enjambant les stéréos posées sur le trottoir qui crachaient du rock à plein volume, ignorant les racoleurs qui cherchaient à l'attirer dans les boîtes à strip, longeant les baraques de tôle aux couleurs vives – orange, bleu, rouge – aux balcons ouvragés ornés de cage à oiseaux, adossées à des murs peints sur lesquels de sombres silhouettes voûtées trottinaient comme des fourmis sur un fond surchargé figurant les docks.

Quand Danny avait ouvert la porte et l'avait vue dans cet état, il avait failli s'évanouir. Il s'était rué sur elle et l'avait serrée contre lui, embrassant ses ecchymoses. Puis il l'avait soulevée pour la porter à l'intérieur. Il n'avait pas fallu plus d'une phrase pour expliquer que la Junte avait arrêté Hernando. Une autre pour dire que leur seul espoir était de se rendre à l'ambassade et de demander l'aide du père de Coriandre. Comme elle, Danny pensait que seules les bonnes relations que Palmer entretenait avec la Junte avaient permis à sa fille d'être épargnée.

Ce que personne ne savait ce soir-là, c'était qu'un micro était caché dans la maison de La Boca. Tout ce qui s'était dit durant la réunion avait été enregistré. Cela signifiait également que les généraux, bien installés dans la Casa Rosada, avaient déjà averti Palmer Wyatt que sa fille avait été blessée. Avant même que Danny et Coriandre n'aient sauté dans la voiture pour traverser la ville, Palmer les attendait.

Ils avaient roulé en silence, Coriandre lovée contre Danny, la tête sur son épaule, la main sur sa cuisse. La voiture était arrivée devant le portail de l'ambassade et Danny s'était arrêté. Deux gardes armés de lampes de poche avaient surgi et bloquaient la voiture lorsque Palmer était sorti en courant de la maison.

Sans un mot, Coriandre avait ouvert la portière et était descendue, imitée par Danny qui s'était adossé au véhicule. L'instant suivant, Palmer était près de sa fille. Etouffé par l'émotion, incapable de parler, il lui avait caressé le visage et embrassé la main. Il n'avait réussi qu'à prononcer d'incohérentes exclamations horrifiées, puis la parole lui était revenue et il s'était mis à murmurer, encore et encore :

— Ça n'aurait pas dû t'arriver, Oh Mon Dieu, ça n'aurait pas dû t'arriver.

Mais Coriandre s'était déjà dégagée de son étreinte. Les larmes coulaient sur ses joues tandis qu'elle lançait d'une voix accusatrice :

— Tu savais. Avant même que nous arrivions ici, tu savais...

Plus tard, Danny admettrait qu'il n'avait jamais vu une émotion aussi intense sur le visage de cet homme qu'au moment où il avait sorti son mouchoir pour essuyer le sang de la bouche de Coriandre.

— Dieu soit loué, tu es sauve, était-il parvenu à émettre d'une voix tremblante.

— Ils ont pris Hernando, avait-elle crié, ils l'ont battu et l'ont emmené dans une voiture. Trouve-le, je t'en supplie, fais quelque chose...

Il était clair que Palmer se montrait plus surpris par la requête de sa fille que par son état physique. Son regard s'était détaché d'elle et avait cherché Danny par-dessus le toit de la voiture.

— Comment avez-vous pu laisser arriver une chose pareille ?

— Je pourrais vous poser la même question, avait rétorqué Danny, l'œil furieux.

— Arrêtez, s'était écriée Coriandre, vous perdez du temps.

Mais Palmer était encore réticent.

— Qu'est-ce qui vous fait croire que j'ai le pouvoir de faire quoi que ce soit, avait-il argué. Je ne suis qu'un hôte, ici...

— Si tu n'avais pas de pouvoir, je serais avec Hernando à l'heure qu'il est, avait-elle sifflé entre ses dents. Trouve-le, je t'en supplie, et sauve-lui la vie.

Palmer avait réfléchi quelques instants avant d'entrer dans la guérite de la sentinelle et de décrocher le téléphone. Coriandre et Danny avaient échangé un regard par-dessus le toit de la voiture; un coup de fil suffisait... Au bout de quelques minutes, Palmer avait réapparu dans la cour.

— Il est à Puesto Vasco...

Elle avait hoqueté. Puesto Vasco, la prison aménagée dans les caves de l'Ecole Navale d'Ingénieurs.

— C'est fini, avait-elle pleuré, il est mort.

— Pas forcément, l'avait réconfortée Palmer, il n'est qu'inculpé.

Elle s'était retournée vers lui.

— Inculpé ? Comme s'il allait avoir droit à un procès équitable ! On va peut-être aussi lui donner l'autorisation de passer un coup de téléphone... (Elle avait saisi son père par le col de sa chemise.) Arrête de me prendre pour une idiote...

Soudain, Palmer avait paru reprendre le dessus.

— Rentre à la maison, avait-il marchandé, promets-moi de ne jamais le revoir (un geste en direction de Danny) et je ferai ce que je peux. Mais rentre à la maison.

– La maison ? Je n'ai pas de maison.

Ils s'étaient disputés encore un moment, Palmer la suppliant de revenir, Coriandre refusant obstinément. En fin de compte, il avait renoncé.

– Je ne peux rien faire pour ton ami, avait-il décrété tristement.

Comme Danny et Coriandre quittaient la propriété en voiture, ils avaient gardé une dernière image, entrevue dans le rétroviseur, de Palmer Wyatt l'air misérable et impuissant. L'image d'un homme qui venait de perdre un enfant. Coriandre n'avait cessé de répéter la même chose, encore et encore, que son père était au courant de ce qui s'était produit avant même qu'ils ne soient arrivés à l'ambassade. Danny n'avait pas discuté. Le problème était qu'ils ne savaient ni l'un ni l'autre jusqu'à quel point il avait été informé.

De retour à La Boca, ils avaient commencé à appeler tous ceux qui, pensaient-ils, pourraient les aider. Comme c'était prévisible, ils avaient rencontré à chaque fois la même réaction – les gens devenaient sourds et muets, raccrochaient le plus vite possible, feignaient de ne pas être chez eux, suppliaient qu'on ne les implique pas. Ils avaient passé plusieurs jours à La Boca, consacrant tout leur temps, toutes leurs pensées, à retrouver Hernando et à essayer de lui sauver la vie. Puis le choc initial s'était estompé. Lorsqu'ils étaient rentrés à Cordoba, ils avaient poursuivi leurs efforts, en dépit du fait qu'Hernando était à présent entré sur la liste toujours plus longue des *disparus*. Enfin, comme les autres, il était devenu une abstraction douloureuse.

La raison officielle qui fut fournie pour l'arrestation d'Hernando concernait ses activités subversives au sein du journal de l'université de Cordoba. Le procès public était

143

destiné au monde tandis que le verdict ne s'adressait qu'à l'Argentine et Hernando fut le seul à assumer la sentence. On l'exhiba devant un aréopage de juges qui l'estimèrent coupable, le condamnèrent à mort et le renvoyèrent en prison. Six mois plus tard, Danny quittait Cordoba pour Buenos Aires où il prenait la direction de la banque Credito de la Plata. L'hiver suivant, c'était lui qui disparaissait.

Des années plus tard, elle regrettait ce moment plus que tout autre, comme si elle avait choisi sa vie contre celle d'Hernando, en l'abandonnant à son sort plutôt que de renoncer à Danny.

– Donc Hernando fait partie des *disparus*, ce qui est une façon élégante de dire qu'il est mort, remarqua Adam.

C'était probablement l'occasion de lui raconter la suite de l'histoire, mais elle avait déjà pris l'habitude de laisser planer l'ambiguïté. Elle y pensait à présent, elle entendait Danny lui raconter comment, quelques jours avant que la Junte ne ferme la banque et qu'il ne décide leur séparation, Hernando avait réapparu. On l'avait déposé devant La Verduleria, une nuit, un bandonéon autour du cou et les mains tranchées. C'était Danny qu'il avait choisi d'appeler et qui s'était précipité Avenida Corrientes. Le club était bondé ce soir-là. Le nain avait un nouvel uniforme.

« Hernando n'était pas seulement une victime du régime. Il était ma victime personnelle... » Même si elle avait voulu l'expliquer alors, c'était impossible.

Elle se retourna en entendant quelqu'un appeler son nom et vit son père. Rasé de frais, avec des traces de talc sur les joues, les cheveux encore humides de sa douche soigneusement peignés en arrière, Palmer Wyatt se pen cha pour embrasser sa fille sur le haut du crâne puis se présenta à Adam. Il s'assit à côté de Coriandre.

— C'est assez inhabituel, n'est-ce pas ? dit-il. Se promener avec une citation à comparaître au nom d'un mort.

— Très, admit Adam.

— Alors, pourquoi le faites-vous ?

— Parce qu'il refuse de croire que Danny est mort, répondit Coriandre sans quitter Adam des yeux.

— Vous avez de bonnes raisons pour ça ?

— Suffisamment.

Adam préférait rester dans le vague.

— Puis-je être utile à quelque chose ? demanda Palmer avec amabilité, jetant un coup d'œil à sa fille.

Elle secoua la tête.

— Je ne pense pas.

Il parut troublé.

— Ecoute, je crains d'avoir encore une mauvaise nouvelle à t'annoncer. Il semble que Jorge ait fait procéder à l'incinération.

— Je le sais. Monsieur Singer me l'a dit.

— Qui vous en a parlé ? demanda Adam.

— Jorge Vidal.

Adam se contenta d'opiner. D'un air distrait, il demanda l'addition au serveur qui venait d'apparaître. Il attendit son départ pour reporter son attention sur Palmer Wyatt.

— Vous a-t-il parlé d'autre chose ?

Palmer fit non de la tête.

— Nous n'avons pas exactement le type de relation qui prête à la confidence...

— Rien sur la boîte noire ?

— Rien, répondit Palmer, tandis que le serveur revenait avec la note. J'espère que ce n'est pas moi qui vous fait fuir ?

145

– Non. Pour tout vous dire, j'ai rendez-vous avec un prêtre.

Il chercha de l'argent dans sa poche.

– Quel prêtre? demanda Coriandre.

Adam regarda Palmer avant de répondre.

– Il paraît qu'un autochtone a eu une vision. Il aurait aperçu Jésus sur le bord de la route entre Cerro el Burro et Chilpancingo.

– Quel rapport?

– L'aspect spirituel des choses m'a toujours intéressé, fit Adam en se levant.

Palmer l'imita et lui tendit la main.

– Heureux de vous avoir rencontré.

Les deux hommes échangèrent une franche poignée de main.

– Je vous reverrai?

La question de Coriandre l'avait pris par surprise.

– Je reste en contact avec vous, dit-il.

Leurs regards se rencontrèrent.

– Cet autochtone qui a vu Jésus? Il a assisté à l'accident aussi?

Elle le surprenait encore.

– Honnêtement, je n'en sais rien.

Il chercha une carte dans sa poche.

– Vous allez séjourner à New York un moment? demanda-t-il à Palmer.

– New York et Washington, répondit celui-ci, tirant à son tour une carte de sa poche.

Il la retourna et griffonna quelque chose au verso.

– Je vous laisse mes numéros à Buenos Aires et aux Etats-Unis.

Adam empocha le bristol.

– Faites attention à vous, lança-t-il à Coriandre, se

jurant de ne plus jamais se laisser prendre au piège de ses émotions.

Il aurait aussi bien pu promettre de cesser de respirer. Le cas était désespéré. Depuis qu'il l'avait vue dans son service à l'hôpital.

– Nous nous reparlerons à New York.

Il espéra que ses mots avaient bien l'intonation qu'il avait voulu leur donner, une vague promesse officielle uniquement sous-tendue par des motifs professionnels.

– Je ne lui fais pas confiance, déclara Palmer lorsqu'il eut quitté la salle.

– Rien ne t'y oblige, rétorqua Coriandre d'une voix douce.

– Le but qu'il poursuit ne m'inspire pas confiance, corrigea Palmer.

– Il essaye de retrouver Danny.

– Je n'aime pas ses raisons.

– Les raisons n'ont pas d'importance.

Il tendit la main pour prendre celle de sa fille.

– Il est mort, Coriandre.

Un petit muscle tressauta sur la joue de la jeune femme.

– Je le croirai quand je verrai quelque chose, n'importe quoi, qui me prouve qu'il était bien dans cet avion.

– Tu devrais penser aux conséquences, murmura Palmer, ne serait-ce que pour l'enfant que tu portes. Tu n'as pas l'air de te rendre compte que ce District Attorney peut prolonger le mandat à l'infini, ce qui t'empêcherait de récupérer l'argent que pourrait te verser la compagnie de charters. Aussi longtemps qu'il subsistera un doute quant à la présence de Danny dans cet avion, tu n'auras même pas la possibilité d'intenter une action en justice.

Elle ne parut même pas surprise.

– Je n'ai pas l'intention de poursuivre la compagnie. Et d'ailleurs, où as-tu entendu parler de cette citation à comparaître ?

– C'est Jorge qui m'en a parlé.

Elle ne cacha pas sa contrariété.

– De quoi t'a-t-il parlé encore ?

– Il m'a appris que la banque était insolvable. Ce n'est peut-être pas une très bonne idée de renoncer si rapidement à attaquer cette compagnie. Pire qu'insolvable, en fait. D'après lui, la Commission Bancaire de New York va fermer l'établissement dès lundi, ce qui signifie que tous les biens de ton mari vont être saisis. (L'inquiétude était apparue sur le visage de Palmer.) Comment espères-tu continuer à payer le loyer de ton appartement ?

– Je n'ai pas l'intention de continuer à le payer.

Palmer changea l'angle d'attaque.

– Danny aurait désapprouvé ton attitude envers cet homme.

– Danny n'est pas là, répliqua-t-elle.

C'était une chose qu'elle s'était déjà dite, mais qu'elle avait écartée aussitôt.

Elle ne se souciait pas le moins du monde de l'approbation ou de la permission de son père, et encore moins de celles de son mari. Tout ce qui comptait, c'était de découvrir si leur vie commune n'avait été qu'un mensonge absolu. Une raison suffisante pour s'allier avec n'importe qui.

– Jorge voudrait te donner l'urne qui contient les cendres de Danny.

– Dis-lui que c'est inutile.

– C'est le protocole, Coriandre, insista Palmer d'une voix douce.

– Alors prends-la. Le protocole, c'est ton rayon.

– Tu vas devoir commencer à regarder la réalité en face et te mettre à penser avec ta tête plutôt qu'avec ton cœur.

Elle détourna son visage pour qu'il ne voie pas ses larmes. C'était précisément parce qu'elle regardait la réalité en face qu'elle refusait de se comporter comme une veuve argentine modèle et d'accepter cette fichue urne remplie de cendres inconnues. Même Danny ne se serait pas attendu à la voir faire une chose pareille. Le plus étrange, c'était que ses émotions la renvoyaient au début de leur histoire, quand elle l'avait aimé et perdu. Sans savoir pourquoi, elle s'imaginait parmi ces femmes qui défilaient sur la Place de Mai bien des années auparavant, ces mères, ces épouses dont les fils et les maris avaient *disparu*...

DEUXIÈME PARTIE

Tirer avec ce flingue, ça me donne l'impression que toute la folie sort de moi. Le quartier est bourré de types comme moi, pères de famille et tueurs : tu fabriques une vie, tu prends une vie...

Anthony, 17 ans,
patient du service de traumatologie,
Brooklyn General Hospital,
Brooklyn, New York, 1992.

Pour commencer, on tue tous les subversifs; ensuite on tue leurs collaborateurs... leurs sympathisants; ensuite... ceux qui restent indifférents, et enfin on tue les craintifs.

Général Iberico Saint-Jean,
gouverneur, Buenos Aires, 1975.

Chapitre dix

C'était jour de paye en Patagonie. Quarante-six millions quatre cent mille dollars en grosses coupures avaient voyagé à bord d'un bimoteur Cessna qui venait juste d'atterrir sur une piste improvisée près d' une *estancia*, le long des berges du Canal Beagle, non loin d'Ushuaia. Charles Darwin a exploré la Patagonie jusqu'à la ville la plus méridionale du monde, Ushuaia, pour étudier le pays et les Indiens. Après avoir souffert huit ans dans ces terres lointaines et désolées, il est rentré en Angleterre pour donner au monde la théorie de l'évolution, qui ne fait pas la part belle à Dieu...

Au loin, le sommet déchiqueté de Monte Olivia domine les cinq collines arrondies qu'on appelle les Cincos Hermanos, toutes couronnées de neige et surplombant la forêt dense qui s'étale de chaque côté du Canal Beagle.

L'argent avait été rangé dans quarante et un cartons à chaussures et soigneusement divisé – un million par boîte – de façon à ce que les billets ne soient ni abîmés ni déchirés. Les cartons eux-mêmes venaient du monde entier, certains de chez Gucci ou Weston, d'autres de chez Florsheim ou Bailly, d'autre encore de chez Eram et de son équivalent américain, Fayva. Le tout était rangé dans

155

deux valises en tissu de parachute qui se dilataient pour s'adapter à leur contenu.

L'appareil était piloté par un vieux Yougoslave installé depuis de nombreuses années dans la petite communauté croate de Porvenir, ville située dans la partie chilienne du détroit de Magellan. Jadis, le pilote avait imaginé de voler pour les Aerolinas Argentinas et d'économiser assez d'argent pour rentrer en héros dans sa ville natale de Croatie. L'échec de ce rêve était sans nul doute la raison pour laquelle le vieil homme se saoulait dans le même bar, près de la base navale chilienne, après chaque traversée du détroit. Ensuite, presque comme un rituel, il se rendait en voiture jusqu'au dock des ferries de Porvenir, et regardait le panneau planté à cet endroit. Il indiquait que la Yougoslavie se trouvait à peine à 18 662 kilomètres de la Terre de Feu chilienne.

Près du terrain d'atterrissage où l'avion s'était posé s'étendait une plage de galets, déserte à l'exception d'un homme. Il attendait, debout au milieu d'une nuée d'oiseaux de mer, ses chaussures de marche écrasant des coquilles de crabes et de moules à chaque fois qu'il passait impatiemment d'un pied sur l'autre.

Non loin, un couple de pluviers noir et blanc criaient en bondissant autour d'une petite communauté de pingouins morts qui avaient l'air d'enfants gisant en habits funéraires. L'homme lui-même était trapu, avec une musculature tombante. Il avait le teint coloré et son crâne, ainsi que son visage, étaient totalement dépourvus de poils, jusqu'aux cils et sourcils qui étaient absents. L'arme qui pendait à son épaule était un fusil d'assaut Belge FNL, le pistolet passé à sa ceinture, un Halçon.

MacKinley Swayze représentait beaucoup de choses pour un nombre de personnes triées sur le volet à travers l'Amérique latine. Même s'il avait commencé sa carrière de mercenaire à l'autre bout du monde. Son amour de la guerre et des armes l'avait conduit d'un travail d'usine à Altona, Pennsylvanie, jusqu'à Cuba dans les années 50, puis au Vietnam, en 1969, où il avait travaillé comme mécanicien d'avion pour le Viet Cong, entretenant les appareil de transport soviétiques qui permettaient de faire entrer et sortir d'Hanoï les troupes nord-vietnamiennes.

Il s'était toutefois distingué dans le domaine des explosifs en concoctant une bombe à altimètre à base de trinitrotoluène, ou TNT, matériau généralement utilisé comme propulseur dans les obus d'artillerie. Swayze avait découvert que le produit chimique, intégré en quantité suffisante, était capable de faire sauter un avion, plus précisément un 7O7. L'appareil en question avait décollé de Saïgon un week-end. Loué à une compagnie de charters américaine, il transportait près de la moitié du 101e Aéroporté. Swayze avait acheté l'altimètre pour confectionner sa bombe dans un magasin de l'armée sur une base américaine, l'avait dissimulé avec les explosifs dans une cantine embarquée à bord et l'avait réglé de façon à ce que l'avion saute dans sa phase d'ascension au-dessus de la mer de Chine. Le fait qu'il n'y ait pas eu la moindre victime civile doit être porté à son crédit.

Il n'était pas dépourvu de séduction, malgré les ravages de l'alopécie. En fait, ses yeux noirs qui étincelaient dans son visage parfaitement glabre paraissaient presque sensuels avec leur façon de tout englober, de tout enregistrer. Swayze avait depuis longtemps renoncé aux femmes, par fidélité au souvenir de sa jeune épouse cubaine, morte en couches la veille de la chute de Batista. A moins que cette adolescente aux dents manquantes et aux genoux écorchés ne soit morte d'une blennorragie aiguë, c'était difficile à dire.

Quoi qu'il en soit, Swayze avait disparu peu de temps après la mort de la jeune fille et du bébé. Entre Cuba et El Salvador, Swayze s'était évaporé. Certains disaient qu'il n'avait plus de clients, d'autres affirmaient que le chagrin l'avait rendu fou, d'autres enfin juraient qu'il n'en était rien, que Swayze était certainement en Amérique latine où il entraînait des commandos pour les révolutions à venir. Au début des années soixante-dix, il avait ressurgi en Argentine où, avec l'aide de plusieurs prêtres jésuites militants, de quelques anciens catholiques de droite péronistes et d'un couple d'intellectuels de la haute-bourgeoisie fasciné par la violence, il avait fondé les Montoneros. Refondé, pour être plus précis, car cette organisation existait déjà cent ans avant Peron, et rassemblait à l'époque les *gauchos* et les *caudillos* qui avaient combattu les troupes espagnoles pour la libération du pays.

Debout sur une plage de Patagonie en ce 6 juillet glacial, typique de l'hiver argentin, Swayze ne quitta pas un instant des yeux, la porte du Cessna. Sur son visage alternaient l'agressivité et le désespoir tranquille tandis qu'il regardait les moteurs de l'avion s'arrêter. Le vent hurlait, chargés d'embruns qui venaient fouetter les vitres de l'appareil. Par l'ouverture dans la carlingue, on jeta une échelle de toile qui se balança au gré des bourrasques.

Un passager apparut. D'une main, il tenait un attaché-case noir. De l'autre, il agrippa la rampe de corde et descendit. Parvenu au dernier barreau, il posa le pied sur le sable maculé et enfonça sa main libre dans la poche de son imperméable. Le cou rentré dans les épaules, le col relevé, il fit quelques pas en arrière, en avant, puis sur le côté pour éviter le vent et l'eau, avançant vers le comité d'accueil composé d'un seul homme.

158

Dans un élan de joie pure, Swayze fit glisser son fusil sur le côté et serra le nouveau venu dans ses bras.

– Qui aurait cru que je te retrouverai ici, au bout du monde, Danny Vidal, s'écria-t-il.

Il riait, tout en donnant de grandes tapes dans le dos de son compagnon.

Puis il tendit la main vers l'attaché-case. Danny souleva la mallette et la maintint hors de portée. Ses yeux noirs étincelaient tandis qu'il plongeait son regard dans celui de Swayze.

– Ça fait longtemps, Mac, dit-il de son doux accent mélodieux, un sourire jouant sur ses lèvres. *Mucho tiempo.*

Son regard passa au-dessus de la tête de Swayze, fouillant la plage pour parer à toute éventualité.

– Stampa est allé voir le District Attorney, annonça Swayze.

– Ce n'est pas tout à fait inattendu, répondit Danny d'un ton calme. Comment le sais-tu ?

– Un enquêteur spécial du Bureau du DA est allé à Chilpancingo avec un mandat qui t'est destiné.

Tout d'abord, il trouva la chose presque comique, mais sa réponse ne fut ni gaie ni légère.

– Sur quelle base, ce mandat ?

– Le million de dollars.

Swayze lui fit signe d'avancer vers la jeep Cherokee garée sur le sable à quelques mètres de là.

– Il tourne également autour de ta femme, ajouta-t-il avec un regard en biais.

Elle était trop intelligente, sa Coriandre, trop coriace, trop confiante pour croire qu'il avait mis en scène sa propre mort, elle ne mordrait pas à cet hameçon, pas une seule seconde. En silence, Danny suivit Swayze vers la voiture.

– Toi qui d'habitude es toujours si prudent, Danny boy, reprit le chauve, cette fois, c'était une grosse erreur. (Il s'interrompit pour faire un signe de tête au vieux Yougoslave qui approchait, une valise dans chaque main.) Nous en parlerons dans la voiture.

Le pilote déposa les bagages à l'arrière de la Cherokee et attendit d'être payé. Swayze plongea la main dans sa poche et en retira une enveloppe qu'il tendit à l'homme.

– Je te rappelle, Milos.

Opinant du chef, le Yougoslave glissa l'enveloppe dans sa ceinture, et sans un regard pour les deux hommes qui lui faisaient face, tourna les talons et s'éloigna vers son avion.

Swayze fit glisser la bretelle de son arme qu'il plaça sur le siège arrière de la jeep. Il ouvrit la portière pour laisser monter Danny.

– Pourquoi tu as fait ça, *hombre*? demanda-t-il d'un ton paternel. Un million de dollars...

– Pour Coriandre, rétorqua Danny en embarquant dans le véhicule.

Secouant la tête, Swayze s'installa au volant. Il resta un moment sans toucher à la clé de contact.

– Comment vas-tu lui faire parvenir l'argent? finit-il par demander. Tu ne comptes tout de même pas lui en envoyer tous les mois dans une enveloppe avec ton adresse derrière, si, *hombre*?

Il tendit la main pour ébouriffer les cheveux de Danny.

– Tu as peut-être l'intention de déduire ça de tes impôts au titre de pension alimentaire, non?

Il sourit.

– Tout est prévu, répondit Danny tandis que son regard se perdait dans le vague.

– Tu sais, Danny, je t'aime comme un fils et je suis bien placé pour connaître les sentiments qu'on peut avoir pour une femme, mais nous ne sommes pas les seuls impliqués dans cette histoire. Il faut penser à tous les autres. (Il s'interrompit pour reprendre sur un ton plus badin.) De quoi s'agit-il en fait ? D'un cadeau d'adieu d'un million de dollars, c'est ça ? Un peu généreux, même pour toi, tu ne trouves pas.

– Qu'est-ce que ça change, je suis mort, pas vrai ?

Swayze redevint sérieux.

– Danny, écoute-moi, si tu laisses derrière toi un sillage d'émotion, les gens vont finir par se demander si tu es vraiment mort. Il suffit qu'un assistant du DA un peu ambitieux refuse de lâcher prise. Il surveillera Coriandre aussi longtemps qu'il le faudra, il le fera même à ses moments perdus et, crois-moi, ça ne sera pas vraiment une corvée.

Il baissa la vitre pour cracher puis la remonta.

– Il y a des boulots pire que ça, *hombre*, reprit-il. Pire que de rencontrer une jolie femme de temps en temps pour lui poser des questions. Tu peux me croire, il n'a aucune raison de renoncer à cette affaire s'il pense qu'il y a le moindre doute. Tu devrais même laisser tomber l'idée de rentrer en contact avec elle. Tu m'entends ? Oublie ça, sinon tout ce pour quoi nous avons travaillé va s'effondrer.

Tout s'effondrerait... Ils avaient été tant de fois au bord du gouffre que Danny en avait perdu le compte. Et en chaque occasion, il avait trouvé une solution pour les sauver... La dernière fois, c'était à la fin des années soixante-dix, lorsqu'il avait trouvé le moyen de remplir les caisses du groupe pour plusieurs années. Il avait décidé alors qu'il leur fallait une banque pour blanchir tous les revenus des kidnappings et des braquages. Mais les banques coûtent cher et c'est pour cette raison que Danny avait accouché d'une idée qui offrait le double avantage de rapporter assez d'argent pour acheter l'établissement en question et de fonctionner comme une prise de position politique dont l'écho avait résonné d'un bout à l'autre de l'Argentine.

Le directeur d'un monopole minotier dont les moulins étaient éparpillés aux quatre coins du monde, et dont le siège était installé à Buenos Aires, avait été suivi tandis qu'il quittait sa maison un matin. Détourné de son chemin par des « policiers » équipés de bâtons lumineux, il avait subi quelques centaines de mètres plus loin l'attaque d'un vingtaine « d'employés du téléphone », quatre sections combattantes de la colonne Eva Peron des Montoneros. Quelques heures plus tard, Swayze avait rédigé un « communiqué de guerre » annonçant que l'homme allait être jugé pour « crime contre les travailleurs. » Le principal chef d'accusation était que le gouvernement stockait des biens pour faire monter les prix au bénéfice de la société qui, à son tour, reversait des pots-de-vin à divers membres haut placés de la Junte.

C'était Danny qui avait fixé le prix de la tête de l'homme à soixante millions de dollars, la plus grosse rançon de l'histoire, que le conglomérat avait payé dans la semaine en échange de la vie sauve pour son cadre. Ceci accompli, les Montoneros s'étaient lancés dans une tonitruante campagne de publicité, s'offrant d'énormes panneaux dans Buenos Aires, achetant de l'espace dans la presse occidentale, distribuant des douzaines de camions de nourriture et de vêtements aux habitants des *barrios* prolétaires et des *villas miserias*, annonçant au monde que l'argent du peuple était enfin rendu à ses propriétaires légitimes.

Des soixante millions de la rançon, dix avaient été utilisés non seulement à nourrir le peuple et à le faire savoir, mais aussi à acheter des armes, des munitions et à regarnir les planques et les *estancias* des Montoneros éparpillées dans tout le pays. Les cinquante millions restants avaient servi à l'acquisition de la banque Credito de La Plata. Pour le groupe, les affaires reprenaient. Danny Vidal avait un nouveau métier. Coriandre, c'était une autre histoire...

Le bon temps avait duré jusqu'en 1976, époque à laquelle le général Videla était arrivé au pouvoir. Il n'avait fallu que quelques mois à la Junte pour fermer la banque et arrêter ses dirigeants. Danny avait été le seul à pouvoir s'échapper, emportant à La Havane le plus gros de l'argent. Dix ans, six mois, trois semaines et quatorze jours plus tard, le pactole avait presque totalement fondu, épuisé à soutenir une révolution moribonde. L'Union soviétique, ayant découvert que le communisme était un mauvais investissement, était en faillite. Cuba restait seul... C'est à ce moment que Danny avait fait son apparition à New York pour tout recommencer à zéro, pour offrir aux Montoneros un nouveau tour de piste.

Alors qu'il se trouvait encore à la Havane, Danny avait appris que la Inter Federated Bank de New York était à vendre. Il s'était assuré les contacts adéquats dans certains cercles financiers de façon à négocier son achat tout en préparant un plan de cinq ans qui lui permettrait de collecter cinquante nouveaux millions de dollars. Chaque mois, Fernando Stampa transporterait un attaché-case contenant six cent mille dollars en liquide jusqu'à La Havane, les intérêts sur les comptes de ses clients. Swayze l'attendrait pour déposer l'argent à la Banque Nationale Cubaine où il serait disponible pour acheter des armes, nourrir les troupes et propager l'idéologie. Malheureusement, l'arrangement n'avait pu tenir que six mois avant que l'Inter Federated ne soit confrontée à un désastre financier irrémédiable. Il n'y avait que trois millions six cent mille dollars dans les coffres cubains des Montoneros. Il manquait quarante-six millions quatre cent mille dollars pour que l'objectif soit atteint...

A mesure que le temps passait et que la banque s'enfonçait plus profondément dans le rouge, la seule solution laissée à Danny était de taper dans le capital de ses clients et non plus dans leurs intérêts pour financer la base d'opération du groupe à Cuba. La révolution revenait cher. Pas question de marchander quand on prétend sauver le monde. Au bout d'un moment, détourner de l'argent et faire des chèques en bois, était devenu une sorte de routine quotidienne.

Plusieurs mois avant le 4 juillet, Danny savait déjà que la Commission Bancaire de l'Etat de New York et le bureau du District Attorney menaient une enquête qui conduirait à son inculpation. Dans les semaines précédant ce week-end final, il s'était rendu compte que la banque ne survivrait pas à une enquête. Quelle que soit l'issue, elle signifiait pour lui une humiliation personnelle, une arrestation, et peut-être même une extradition vers l'Argentine. Disparaître était la seule solution. Lorsqu'il prit enfin sa décision, et quitta la banque à la veille de ce 4 juillet, tous les millions avaient déjà été transférés à Houston par Hernando. Le million de dollars supplémentaire se trouvait dans l'attaché-case de Danny, qu'il remettrait à Hernando en arrivant à Houston, lequel le ferait passer à Jorge qui le porterait à Coriandre.

– Stupide, répéta Swayze. Prendre ce dernier million était une erreur stupide.

– Dans le même genre d'idée, tuer ce Mexicain n'était pas mal non plus.

La main sur le levier de vitesse Swayze passa en seconde et poussa le moteur pour monter une dune.

– Il a aperçu l'explosion et s'est pointé chez les flics au moment où Jorge et moi étions encore en train d'arranger les choses. Il a raconté qu'il avait vu un avion exploser en plein ciel.

– S'il l'a vu lui, combien d'autres sont dans son cas? Qu'est-ce que tu comptais faire? Nettoyer la région?

– On allait s'en occuper au cas par cas. Avec celui-ci, on n'a pas eu le choix. Ton frère et Hernando venaient d'aboutir à un arrangement avec le capitaine de la police pour lui acheter quatre heures de silence avant qu'il ne déclare l'accident. Il me fallait du temps pour parvenir jusqu'au site du crash et retrouver la boîte noire. En plus...

– Il te fallait un autre corps pour la morgue, c'est ça?

Swayze rit.

– Des morceaux suffisaient.

Danny pensa à Coriandre identifiant des morceaux à la morgue de Chilpancingo.

– Où est cette boîte noire? demanda-t-il, changeant de sujet pour éloigner ces images...

– C'est un autre problème. J'en ai racheté une bonne partie à une vieille femme, là-haut, mais je n'ai pas tout.

– Parfait, ironisa Danny.

– Ne t'inquiète pas, on finira par retrouver ce qui nous manque. Ces paysans des montagnes ne savent pas ce qu'ils ont entre les mains. Ils ont ramassé tout ce qu'ils trouvaient. Jorge s'en occupe...

A nouveau, Danny céda au sarcasme.

– Me voila soulagé.

Il tira de sa poche une paire de lunettes noires et les chaussa.

– Cette boîte noire était ta deuxième erreur, fit-il sur un ton calmement réprobateur. La troisième est d'avoir oublié de me faire appeler à l'aéroport de Houston. Que s'est-il passé ?

– Jorge avait autre chose à faire, répliqua Swayze, évasif.

– Un détournement de mineure, je suppose, fit Danny d'un air dégoûté. Tu aurais dû veiller à ce qu'il n'oublie rien.

– J'étais occupé avec la police.

– Ça a été de justesse...

– Qu'est-ce que tu as fait quand tu t'es rendu compte que Jorge avait oublié de te faire appeler ? demanda Swayze pour changer de sujet.

– J'ai appelé plusieurs numéros dont je savais qu'ils ne répondraient pas. Puis j'ai dit au pilote qu'un problème professionnel me retenait à Houston.

– Il t'a proposé de t'attendre ?

– Il a cessé de le faire quand je lui ai rappelé que mon frère l'attendait à Acapulco avec son argent.

Swayze gardait les yeux sur la route.

– Qui as-tu appelé ?

Il avait voulu entendre la voix de Coriandre une dernière fois.

– J'ai appelé chez moi et j'ai raccroché avant le signal du répondeur.

Swayze parut contrarié.

– Bon, on est pratiquement tirés d'affaire si ce District Attorney décide qu'il a mieux à faire que de se colleter à la bureaucratie mexicaine et s'il comprend qu'il

166

n'aura rien à tirer de la fréquentation assidue de ta veuve.

– Elle est capable de s'en sortir toute seule.

– Je n'en suis pas si sûr.

Il n'y avait pas lieu d'argumenter. Il ne souhaitait pas qu'elle devienne le centre de leur discussion.

– Jorge déteste la vue du sang, fit-il soudain.

Swayze comprit qu'il préférait changer de sujet.

– Ça lui a réussi. Le fait que j'ai tué ce Mexicain l'a suffisamment secoué pour qu'il ressemble à un type dont le frère vient de trouver la mort dans un accident d'avion.

Swayze ralentit à peine pour négocier un virage et la jeep cahota en touchant un tas de cailloux.

– Jusqu'à présent, il s'est trop amusé. Ça lui plaisait de faire partie de l'intrigue. La mort de ce Mexicain va lui sortir les *muchachas* de la tête pour un moment.

Des rayons de soleil filtrant d'entre les nuages gris lui firent plisser les yeux.

– Sauf que je ne suis pas sûr qu'il apprécie vraiment le tour qu'ont pris les choses, ajouta-t-il.

– Qu'est-ce que tu veux dire ?

– Il s'est pris sa dose avec l'incinération, la banque et tous les autres problèmes.

– Quels autres problèmes ?

– Ta veuve, par exemple.

Par exemple. Un menteur, un voleur, un assassin et maintenant, un type qui abandonnait sa femme sans même un mot d'adieu ni une explication. Durant la plus grande partie de sa vie Danny avait été tout cela pour de multiples raisons, certaines politiques, la plupart financières, certaines par devoir, la majorité par choix. Plus que tout, il portait un dédain sans limites aux conventions et à la morale et possédait un instinct sans faille en matière de politique, d'allégeances et d'argent. Mieux, c'était un homme doté d'une sensibilité extrême au danger, qui savait quoi faire pour rester en vie et continuer à fonctionner. Sans son charme et sa grâce, son esprit et son intelligence, les choses auraient été autrement plus difficiles.

Il l'imaginait à présent, sa Coriandre, en route pour le crématorium, droite comme un bon petit soldat, toute vêtue de noir, la tête et les épaules couvertes d'une mantille de dentelle héritée des Sarmiento, recevant l'urne, le désespoir dans ses yeux d'ambre, les lèvres agitées d'un tremblement, la parfaite veuve argentine au plus fort de son deuil. Mais il la connaissait mieux que ça.

Swayze s'était remis à parler.

— Tu seras plus en sécurité ici qu'à Cuba, au moins pour un moment. Il y a trop d'agents du FBI et de la CIA qui rôdent à La Havane, et puis il te faut un peu de repos pour te nettoyer la tête, Danny boy. C'est un pays de mâles, Ushuaia. Ça te permettra d'oublier un peu les femmes.

Les femmes. Comme s'il y en avait eu d'autres qu'elle. Swayze lui tapota l'épaule.

— Quand les choses se seront calmées, que ce mandat sera oublié et l'enquête de New York abandonnée, tu pourras aller à Cuba. Fidel te recevra à bras ouverts...

— Il a changé ?

— Pas d'un poil, ce qui finira sans doute par provoquer sa chute. Il est plus gris, plus lourd et il n'a plus l'énergie pour parler pendant des heures, mais il ne lâchera jamais, il s'accrochera jusqu'au moment où ils le sortiront du Palais du Peuple. (Swayze s'agita sur son siège.) Au moins tu l'auras eue pendant deux ans, *hombre*, alors que nous, nous croupissions dans la jungle ou en prison. Certains hommes n'ont jamais eu une femme comme elle.

Il l'avait pourtant payée cher, sa Coriandre. Fermant les yeux, il se rappela cette partie de Noël de 1978 qui avait suivi leur première rencontre à l'université de Cordoba. Malgré son charme et sa culture, l'ambassadeur Palmer Wyatt aurait aussi bien pu être représentant en tôles ondulées : les chaussures lacées, et les chemises à col boutonné étaient sa marque de fabrique, avec un penchant marqué pour le whisky d'âge et les jeunes femmes. Un de ces bons vieux républicains, exactement ce qu'il fallait à Buenos Aires pour donner un coup de pouce à la Junte et l'aider à accélérer la cadence en matière de torture et de terrorisme, pensa-t-il avec amertume. Mais Swayze avait raison sur un point. Une femme comme Coriandre n'était pas donnée à tout le monde, et cette nuit de Noël démontra s'il en était besoin que quiconque la rencontrait pensait la même chose...

Il la voyait encore debout à l'entrée de la salle, parmi les hôtes officiels de l'ambassade alignés pour accueillir les invités, vêtue d'une robe de velours rose poudré, un ruban de la même teinte tressé dans ses longs cheveux. Elle paraissait si timide, si vulnérable, si adorable avec son épaule dénudée, ses mains qui se portaient à sa gorge en un geste nerveux qu'il finirait par connaître par cœur, ses doigts courant sur ses clavicules proéminentes, au-dessus de son décolleté non moins impressionnant.

La sécurité était exceptionnellement vigilante ce soir-là, ce qui se concevait sans peine après l'avalanche de menaces de mort que l'ambassade avait reçue quand Wyatt avait défendu la Junte lors du massacre de la Villa Devoto. Quinze gardes supplémentaires, armés de pistolets mitrailleurs Uzi, entouraient l'ambassadeur et sa fille. Ce qui n'empêchait pas Danny, et plusieurs hommes d'affaires parfaitement respectables qui appartenaient aux

Montoneros, d'avoir reçu un carton d'invitation. Danny tenait le sien de Coriandre, les autres étaient inscrits sur la liste des invités réguliers. Tel était le paradoxe, et la dangereuse beauté, de ce groupe qui pouvait infiltrer la société argentine jusqu'au cœur tout en œuvrant à sa chute.

Adossé à un pilier de marbre, Danny n'avait pas quitté Coriandre des yeux. Il l'avait regardée tandis qu'elle s'efforçait d'échanger des propos courtois avec les invités qui défilaient devant elle pour lui serrer la main, la complimenter, s'informer de sa scolarité, mentionner qu'ils avaient un fils, un neveu, un cousin, un petit-fils, un ami d'ami qui devait se rendre à Cordoba. Peut-être ce jeune homme pourrait-il lui passer un coup de téléphone... Elle semblait si mal à l'aise, comme si elle haïssait chaque seconde de ce qu'elle était en train de vivre.

Swayze s'était remis à parler, interrompant sa rêverie pour remettre ce fichu million de dollars sur le tapis.

– Avec tout cet argent, *hombre*, tu aurais pu t'offrir toutes les putains, et toute les vierges de Patagonie, jusqu'à la fin de ta vie, de vingt vies, amigo, de cent vies, même. (Il rit.) Et qui sait de combien de vierges un homme qui recommence à zéro aura besoin ? Ou même de combien de putains, *quien sabe, hombre, quien sabe ?*

Danny allongea ses jambes et, caché derrière ses lunette noires, fit semblant de dormir. Vierge ou putain, il avait jadis eut les deux en une seule femme. Coriandre avait été ainsi dès le début, sans même se rendre compte de ce potentiel ni de l'effet qu'il produisait. Il s'était contenté de lui apprendre la différence, de nourrir chez elle l'instinct qui lui dictait d'aller toujours au-delà de ce qu'elle pouvait imaginer, sans jamais être satisfaite. Danny se rappelait chaque détail de ce Noël 1978.

Le soir de la partie, il avait chronométré le trajet du cortège officiel depuis la chancellerie jusqu'à l'ambassade. Quelqu'un s'était mis en tête d'étudier le terrain au cas où il serait décidé de kidnapper la fille de l'ambassadeur pour l'échanger contre une rançon. Equipé d'un talkie-walkie qui lui permettait de rester en contact permanent avec deux de ses camarades, Danny était à l'affût en bordure du parc situé sur la route du cortège. On lui avait signalé que les voitures venaient de quitter la résidence officielle pour se rendre à la soirée.

Le véhicule de tête transportait une mitrailleuse et quatre gardes armés de fusil M-16, celle du milieu accueillait l'ambassadeur et sa famille, deux gardes du corps pourvus d'émetteurs-récepteurs et d'armes automatiques posées sur leurs genoux, ainsi que d'un garde supplémentaire stationné à l'arrière de la limousine, devant une mitrailleuse dont le museau pointait hors de la vitre. La voiture de queue abritait cinq gardes, également armés jusqu'aux dents. Le cortège avait roulé très précisément à soixante kilomètres à l'heure – pas plus, pas moins – jusqu'à ce qu'il atteigne le portail de l'ambassade programmé électroniquement pour s'ouvrir à une heure précise. Ayant appris tout ce qu'il désirait savoir, Danny avait sauté dans sa voiture pour faire son entrée à la soirée.

Avant que le dernier invité n'ait salué ses hôtes, Coriandre était sortie du rang et s'était dirigée vers l'une des causeuses ornées de dorures disposées dans un coin de la grande salle de bal. *Los borrachos* de Velasquez, prêté par le Prado, occupait presque toute la surface du mur devant lequel elle se tenait. Danny aurait voulu la prendre par la main, l'emmener loin d'ici et lui faire l'amour. Il s'était contenté d'accrocher son regard, de la saluer d'un léger hochement de tête. Il n'avait pas été surpris de la voir répondre du même mouvement gracieux, un sourire timide jouant sur ses lèvres adorables.

– Je ne pensais pas que vous viendriez.

– Comment aurais-je pu ne pas venir.

– Je croyais que vous aviez décidé que ça n'en valait pas la peine.

– Au contraire, je suis de nature optimiste...

– J'aurais parié l'inverse.

– Peut-être m'avez-vous transformé.

Elle eut l'air gêné.

– Avez-vous salué mon père ?

– Non, pas encore, mais vous m'avez promis une danse, et vous m'avez également promis de me présenter à votre père.

Elle jeta un coup d'œil autour d'elle.

– Et si je vous dis que je tiendrai une de ses promesses ?

– Laquelle ?

– Celle qui vous tient le plus à cœur.

Sur ces mots, elle s'était éloignée. Il l'avait regardée se diriger vers la salle attenante, suivie par une demi-douzaine de jeunes gens, prétendants ou cavaliers potentiels. Il lui avait emboîté discrètement le pas, tout en gardant une certaine distance.

Un buffet était dressé sur une table laquée, en dessous d'un lustre de cristal rose dont chaque ampoule était abritée d'un abat-jour de satin assorti, avec des couverts en or et des assiettes en porcelaine bleu cobalt, des coupes rehaussées d'un filet d'or, des serviettes de damas rose, des seaux à champagne en argent, et, à chaque extrémité de la table, des plateaux chargés de saumon fumé, de foie gras, de caviar, de petits fours, de tranches de bœuf d'Argentine, de fruits. Des serveurs en livrée et des soubrettes en uniforme noir, tablier blanc amidonné et bonnet plissé, se chargeaient du service. Il y avait là de quoi nourrir ses hommes pendant un mois, un an. Assez longtemps, en tout cas, pour leur permettre de chasser le général Videla et transformer l'ambassade américaine en une Casa Rosada destinée à leur usage exclusif.

Entourée d'invités, Coriandre ne cessait de jeter des coups d'œil à Danny. Il avait feint de s'intéresser à une blonde, une femme mûre dont la robe ne cachait rien de ses intentions, et avait constaté, à son grand amusement, que Coriandre n'avait rien perdu de la scène. L'orchestre entama une valse – *Mis Noches Sin Ti* – ce que la blonde prit pour une invitation à la danse et Danny pour un éloge de la fuite. Coriandre était dans sa ligne de mire. La course autour du buffet avait été du plus haut comique et Danny avait failli éclater de rire. La blonde l'avait suivie tandis qu'un groupe de jeunes prétendants poursuivaient la jeune fille. Tout s'était passé au ralenti, jusqu'à ce qu'elle soit à nouveau près de lui, Coriandre aux extra-ordinaires yeux d'ambre et aux lèvres pulpeuses, riant et parlant soudain avec animation à ses jeunes amis, jouant en fait exclusivement à son intention. Comme s'il avait pu ne pas la remarquer. Même si elle avait été muette, il n'aurait eu d'yeux que pour elle.

– Vous dansez mademoiselle, avait-il demandé lorsqu'elle s'était tue un instant.

Elle avait réfléchi l'ombre d'une seconde, tandis que dans ses yeux passait une expression qui ressemblait à du regret.

– Oui, avait-elle répondu.

Tellement sérieuse, sa Coriandre, tellement inno-cente, alors.

Il lui avait offert son bras.

– Voulez-vous m'accorder cette danse ?

Ses yeux d'ambre avaient étincelé tandis qu'elle demandait :

– Avez-vous salué l'ambassadeur ?

Il avait compris l'allusion.

– Non, pas encore.

Elle avait esquissé un sourire.

– J'ai promis cette danse, avait-elle répliqué avant de lui tourner le dos pour valser avec un homme rondouillard arborant des lunettes à monture noire et une chevalière à l'auriculaire.

Un peu plus tard Danny s'était retrouvé près de l'ambassadeur. Il se tenait au centre d'un cercle d'hommes qui s'étaient rassemblés pour entendre son opinion sur l'inflation, la dévaluation de l'austral, la démocratie, le communisme et un groupe terroriste qu'on appelait les Montoneros.

Ce qui s'était produit alors avait été totalement inattendu et avait empêché Danny d'entendre la fin d'un discours convenu sur la Junte actuelle, anticommuniste, démocrate et aimant Dieu... L'instant d'avant, tout était morne et soudain, la salle s'était illuminée. Surgie de nulle part, Coriandre était apparue, interrompant la diatribe de son père, glissant son bras sous le sien, le regard rivé sur Danny. L'ambassadeur était tout sauf un imbécile quand il était question de sa fille unique.

– Nous sommes-nous déjà rencontrés ? avait-il demandé. Je suis Palmer Wyatt.

– Voici mon professeur d'économie, Danny Vidal, avait dit Coriandre.

Palmer avait jeté un coup d'œil à sa fille puis son regard était revenu sur Danny. Il avait tendu la main et d'un ton aimable :

174

– Je voudrais vous remercier d'avoir tiré Coriandre d'une horrible situation.

– La situation était moins horrible que la raison qui l'avait provoquée...

Palmer n'avait hésité qu'un bref instant avant d'afficher une expression joviale et de partir d'un de ces rires diplomatiques où l'humour ne tenait que peu de place.

– Sais-tu, ma chérie, que cet homme s'échine de t'enseigner une science sociale qui s'efforce de ressembler, depuis des décennies, aux mathématiques fondamentales.

Elle avait souri, les yeux fixés sur Danny.

– Il faut du talent pour transformer une abstraction en réalité...

– Ou une théorie irréaliste en abstraction politique, avait répliqué Palmer d'un ton suave.

Etaient venus ensuite quelques propos sur le temps, les vacances d'été à Punta del Este, en Uruguay, les guérilleros, l'économie. Puis après le temps de conversation approprié requis par la courtoisie et le protocole, Danny s'était excusé. Mais tout en s'éloignant, il sentait encore la présence de Coriandre, dans sa nuque comme dans son ventre. Il avait du mal à se rappeler quand il avait désiré une femme avec une telle intensité. Il lui fallait un peu d'air frais avant de prendre congé, puisque dans ces cercles, il était aussi important de réussir sa sortie que son entrée. Encore une fois, elle avait surgi de nulle part sur la vaste terrasse de granite prolongeant la salle de bal où il se tenait. Sans un mot, elle s'était approchée, s'était appuyée contre la balustrade. La lune, derrière elle, auréolait son visage.

– Vous dansez, monsieur ? avait-elle demandé d'une petite voix.

175

Une expression amusée était passée sur le visage de Danny tandis qu'il la regardait et pesait les risques. Puis il avait cessé de peser, de penser et l'avait prise dans ses bras. Ils avaient valsé au son d'une musique imaginaire, encore et encore. Enfin, il s'était arrêté, la main sur la nuque de Coriandre, son visage si près du sien. Il n'avait pas pris la peine de demander quoi que ce soit. Il s'était contenté de presser ses lèvres sur les siennes, légèrement d'abord, presque chastement, sans excès de passion. Puis il l'avait serrée contre lui, picorant sa bouche, glissant sa langue entre ses lèvres. Elle embrassait comme une putain, sans la moindre inhibition. Seules les putains embrassaient ainsi. Ou les vierges.

— Hernando a tout prévu sur ordinateur. Qui touchera de l'argent pour sa campagne et combien. D'après ce qu'on a étudié, quatorze candidats, au moins, ont une chance et sont inscrits sur une liste socialiste ou communiste dans dix-huit pays d'Amérique latine. Ensuite, on pourra songer à s'implanter à Miami sur une base locale...

— Tout doux, Mac, et ne soit pas trop ambitieux.

Danny tourna la tête vers lui, ouvrit un œil et sourit.

— Laisse Hernando se charger de l'analyse politique pendant que tu t'occupes de l'aspect militaire, fit-il d'un ton jovial. Rassemble les munitions, donne-moi un plan des ambassades et de toutes les installations étrangères vulnérables en Argentine. N'oublie pas, Mac, tu nous a promis quelque chose de spectaculaire. Les projets à long terme, c'est le rayon d'Hernando, l'argent, c'est le mien...

Mais Swayze n'écoutait pas.

— Cette fois, c'est la bonne, continua-t-il, très excité, cette fois, on ne peut pas échouer, quels que soient les idiots en poste à la Maison Blanche ou à la Casa Rosada...

— Rien n'est certain, prévint Danny. N'importe où, il risque de se produire un événement qui viendra gripper la

176

mécanique. Le chômage peut se résorber en Argentine, ou de nouveaux programmes sociaux peuvent être mis en place aux Etats-Unis, ou encore la paix peut être signée au Moyen-Orient.

— On a perdu assez de batailles et de vies humaines pour ne pas échouer aujourd'hui...

— Ce qui s'est produit dans le passé n'a rien à voir avec la situation actuelle.

Après tant d'échecs, Danny savait que la réussite dépendrait avant tout d'une solide base financière assortie d'informations statistiques correctes. Le reste n'était que pour la façade. Une attaque ici, une bombe là, un kidnapping, un assassinat, Swayze pouvait préparer autant d'actions qu'il le désirait et les mener à bien jusqu'à ce qu'elles finissent par ne plus avoir le moindre impact, jusqu'à ce que le monde soit à nouveau las de la violence comme mode de communication. Les gens devenaient plus sophistiqués, et les plans se devaient d'être plus originaux.

Bien sûr, il y aurait toujours ce tourbillon médiatique qui suivait chaque action terroriste, plusieurs jours de couverture sur l'état de santé des victimes, des reportages d'intérêt humain qui pouvaient être rediffusés à l'occasion d'une émission anniversaire, des résumés de trois minutes dans les rétrospectives des atrocités de l'année... Pourtant, la violence menait rarement au renversement d'un gouvernement ou à l'élection d'un candidat. Danny avait toujours pensé qu'il serait préférable de mettre sur pied un réseau financier susceptible de soutenir certains postulants aux élections, de financer des campagnes de relations publiques, de publicité, de faire éclater des scandales à la face des opposants politiques. C'était un plan ambitieux qui lui prendrait tout son temps, son énergie, son dévouement – et qui le conduirait à sacrifier tout le reste.

Il pouvait imaginer Coriandre revenant du crématorium, accrochée au bras de son père, serrant contre elle l'urne pleine des cendres de son mari. Il la voyait revenant à New York pour reprendre sa vie, vidant l'appartement avant de le mettre en vente – les tableaux, l'argenterie, les sculptures, les antiquités, les livres, tout le bric-à-brac de l'étoile montante de la scène financière new-yorkaise et de sa délicieuse épouse qui s'en était toujours souciée comme d'une guigne.

Coriandre n'était pas une enfant gâtée. Par bien des côtés, elle incarnait la simplicité même. Elle se moquait de ses affaires, de l'argent, et même du vin pour lequel il avait une véritable passion. Un jour, il lui avait offert un magnum de Mouton-Rothschild dont le millésime était celui de son année de naissance, 1958. Elle n'avait pas été impressionnée. Un vin du bon mois aurait été approprié, avait-elle ri, les yeux malicieux, son corps nu luisant sur les draps, la peau encore humide de leur étreinte, les lèvres meurtries par leurs baisers.

Le luxe la laissait indifférente, cette fille qui avait grandi dans toutes les facilités que le pouvoir et l'argent peuvent offrir. Un vin du mois, un Chianti de juillet, aurait aussi bien fait l'affaire dès l'instant qu'elle aurait pu le boire dans la bouche de Danny, le vin de sa bouche, et pour lui montrer ce qu'elle voulait dire et lui démontrer sa science, elle avait roulé sur lui, l'avait chevauché, s'était penchée sur son visage de sorte que ses cheveux balayaient sa poitrine. Elle avait couvert ses yeux, son nez et son cou de baisers, était descendue lentement, langoureusement, pressant ses lèvres sur chaque côte, s'arrêtant pour les compter, grignotant jusqu'à ce qu'elle atteigne son but pour l'avaler tout entier, sa langue courant le long de son sexe dressé. Il l'avait arrêtée alors, avait pris son visage entre ses mains pour l'attirer à lui, jusqu'à ce que leurs bouches se rejoignent. La voix plus grave, elle lui avait demandé pourquoi et sur son visage, l'étonnement avait remplacé la passion. Ses yeux réclamaient une explication.

Mais toute justification était superflue maintenant qu'il avait été submergé par l'évidence – l'amour. Il l'avait observée attentivement, inscrivant dans sa mémoire chaque pouce de son visage, de son corps, puis il avait remarqué un éclat familier dans ses yeux, une lueur de reproche plutôt que de colère, quelque chose qu'il comprenait mieux qu'elle aurait pu l'imaginer. Ce que disait ce regard, c'est qu'elle avait compté sur lui et qu'il l'avait laissée tomber. Ensemble, ils avaient transgressé les règles et s'étaient pris au piège de l'amour. Perdre sa virginité à vingt ans avait été un acte délibéré qui avait fait d'elle le chasseur, mais tomber amoureuse de l'homme qui l'avait prise la transformait en proie. Pourtant rien n'avait pu empêcher l'œuvre de s'accomplir en un temps record. Elle s'était éprise de lui et en retour, il lui avait appris tout ce qui ferait d'elle la compagne idéale d'un autre.

Le corps, messieurs. Il entendait sa voix autoritaire, au bord de la fureur pure, demander, non, exiger, qu'on lui dise où était le corps, sinon le corps, du moins une dent, un os, une empreinte digitale, quelque chose qui prouve que son mari était bien mort dans cet accident d'avion. Il entendait jusqu'à cette inflexion impérieuse dans son ton, suffisante pour provoquer une enquête, défiant quiconque en aurait le cran d'essayer de la calmer avec des condoléances plutôt qu'avec des faits et des preuves. La seule chose qui le tracassait, c'était cet homme du bureau du District Attorney et comment elle gérerait ses soupçons...

Il rouvrit les yeux et se redressa sur son siège, un mouvement que Swayze interpréta comme une invite à poursuivre la conversation.

– Le seul truc qui m'ennuie, c'est de savoir que ces fondamentalistes islamiques essayeront systématiquement de revendiquer nos actions.

– Utilise-les, répondit Danny d'une voix ensommeillée.

– Qu'est-ce que tu veux dire ?

– Passe un accord avec eux. Peu importe qui revendique du moment que c'est pour atteindre le même but. Envoie-les dans les missions suicides, paye-les. Après tout, c'est un ennemi commun que nous voulons détruire.

– Et le message que nous sommes censés délivrer au monde ?

– Sans importance, Mac. N'importe quel groupe organisé, n'importe quelle faction de fanatiques peut aussi bien revendiquer ou nier n'importe quoi. Qui saura jamais qui a fait quoi ? Le seul message qui passe, ce sont les ruines et les cadavres qu'on montre à la télévision.

– Mais nous voulons que le nom des Montoneros soit sur toutes les lèvres...

– La gloire ne fait pas gagner les élections, Mac.

Danny se tut, brisé par les souvenirs de Coriandre, avec l'impression qu'il lui avait fait l'amour pendant des heures sans que son système nerveux enregistre la moindre sensation. Elle lui manquait affreusement.

Le soleil perçait à travers les nuages, réfléchissant ses rayons sur l'eau et sur le sable. Morose, Danny se tourna vers la vitre pour admirer la splendeur des lointaines montagnes coiffées de neige, un paysage semblable à une version antarctique de Cairns ou Brighton, ponctué de lacs et de glaciers dont les murailles blanches s'élevaient à l'horizon. La jeep suivait une route tortueuse, l'entraînant vers ce qui serait sa retraite provisoire, vers un nulle part austral, le bout du monde, une ville à la pointe de la Patagonie appelée Ushuaia. Il était tenaillé par le désir de revoir Coriandre. Quarante-huit heures à peine s'étaient écoulées et il éprouvait déjà le besoin de la sentir, de la toucher, de lui expliquer. Ce qui pendant des années n'avait été qu'une abstraction était devenu réalité. C'était fini. Les deux femmes qu'il avait aimées dans sa vie n'étaient plus là ; Alicia était morte, Coriandre était veuve.

Il laissa à nouveau son esprit vagabonder tandis que la jeep bringuebalait. Au loin, des centaines de moutons paissaient dans un enclos ; un portail à double pignon marquait l'entrée d'un ranch, conduisant à une maison de tôle surmontée d'un toit pointu. Un homme en kilt marchait, prenant appui sur un bâton. C'était une région d'Ecossais et de Gallois, de gens assez endurcis pour supporter l'hiver patagonien.

Il pensa à la photo d'eux qu'il avait dans son portefeuille. « Ensemble pour toujours », avait-elle écrit au verso. Les photos ne mentent pas, répétait souvent Coriandre. Ce sont les gens qui mentent. Garde ces images de moi, *querida*, songea Danny, garde-les pour toujours, *mi amor*, car les photos ne mentent pas, les mots résonnaient sous son crâne, ce sont les gens qui mentent.

Chapitre onze

Coriandre rentra de Chilpancingo un mardi, passa la soirée avec son père avant qu'il ne prenne la dernière navette pour Washington. Quand il fut parti, elle se rua sous la douche, y resta longtemps, la tête appuyée contre le carrelage frais, ne sachant plus très bien où commençait l'eau, où finissaient ses larmes.

Les cheveux trempés, elle ferma les robinets, s'enveloppa d'une serviette, en noua une autre autour de sa tête avant de sortir de la cabine. Elle s'arrêta devant le miroir, se regarda sans se voir. Il faut du temps pour s'adapter, raisonna-t-elle, du temps pour oublier et du courage pour se souvenir. Après tout, elle était mariée depuis trois ans, enceinte depuis trois mois et veuve depuis trois jours.

Elle se dirigea lentement vers la chambre, s'arrêtant pour défaire sa valise et préparer du thé avant de se mettre au lit avec une pile de courrier et la télévision allumée, juste pour avoir une présence. Elle s'endormit au milieu des lettres éparpillées, les cheveux encore à moitié enveloppés dans la serviette, en travers du lit comme si elle dormait seule depuis des années, tandis que l'écran grésillait doucement.

Le jour s'était levé lorsqu'elle se réveilla, surprise et désorientée, toujours en travers du lit. Pendant quelques secondes, elle ne sut plus très bien où elle était. Elle se redressa lentement et examina le désordre, le plateau du thé sur le sol, le courrier sur les draps, la télé, où passait un talk-show matinal, toujours à plein volume. Elle s'appuya contre les oreillers, sa main explorant les draps blancs, la place vide qui avait été celle de Danny, se rappela qu'il ne reviendrait plus, que tout ce qui restait de leur vie commune, c'était ce bébé qui grandissait dans son ventre.

En trois secondes, elle fit l'inventaire du passé, du présent et de l'avenir. Deux moments bien distincts de sa vie avec Danny lui revinrent en mémoire. Dix ans les séparaient, mais elle y pensait toujours comme à une longue conversation ininterrompue...

C'était à l'université de Cordoba, juste avant qu'il ne parte pour Buenos Aires diriger la banque. Il lui avait déjà dit qu'elle ferait mieux de l'oublier et de continuer sa vie... C'était la dernière fois qu'elle l'avait vu.

Coriandre était belle ce matin-là. Ses cheveux tombaient librement sur ses épaules, elle n'était pas maquillée et il y avait une sorte de sauvagerie en elle, un éclat particulier dans ses yeux né de l'anticipation de la bataille, celle qu'elle s'apprêtait à livrer pour l'empêcher de partir. Toute vêtue de noir, du pull au pantalon en passant par les bottes et le blouson de cuir, elle lui barra la route quand il sortit de la classe ce jour-là.

– Je t'aime, dit-elle simplement.

Il se contenta de scruter son visage, comme si elle pouvait lui souffler sa réponse.

– Je t'en prie, Coriandre, ne fais pas ça.

Elle avança d'un pas. Elle était tout près de lui.

– Emmène-moi avec toi...

Il demeura encore un instant immobile avant de s'éloigner à longues enjambées vers la porte. Mais elle était juste derrière lui, marchant à son pas, n'osant pas lui prendre le bras. Ils passèrent en silence le long portique avec son sol en céramique couleur de rouille, émergèrent de sous l'arche de stuc blanc et s'arrêtèrent sur la place pavée, de l'autre côté de laquelle se dressait une minuscule église flanquée d'un beffroi.

– Je n'ai rien à te donner...

Il avait les larmes aux yeux.

– Je ne veux rien. Je ne veux que toi...

– Il ne reste rien.

– Quoi qu'il reste, je m'en contenterai...

Et malgré tous ses efforts, elle sentit une larme couler sur sa joue.

Il lui prit la main.

– Pas ici, dit-il, l'entraînant vers son bureau.

Il n'y avait pas chandelles ce jour-là, et il ne prit pas la peine de préparer le *mate*. Il désigna une chaise d'un geste bref, s'assit en face d'elle, posa ses mains sur le dossier.

– J'ai déjà donné ma démission.

Elle garda le silence, saisie d'un froid mortel, mais décidée à ne pas le supplier tant qu'il ne se serait pas expliqué.

Il attendait qu'elle lance la dispute. Mais elle resta muette.

– C'est un projet qui mûrit depuis des mois...

A nouveau, il s'arrêta. A nouveau, elle ne répondit rien.

– Tu sais ce qui se passe, Coriandre. Chaque jour, des cadavres s'échouent sur les plages et le monde ne répond que par l'indifférence. Ils tuent les meilleurs, les plus brillants d'entre nous...

Elle mit cette pause à profit pour lui prendre les mains, les presser contre ses lèvres et murmurer :

– Permets-moi de rester avec toi pour t'aider.

Il y eut un interminable silence avant qu'il ne secoue la tête avec lenteur et gravité.

– Je ne peux pas.

Coriandre ne bougeait pas. Le chagrin emplissait ses yeux tandis qu'elle luttait désespérément pour ne pas pleurer. Il lui vint à l'esprit une chose que Floria Lucia aimait à répéter. Une femme qui quitte un homme ou qu'un homme quitte doit se montrer sous son meilleur jour. C'est la dernière image qu'on emportera d'elle, qu'on gardera toute sa vie en mémoire.

– Tu es celui qui m'a ouvert les yeux, commença-t-elle, s'efforçant de rester maîtresse d'elle-même. S'il subsiste un espoir de retrouver Hernando et tous les autres, c'est grâce à toi. Je t'en supplie, Danny, garde-moi à tes côtés et quoi que tu entreprennes, permets-moi d'y prendre ma part...

– Tu mérites mieux.

– La question n'est pas là. Je t'aime. Quand bien même tu serais la pire chose au monde qui puisse m'arriver, je continuerais à t'aimer.

Le regret passa dans son regard.

– Tu es si jeune, si innocente, commença-t-il.

Mais elle l'interrompit.

– Toi, tu es toute ma vie.

Le chagrin lui voilait la voix.

– Je suis dans cette lutte jusqu'au cou, tu ne comprends pas ? C'est toute ma vie à moi. Je me dois à quelque chose qui dépasse largement mes sentiments personnels.

– Ose me dire que tu ne m'aimes pas...

186

– J'en serais bien incapable, fit-il avec douceur.

Elle était en pleurs à présent, mais elle s'en moquait. L'apparence, l'image, tout lui était indifférent. Sauf de le perdre.

– Ne fais pas ça Danny, je t'en supplie, garde-moi auprès de toi.

Avec un soupir, il dégagea ses mains, se leva et se mit à marcher de long en large dans le bureau.

– Tu ne comprends pas.

– Je comprends mieux que tu ne le crois, répliqua-t-elle farouchement. C'est toi qui refuse de voir que tu n'as pas besoin de me rejeter pour mener à bien ce que tu veux entreprendre. Ce sont deux parties de ta vie qui peuvent s'accorder sans problème. Notre amour ne t'empêchera pas d'accomplir la mission que tu t'es donnée...

Il s'immobilisa pour la regarder.

– Je t'aimerai toujours, Coriandre.

Elle se leva, alla se serrer contre lui.

– Ce n'est pas suffisant.

– C'est tout ce que je peux faire.

L'initiative vint d'elle, pas de lui.

– Fais-moi l'amour, murmura-t-elle.

Il n'hésita qu'un instant avant de lui prendre tendrement le visage entre les mains et de l'embrasser, de l'entourer de ses bras et de l'embrasser encore, plus fort, sa langue forçant ses lèvres, sa poitrine écrasant ses seins. Alors seulement sa fragilité se dissipa comme se dissipait l'indécision de Danny et ils s'embrassèrent encore, jusqu'à la meurtrissure, jusqu'à sentir le goût du sang dans leur bouche.

Une fois de plus, elle prit l'initiative de l'entraîner jusqu'au sofa, de lui déboutonner son pantalon, sa che-

187

mise, de se défaire de ses propres vêtements tandis que sa langue courait le long de son sexe dur, remontait sur son ventre, explorait sa poitrine, mordillait ses mamelons. Elle voulait se fondre en lui. Elle voulait le sentir en elle. Dans un tourbillon de bras et de jambes, elle l'attira entre ses cuisses, chercha sa bouche, la trouva, et tout le reste, les images, les justifications, s'effaça tandis qu'ils montaient ensemble vers le plaisir. Et pendant ce temps, cette dernière fois, un magnétophone tournait à leur insu, enregistrant la musique de leur chagrin et de leur passion au bénéfice des généraux de la Casa Rosada et de l'ambassadeur américain de Buenos Aires...

Ensuite, il la tint serrée contre lui, sans un mot, jusqu'à ce que la cloche de l'église retentisse au loin, sonnant les douze coups de midi. Elle n'avait plus d'illusions quand elle se releva pour s'habiller, sentant sur elle son regard pénétrant. Au dernier moment, il se mit debout à son tour, enfila ses vêtements et annonça qu'il allait la raccompagner jusqu'à son cours. Elle songea à refuser mais ne le fit pas.

Enlacés, ils se mirent en route vers le bâtiment des sciences sociales, traversèrent la place pavée sans un regard pour la petite église flanquée de son beffroi, passèrent sous l'arche de stuc blanc, longèrent le portique au sol de céramique rouille et parvinrent devant la salle de classe.

Ça ne va pas arriver, pensait-elle, il ne va pas se retourner, s'en aller, me laisser seule ici. Elle se trompait. Il la laissa sans même un regard et s'éloigna. Ils eurent encore une conversation au téléphone lorsqu'elle l'appela à la banque de Buenos Aires pour lui annoncer qu'elle se préparait à partir pour New York. Il lui souhaita bonne chance...

Tout au long des dix ans qu'il fallut à Coriandre pour terminer son internat et rejoindre l'équipe du Brooklyn General Hospital, elle vécut seule dans un brownstone de l'Upper West Side proche de Central Park. Avec ses arbres le long des trottoirs, ses poubelles enchaînées à une interminable rangée de grilles métalliques, le quartier était assez peu typique de Manhattan.

L'immeuble appartenait à une actrice anglaise de près de quatre-vingts ans et l'appartement était une aubaine, une sorte de loft composé d'une vaste pièce haute de plafond équipée d'une cheminée en état de marche, et d'une alcôve juste assez large pour un lit double et une planche à repasser dont Coriandre se servait surtout comme portemanteau. La cuisine était suffisante dans la mesure où Coriandre prenait la plupart de ses repas à la cafétéria de l'hôpital. L'antique salle de bain s'enorgueillissait d'une baignoire à pattes de lion et de robinets qui fuyaient. Il lui fallait des boules Quiès pour dormir.

Charmante et un peu timbrée, douée pour lire l'avenir dans les cartes et les feuilles de thé, Miranda Malone n'était pas seulement la propriétaire de l'immeuble mais partageait également l'appartement du demi-sous-sol avec huit ou dix chats qui allaient et venaient sans relâche, visitant les litières éparpillées un peu partout. Les murs de sa chambre à coucher étaient recouverts de vieilles affiches de théâtre et de photos prises à toutes les époques de sa carrière.

Un bric-à-brac invraisemblable avait envahi le salon, des fards de toutes sortes, une collection de boas de plume, des mannequins de tailleur supportant un assortiment de robes à sequins, des porte-perruques chargés de postiches dans un camaïeu de roux, la couleur fétiche de

Miranda. Un lustre vénitien balançait au plafond sa verroterie multicolore et ses ampoules uniformément recouvertes d'une fine couche de poussière. Un lit Empire aux draps de satin perpétuellement défaits occupait le centre de la pièce. C'était là qu'elle se tenait généralement.

Elle vivait sans complexe et sans remords dans un passé qui comptait un mari ou deux et un nombre incalculable d'amants. Ses souvenirs la maintenaient en vie car Miranda avait tout fait, les quatre cents coups, mais en prenant soin d'investir dans cet immeuble. Elle en avait tiré un sermon :

— Il n'y a rien de mal à se faire prendre avec sa culotte aux chevilles, mon chou, aussi longtemps que tu as un endroit où l'accrocher quand la fête est finie.

Coriandre était devenue sa locataire favorite, moins parce qu'elle payait son loyer dans les temps qu'à cause du dopler portatif avec lequel elle contrôlait le cœur de la vieille dame et du tensiomètre qui lui permettait de surveiller sa tension. Elles devinrent amies après la deuxième ou troisième visite « professionnelle » de Coriandre, quand celle-ci découvrit que la solitude était aussi une maladie. Elles développèrent un attachement mutuel dont seules sont capables deux femmes vivant chacune une période de transition.

Ce fut Miranda qui persuada Coriandre d'aller à une soirée chez Remi et Luis Botero, un couple argentin qui possédait un pied-à-terre à New York. Et malgré la fatigue consécutive à l'une de ses gardes interminables, la jeune femme parvint à retrouver assez d'énergie pour traverser toute la ville. C'était une nuit d'hiver glaciale, qui offrait une parfaite excuse pour ne rien porter de froufroutant et sa tenue la distingua encore plus que d'habitude de la foule des femmes en robes de couturiers qui l'entouraient.

Elle arborait un pantalon noir, des bottes et un pull à col roulé. Ses longs cheveux cuivrés lâchés sur ses épaules, lui tombaient dans le dos, retenus de chaque côté de son visage par des peignes noirs. Un rouge à lèvres pêche, un fard à joue de la même nuance, de grands yeux humides et lumineux à cause du manque de sommeil.

Remi Botero se jeta sur Coriandre dès l'instant où elle franchit le seuil de son appartement, battant de ses longs cils, et agitant dangereusement un fume-cigarette en argent massif dans la pièce pleine de monde. C'était une femme étonnante, sans âge, grande et mince comme un roseau, avec des cheveux de jais, des yeux noirs et une emphase théâtrale qu'elle déployait pour la moindre conversation. Remi avait l'argent et Luis était l'intellectuel. Elle dessinait des bijoux qui ne se vendaient que dans une ou deux boutiques exclusives de la planète à des prix que seuls un ou deux acheteurs pouvaient assumer ; Luis écrivait de la poésie érotique qu'il publiait à compte d'auteur et offrait aux deux ou trois lecteurs capables de l'apprécier.

– J'avais peur que vous ne veniez pas, s'écria Remi, embrassant Coriandre sur les deux joues tout en attrapant une coupe de champagne sur un plateau qui passait. Je voudrais vous présenter quelqu'un, annonça-t-elle, poussant son invitée dans la foule.

Coriandre ne pouvait déchiffrer la sensation qui lui serrait l'estomac, mélange de peur et d'excitation, tandis qu'elle suivait son hôtesse de pièce en pièce, s'arrêtant en chemin pour saluer des gens, certains qu'elle reconnaissait, d'autres qui ne lui disaient rien, bien que par la suite elle eût été incapable d'identifier qui que ce soit, même si sa vie en avait dépendu. Mais c'est seulement quand elle arriva devant un piano à queue miniature laqué de blanc que son cœur se mit à cogner dans sa poitrine.

Il était là, debout tout simplement, la tête légèrement penchée sur le côté, écoutant ce que lui racontait son interlocuteur, et dans sa main, toujours aussi belle, fumait son habituelle Gitane.

Il n'avait pratiquement pas changé, peut-être ses cheveux étaient-ils plus courts et plus gris, peut-être avait-il quelques rides supplémentaires autour des yeux lorsqu'il souriait. Elle se sentit faible. Elle aurait voulu avoir choisi une tenue plus féminine. Elle espéra que son sourire ne serait pas trop crispé, sa voix trop criarde, et que mille autres détails ne trahiraient pas qu'elle était encore sous son emprise.

– Coriandre, annonça Remi en lui tenant la main, je veux te présenter Danny Vidal...

Coriandre n'était qu'à cinquante centimètres de lui, de sa bouche, paralysée tandis que Danny franchissait la distance qui les séparait et la prenait dans ses bras.

– Tu m'as tellement manqué, murmura-t-il, les lèvres dans les cheveux de la jeune femme.

Remi eut l'air surpris.

– Ne me dites pas que vous vous connaissez déjà ? (Coriandre entendait la voix de son hôtesse comme si elle arrivait d'une autre planète.) Et moi qui voulait être la fée qui vous aurait présentés..., ajouta-t-elle avant d'être kidnappée par d'autres invités.

Coriandre et Danny étaient seuls au milieu de cinquante personnes.

Elle aurait dû masquer ses émotions, effacer de son visage cette expression de pure stupéfaction et dire simplement : « Ravie de te revoir après tant d'années », ce qu'il aurait pu entendre comme un reproche. Ou bien encore, elle aurait dû faire semblant de ne pas savoir qui il était, même si son visage lui semblait vaguement fami

lier : « Rappelez-moi où nous nous sommes rencontrés »,
ce qu'il aurait reçu comme une insulte. Ou enfin elle
aurait pu réagir selon son instinct et demander le plus
simplement du monde : « Où étais-tu tout ce temps pendant que je t'aimais, que je t'attendais, que je continuais à
t'aimer », ce qui aurait donné lieu à une superbe dispute
dont on aurait très certainement entendu parler jusqu'à
Buenos Aires.

Elle ne fit rien de tout cela. Elle n'eut pas le temps
de dire un mot, de prétendre avoir perdu la mémoire ou
de l'insulter parce qu'il la serra contre lui, l'embrassa et
murmura :

– Je n'ai jamais cessé de t'aimer depuis dix ans...

C'était dit. Leur histoire était exposée, en plein
milieu d'une soirée, devant toute la communauté argentine de New York. Mais Coriandre fut magnifique, affi-
chant son plus beau sourire, rassemblant tout le charme
qu'elle possédait et même celui dont elle ignorait l'existence, elle demanda d'un ton parfaitement mondain :

– Et que viens-tu faire à New York ?

– Te trouver, répliqua-t-il en la regardant droit dans
les yeux.

Tout ce qu'elle aurait pu dire était inutile, puisque
les années n'avaient rien changé aux sentiments qu'elle
éprouvait pour lui. Elle continua néanmoins sans se
démonter :

– Combien de temps comptes-tu rester ici ?

C'est alors qu'il décida de lui faire comprendre qu'il
n'avait pas l'intention de supporter une seconde de plus
son apparente indifférence. Il la prit par le bras et la
traîna à travers la pièce – saluant d'un sourire les visages
vagues qu'ils croisaient.

– Je te ramène à la maison, annonça-t-il.

A ce moment, quelque chose cassa. Coriandre s'arrêta net et demanda :

— Et où est-ce, exactement ? C'est quoi la maison après dix ans, six mois, trois semaines et quatorze jours ?

Il l'étudia un instant, tandis qu'un petit sourire naissait sur ses lèvres.

— Tu n'as pas changé, dit-il d'une voix tendre, tu es la même, jusqu'aux vêtements que tu portes...

Elle baissa les yeux et se rappela qu'elle était habillée de noir ce jour-là à Cordoba. Elle releva la tête et son regard était noyé de larmes.

— Ça ne suffit pas, dit-elle d'un ton calme.

— Cela ferait-il une différence si je te rendais des comptes pour ces dix dernières années. Me pardonnerais-tu alors ? (Dix ans, six mois, trois semaines et quatorze jours de sa vie et il se demandait si une excuse ou une justification changerait quelque chose.) Est-ce qu'on peut aller discuter quelque part ?

Elle accepta, par curiosité, et parce qu'elle n'était jamais parvenue à l'oublier. Sans dire un mot à qui que ce soit, ils partirent et se retrouvèrent chez elle, assis par terre. Ils discutèrent jusqu'à une heure avancée de la nuit. Bienvenue au royaume de l'humilité, songea-t-elle en sirotant un petit verre de cognac tandis que les flammes mouvantes des bougies qu'elle avait allumées jetaient des ombres sur le beau visage de Danny. Elle l'écoutait se justifier et s'excuser et pensait : ci-gît mon orgueil défunt.

— Je suis venu à New York dans l'espoir de te trouver...

— Tu aurais pu me trouver il y a bien longtemps.

— J'ai mené une vie impossible jusqu'ici.

— Tu me dois des explications...

— Il y a tant de raisons, mon amour, que je ne sais par où commencer...

– Par le commencement, le jour où je t'ai perdu...

– Je m'occupais de réunir de l'argent pour l'opposition, de négocier l'achat d'armes et de munitions, et puis la banque a été bouclée...

– Au début peut-être, mais pour l'amour de Dieu, Danny, il est question de dix ans...

– J'ai consacré ma vie à d'autres tragédies humaines, dit-il comme si cela expliquait tout.

– Il y a quelqu'un d'autre ? demanda-t-elle en retenant son souffle.

– Il n'y a jamais eu personne, répondit-il calmement.

– Et à moi, tu ne me poses pas la question ?

– Je n'ai pas besoin de le faire...

– Comment peux-tu être aussi arrogant ?

– Je ne suis pas arrogant, je sais simplement que lorsqu'on aime comme nous nous aimons, il ne peut y avoir personne d'autre. J'ai pensé à toi à chaque instant...

Par elle ne savait quel miracle, il avait réussi à réduire leur séparation à une affaire de minutes. Alors que pour elle, chaque année avait compté des siècles.

– Tu aurais pu trouver le moyen de me faire savoir que tu étais vivant ou que tu voulais que je t'attende.

Il commença à s'expliquer, et son visage se ferma sur une expression de douleur qu'elle ne lui avait jamais vue, sa bouche se crispa en un pli dur qu'elle remarquait pour la première fois.

– J'y ai pensé au tout début, avant que tout le monde ne soit arrêté et que je ne parvienne à m'enfuir. Après, c'était impossible, tu n'aurais pas pu venir là où j'étais.

– Où étais-tu ?

– A La Havane.

– Alors les rumeurs étaient vraies ?

– Il y en a eu tellement que certaines ont pris les proportions d'un mythe...

– On disait que tu blanchissais de l'argent pour les Montoneros à la banque de Buenos Aires. Quand la Junte l'a fermée, on a annoncé que tu avais pu t'enfuir à Cuba avec l'argent et que de là, tu finançais la révolution...

– C'était le seul endroit d'où nous pouvions poursuivre notre action. Sans cela, tout le monde aurait perdu espoir. Les gens continuaient à disparaître, nous n'avons jamais renoncé.

C'était une idée trop généreuse pour qu'elle l'accepte mais encore une fois, sa noblesse jouait en faveur de Danny. Il ne l'avait quittée ni pour une femme, ni pour l'argent, ni pour l'aventure, mais plutôt pour tenter de mettre fin à une épouvante dont elle-même n'avait fait qu'effleurer la réalité. Malgré tout, elle protesta, demandant à travers ses larmes :

– Et si je te disais que je ne t'aime plus ? Si je te disais que je suis trop fâchée, trop blessée pour pouvoir jamais éprouver à nouveau des sentiments aussi forts pour toi. As-tu envisagé cette possibilité ?

– Epouse-moi, lança-t-il sans le moindre avertissement.

Pour toujours. Enfin. Elle aurait voulu se mettre à rire, mais ne savait pas si c'était de joie, de colère ou de stupeur face à tant de culot.

– Je ne veux pas revivre ça...

Il y avait un avertissement dans sa voix.

– Je te jure que tu n'as rien à craindre. Donne-moi une nouvelle chance, s'il te plaît.

– Que vas-tu faire, maintenant ?

– Prendre le contrôle de l'Inter Federated Bank.

Ses yeux s'écarquillèrent.

– Encore ?

Il rit.

196

– Non, ma chère, je suis devenu un capitaliste, dit-il, se rapprochant d'elle.

– Comment peux-tu passer ainsi d'un extrême à l'autre ?

– J'avais mes raisons, alors. Quand je suis parti, je croyais qu'il m'incombait de changer les choses. Si j'avais pensé autrement, tu ne serais pas tombée amoureuse de moi. (Il fit une pause.) Je suppose que j'ai réussi car il n'y a plus désormais de motifs de continuer à se battre...

C'était rassurant d'accepter son explication, parce qu'elle recelait la promesse d'un avenir commun. De toute façon, il aurait été inutile de résister car il l'embrassait déjà, sa langue s'insinuant entre ses lèvres, ses paumes étreignant son visage. Un grand frisson parcourut Danny lorsqu'elle gémit, puis leurs bouches se séparèrent et il commença à la déshabiller tout en arrachant ses propres vêtements. Il fit glisser ses bretelles, retira sa chemise, son nœud papillon, ses chaussures, ses chaussettes et, enfin nu, s'allongea auprès d'elle, sur le sol. Leurs regards se cherchèrent, se trouvèrent. Qu'il le fasse, pensait-elle, qu'il le fasse puisque toute menace a disparu. Il l'avait déjà abandonnée et s'il recommençait, elle ne pourrait jamais avoir aussi mal...

Lorsque ce fut terminé, ils parlèrent de son travail à l'hôpital, et des plans de Danny pour l'Inter Federated Bank ; ils parlèrent de Palmer et de Jorge, puis Coriandre demanda des nouvelles d'Hernando.

– Il est vivant ?

Danny resta dans le vague.

– Tu te souviens qu'il adorait jouer du bandonéon ?

– Adorait ? Ça veut dire que tu sais qu'il est mort ?

– Je ne l'ai revu qu'une fois.

– Où ? Que lui est-il arrivé ?

197

– Ils lui ont coupé les mains.

Elle hoqueta.

– Mais où est-il ?

Danny la prit dans ses bras.

– *Querida,* il était si déprimé qu'il s'est suicidé...

Elle pleura sans bruit tandis que Danny la serrait contre lui. Ses larmes n'étaient pas seulement pour Hernando mais pour tous ceux qui avaient souffert au long de ces années. Et lorsqu'elle se calma, ils se remirent à parler de leurs vieux amis de Buenos Aires et de leurs rencontres new-yorkaises, à se dire à quel point ils s'aimaient, et finirent par tomber d'accord pour essayer de repartir ensemble – et d'aller jusqu'au bout.

Un peu plus tard, Miranda Malone rencontra Danny Vidal et ne tarda pas à faire profiter Coriandre de son avis, assorti de quelques conseils d'ordre général sur la vie et l'amour.

– Vous n'êtes pas en tête de liste, mon chou.

– Une autre femme ?

– Trop simple.

– Nous nous marions le mois prochain, annonça Coriandre, comme si c'était l'explication de tout.

– Il est regrettable que certaines femmes épousent leur premier amour pour toutes les mauvaises raisons, l'excitation, la possessivité, la passion, remarqua Miranda, et n'aboutissent qu'à l'humiliation.

C'était un commentaire étrange à adresser à quelqu'un qui s'apprêtait à convoler.

Une semaine environ avant la cérémonie, Danny emmena Coriandre visiter leur nouvel appartement sur la 5e Avenue. Lui prenant la main, il lui fit traverser les dix grandes pièces qui faisaient face au Metropolitan Museum of Art. Elle trouva inquiétante la façon dont

Danny lui expliqua ce qu'avait prévu le décorateur, lui présenta les peintres qui fignolaient les murs, le marbrier qui réparait les cheminées, l'ébéniste qui teintait les lambris de chêne et les plafonds, comme si cet appartement n'était qu'une partie d'un plus vaste dessein. Il y avait ces livres reliés plein cuir qu'il avait commandés au mètre et ces antiquités qui arrivaient tout droit d'une salle des ventes de Greenwich Village.

Elle avait l'impression que tout était calculé pour créer un passé artificiel, que chaque objet du dix-huitième, chaque édition rare qui entrait dans leur univers était là pour lui inventer son histoire. Si son travail n'avait pas été aussi dévorant, ou si elle avait été le genre de femme à s'intéresser à la décoration, elle aurait pris les choses en mains elle-même.

Danny portait un col roulé de couleur crème cet après-midi-là, un pantalon gris et un blazer bleu marine. Des lunettes de soleil dépassaient de sa poche de poitrine. Coriandre était vêtue d'un ensemble gris avec une veste assortie et affichait un sourire figé. Il dut sentir que quelque chose n'allait pas car il s'approcha d'elle tandis qu'elle se tenait près d'une fenêtre et l'entoura de ses bras, son menton effleurant sa joue, pour chuchoter à son oreille :

— Pourquoi es-tu si triste, *querida*?

— Pas triste. Dépassée.

— Regarde, fit-il, pointant le doigt. D'ici, tu vois le parc où joueront les enfants.

— Quels enfants?

— Les nôtres. Alors tu seras heureuse, je te le promets, *amor mio*.

— Ça me rappelle l'ambassade.

— C'est chez nous, mon amour.

Elle faillit lui faire remarquer que rien dans cet

appartement ne leur appartenait. C'était la première fois qu'elle voyait ce que serait leur nouveau foyer ; il avait tout fait seul, pour satisfaire l'étranger qu'il était devenu en s'installant à New York.

— Tu sais, mon chéri, dit-elle, je me serais contentée de continuer à vivre chez Miranda, du moment que c'était avec toi.

Il eut un sourire dur, un sourire comme elle ne lui en avait encore jamais vu.

— Comment le président d'une grande banque new-yorkaise et son épouse pourraient-ils vivre dans un brownstone ? (Il lui posa un baiser sur le nez.) A moins que Miranda ne soit disposée à vendre...

Et devant son silence, il baisa ses yeux, puis ses lèvres. Elle se raidit sans le vouloir.

— Qu'est-ce que tu as ?

— J'ai peur, répondit-elle simplement.

A nouveau il la prit dans ses bras.

— De quoi, *querida* ? Nous allons avoir une vie merveilleuse...

— Ce n'est pas moi, ce n'est même pas toi.

— Cet endroit est important pour mes affaires. J'ai besoin d'attirer des clients pour la banque.

Qui était-elle pour s'opposer à ce qui était devenu son moyen d'existence ? Elle lui en aurait voulu plus que tout s'il l'avait obligée à changer de travail ou d'horaires... Pourtant, elle ne pouvait renoncer.

— Qu'est devenu tout cet idéalisme ?

— Il est là, répondit-il, se touchant le cœur. Mais les temps ont changé, ma chérie. Je n'ai plus que faire d'un ramassis de rêveurs déguenillés discutant à perdre haleine de la révolution à la cafétéria de l'université ou enseignant des théories économiques abstraites. Plus de politique, *querida*, je te l'ai promis. Rien que du business.

– Oui, murmura-t-elle, tu me l'as promis.

– C'est le début d'une vie merveilleuse, répéta-t-il, l'entraînant loin de la fenêtre, un bras passé autour de sa taille, la bouche contre sa joue.

Il s'arrêta sous le gros lustre de cristal qui pendait du plafond à moulures, au centre du salon. Il l'attira à lui. Tendrement, voluptueusement, il se remit à l'embrasser et cette fois, il ne fallut presque rien pour allumer le feu, pour faire monter la crispation du désir. Sa langue dessina les contours de ses lèvres avant de les pénétrer, éveillant un faisceau d'ondes délicieuses qui convergaient vers le sexe de Coriandre.

– Ce jour est à toi, souffla-t-il, dis-moi ce que tu veux...

Encore inquiète, elle s'abstint de lui dire que ce qu'elle voulait par-dessus tout, c'était que l'étranger qu'il était devenu s'efface pour laisser place au vrai Danny.

Chapitre douze

Il était tôt et la femme qui attendait dans la salle des urgences portait une robe sans manches et un foulard noué autour de la tête. Ses bras étaient mous et blancs, son visage couvert d'une fine brume de transpiration et les traces rouges d'une irritation due à la chaleur couraient le long de son cou pour disparaître dans son décolleté. Elle était l'une de ces femmes pieuses avec cinq enfants, âgés de trois à huit ans, qui avaient besoin de leur piqûre de rappel.

Le vieux type qui traînait dans la salle semblait perdu et douloureusement seul. Il jetait sur tout ce qui l'entourait un regard d'oiseau de proie, ne s'arrêtant que pour enlever sa casquette de nylon et frotter son crâne transpirant. Sa bouche édentée ne cessait de mâchonner. Il y avait deux provinciaux attendant un ami tombé d'un tabouret de bar et qui s'était ouvert le crâne. Ils somnolaient, les jambes allongées devant eux sur lesquelles trébuchait systématiquement le personnel de l'hôpital qui passait avec des chariots. Une paire de prostituées cuvaient dans un coin; l'une d'elle avait un joli corps et des talons hauts d'un rouge éclatant, l'autre écoutait de la musique sur un lecteur CD et se balançait en rythme.

Près des portes à battants qui séparaient le service des urgences de l'unité de traumatologie, un homme était appuyé contre un mur. Il portait un costume kaki, une chemise bleu clair ouverte à l'encolure, et il avait fourré sa cravate dans sa poche de poitrine ; ses cheveux encore humides de sa douche matinale étaient soigneusement coiffés en arrière, il était rasé de frais et dégageait un parfum citronné. Il n'avait visiblement pas sa place dans cet environnement.

Coriandre portait un jean et un T-shirt blanc sous sa blouse immaculée. C'était son premier jour de travail depuis l'accident. Ses cheveux étaient tirés en arrière, son visage bien dégagé et elle ne n'était pas embarrassée de maquillage. Elle avait garé sa voiture au parking, traversé la passerelle qui reliait l'hôpital aux laboratoires et à la banque de sang, et avait continué son chemin dans le labyrinthe des couloirs souterrains. A présent, elle passait d'un pas vif la porte des urgences et approchait de celle du service de traumatologie. Elle s'arrêta net lorsqu'elle le vit.

– Que faites-vous ici ? demanda-t-elle, en se rappelant le message qu'il avait laissé sur son répondeur quand elle était rentrée de Chilpancingo. Je suis désolée, j'aurais dû vous rappeler, continua-t-elle, mais nous sommes arrivés tard et...

Adam haussa les épaules.

– Vous n'aviez probablement rien à me dire.

– Ce n'est pas une excuse. De toute évidence, vous, vous aviez quelque chose à me raconter.

– Rien qui ne puisse attendre jusqu'à ce matin. (Il sourit.) Puis-je vous emmener prendre votre petit déjeuner ?

Il y avait quelque chose chez Adam Singer qui procurait à Coriandre un sentiment de sécurité immédiat. C'était probablement sa beauté un peu enfantine et ses façons désinvoltes. Pas la façon dont il gagnait sa vie.

Elle jeta un coup d'œil à sa montre. Il était huit heures et demie, en tirant un peu, elle pouvait grignoter un quart d'heure.

– D'accord si on va au snack grec de l'autre côté de la rue ?

Le feu était rouge et ils se trouvaient déjà au milieu de la chaussée lorsqu'il lui demanda :

– Vous êtes de garde toute la journée ?

– Et toute la nuit, et toute la journée de demain. (Elle jeta un coup d'œil vers lui.) Trente-six heures.

– Etes-vous aussi belle au bout de trente-six heures que vous l'êtes en ce moment ?

Elle aurait pu prendre ombrage de cette réflexion mais le feu passa au vert, des pneus crissèrent et Adam lui prit le bras pour l'entraîner très vite de l'autre côté de la rue.

– Le problème avec vous, c'est que vous êtes si authentiquement charmant qu'il est impossible de vous en vouloir.

Il lui serra plus fort le bras.

– Alors peut-être que les types charmants ont aussi leur chance.

Ils marchèrent en silence, puis entrèrent dans un petit snack-bar. Le propriétaire appela Coriandre par son nom et l'un des serveurs annonça :

– Il y a une table pour deux au fond, doc...

Elle se tourna et demanda :

– Ça vous va ?

Adam hocha la tête et suivit la jeune femme.

Ils attendirent pour parler que le serveur ait fini de verser le café dans des tasses qui se trouvaient déjà sur la table. Coriandre ne se sentait pas très à l'aise. Elle ne savait pas exactement pour quelle raison, mais elle aurait pu en trouver des millions. Tu n'as que l'embarras du choix, songea-t-elle.

— Alors, pourquoi m'avez-vous appelée ?

— Principalement pour savoir comment vous alliez...

Elle posa sa tasse.

— Nous avons quitté le Mexique hier après-midi...

Elle ne pouvait se résoudre à prononcer le nom de cette ville dont elle se souviendrait pour le restant de ses jours.

— Votre père est rentré avec vous ?

— Oui, mais il est parti hier soir pour Washington.

— Vous avez bien fait de reprendre immédiatement votre travail, vous savez.

— Je n'avais pas le choix, même si j'avais eu envie de rester cachée sous les couvertures. Nous sommes à court de personnel.

Il décida de se débarrasser immédiatement de ce pour quoi il était venu. Plongeant la main dans sa poche, il en retira deux photos. Il en tendit une à Coriandre. Elle représentait un homme debout devant une cabane branlante, souriant à l'objectif, ses cheveux noirs, sales et trop longs, lui tombant sur le front ; une grosse chaîne d'or chargée d'une stupéfiante collection de médailles étincelant sur son torse nu recouvert d'une toison noire et touffue.

— Vous le reconnaissez ?

Coriandre étudia la photo avant de lever les yeux vers lui.

— Non. Qui est-ce ?

Au lieu de répondre, Adam lui tendit la seconde photo.

— Et ça, ça vous dit quelque chose ?

C'était le même cliché, agrandi au niveau du torse qui occupait la totalité du cadre. Coriandre pâlit en le regardant.

– Qu'est-ce que ça veut dire ? demanda-t-elle.

Puis elle essaya de reconstituer le puzzle au fur et à mesure des explications d'Adam.

– Comme vous paraissiez si sûre que ce torse n'était pas celui de votre mari, je me suis dit qu'il devait y avoir un autre corps, celui qui avait été divisé en trois parties dans ces bacs.

Il la regarda attentivement pour voir si elle tenait le coup. Comme si elle lisait dans son esprit, elle affirma :

– Tout va bien, vous pouvez continuer.

Il reprit :

– Quand j'ai parlé avec lui, Lukinbill m'a annoncé que votre beau-frère s'était dépêché de faire incinérer ce torse et il m'a juré qu'il n'appartenait à aucun de ses deux pilotes – il a une piscine dans sa maison du Connecticut et les deux types venaient s'y baigner le week-end. C'est à ce moment-là que je me suis dit que quelqu'un avait trouvé quelque part un corps pour remplir ces bacs.

Il s'arrêta, lui demanda :

– Ça va ?

Elle hocha la tête.

– Après notre discussion à l'hôtel, continua-t-il, je suis retourné à la morgue et j'ai parlé avec ce croque-mort pathétique qui m'a raconté qu'ils n'étaient pas équipés pour conserver autant de corps à cause de la chaleur. (Adam secoua la tête.) On aurait pu penser qu'ils avaient compris depuis longtemps qu'ils étaient au Mexique et pas en Alaska... Bon, quoi qu'il en soit, il m'a raconté que la dernière fois où la morgue avait été aussi pleine, c'était en 1913, quand quelqu'un avait eu l'idée brillante de faire sécession et que tout le monde avait été exécuté... Comme il se plaignait d'être débordé et d'avoir du mal à assumer tout ce travail, je lui ai demandé de quoi il parlait puisque, pour autant que je sache, il n'y avait eu qu'un seul accident d'avion. C'est alors qu'il a mentionné un type de la ville voisine qui avait quitté la route avec sa camionnette. (Il s'arrêta.) Ce fichu pick-up a explosé au fond d'un ravin, et on n'a rien retrouvé, du moins c'est ce qu'a affirmé le type des pompes funèbres.

Adam regarda Coriandre encore une fois pour voir s'il pouvait continuer.

– Le type était vraiment nerveux, alors je lui ai offert une bière et il s'est un peu détendu. Il a commencé à me raconter que le pape allait peut-être s'arrêter à Cerro el Burro, c'est le nom de la ville voisine, au cours de son voyage en Amérique latine...

Coriandre retrouva sa voix.

– Pourquoi ?

– C'est exactement ce que j'ai demandé et, vous n'allez pas me croire, il m'a expliqué que deux jours avant l'accident, le type de la photo, celui qui a été tué, avait prétendu avoir vu Jésus pratiquement au même endroit, sur la même route.

– Alors vous êtes allé voir le prêtre du coin pour lui parler de cette vision.

Adam acquiesça.

– Le père Ramon. Il m'a emmené chez le type, m'a fait visiter sa maison, m'a présenté à sa femme qui m'a donné cette photo. J'ai fait agrandir la poitrine parce que j'ai trouvé qu'elle ressemblait vraiment au torse que nous avions vu. Qu'en pensez-vous ?

Elle regarda à nouveau la photo, puis Adam. Elle lui demanda s'il croyait que la mort de cet homme était une coïncidence, ou bien si quelqu'un l'avait délibérément assassiné pour se procurer un corps.

– Ça nous ramène au problème d'origine. Si votre beau-frère n'avait pas fait procéder aussi rapidement à l'incinération, je ne me serais pas embarrassé d'un type qui a planté son camion dans un ravin, parce que j'aurais été trop occupé à ramener les restes aux Etats-Unis et à les confier au laboratoire de police pour expertise et identification. Et pendant que j'y étais, je me serais fait un devoir de découvrir s'il y avait des traces de blessures par balle, ou n'importe quel indice qui aurait pu m'apprendre les causes du décès quand il aurait été prouvé que ce torse ne s'était jamais trouvé dans un avion qui s'est crashé...

Elle songea aux longues heures passées à ravaler sa rage à l'idée que Danny l'avait abandonnée de cette façon.

— Et maintenant, que va-t-il se passer ?

Elle était toujours livide, comme sur le point de s'évanouir.

— Malheureusement, il ne reste plus aucune preuve physique. Je vais donc être obligé de me plonger dans les suivis de vol et les comptes bancaires, je vais parler à tous ceux qui sont susceptibles d'avoir aperçu l'avion avant l'accident, d'avoir vu votre mari, ou su ce qui se passait à la banque dans les jours ou les semaines qui ont précédé son départ.

Coriandre tenait toujours la photo dans ses mains.

— C'est incroyable de songer que cet homme, que je n'ai jamais vu et que je ne verrai jamais, va peut-être m'obliger à me demander si ma vie entière n'a pas été un gigantesque mensonge.

— L'a-t-elle été ?

— Je ne sais plus, fit-elle avec franchise.

— Votre mari vous a-t-il jamais confié ses problèmes.

— Pas vraiment. (Elle le regarda droit dans les yeux.) Excepté ce dernier jour...

— Oui ?

— Juste de vagues insinuations, presque comme s'il avait voulu que je comprenne par moi-même.

— Puis-je vous poser une question personnelle ?

– Que voulez-vous savoir ?

– Qu'est-ce qui vous a poussé à tenter le coup une seconde fois ?

Une lueur d'étonnement passa dans ses yeux.

– Vous savez tout, n'est-ce pas ?

Il lui dit alors que tout savoir faisait partie de son travail, parce qu'il était impliqué dans cette affaire et qu'il lui fallait comprendre et connaître ceux qui avaient été les proches de Danny s'il voulait avoir une chance de découvrir un jour la vérité. Il lui dit encore qu'il ne la trahirait jamais, qu'il était à ses côtés et qu'il y resterait jusqu'à ce qu'il ait pu répondre à toutes les questions qu'elle se posait ; il lui dit enfin qu'elle pouvait lui faire confiance. Ce qu'il ne dit pas, c'est qu'il était tombé amoureux d'elle...

– Danny était un idéaliste, commença-t-elle, et j'aimais ça. Il s'intéressait sincèrement au sort des gens. C'était l'homme le meilleur, le plus généreux que j'aie jamais connu, il était solide, courageux et dévoué à sa cause... (Elle s'interrompit, une expression étrange sur le visage.) Je devrais commencer par être honnête avec moi-même.

– Que voulez-vous dire ?

– La vérité, c'est qu'il existait entre nous une incroyable attirance physique...

Il espéra que sa voix ne le dénoncerait pas.

– Et le reste ?

– Tout est vrai, mais je suppose que les choses se sont produites à l'inverse de ce qui se passe habituellement. J'étais une enfant quand je l'ai rencontré en Argentine. Tout ce que j'ai énuméré se trouve à l'origine de mon premier mouvement vers lui. L'attirance physique est venue plus tard, la deuxième fois...

– Il vous a quitté deux fois.

Plus qu'une question, c'était une constatation.

– Je pense qu'il préférait l'enfant à la femme.

C'était peut-être parce qu'Adam n'avait rien à perdre qu'il s'aventura sur un terrain plus personnel.

– Voilà ce que j'avais en tête. Je me disais que vous pourriez m'appeler si vous aviez besoin de parler, même si ça ne concerne pas l'affaire.

La carte de visite était déjà dans sa main et il y griffonna deux numéros avant de la lui tendre.

– Je vous donne celui de chez moi et celui de ma ligne directe au bureau au cas où vous auriez besoin de moi.

Elle n'était pas préparée à cela.

– J'ignore si je saurai faire une chose pareille, je veux dire appeler pour discuter de ce qui me tracasse.

– Vous essaierez ?

– J'essaierai...

– Accepterez-vous de dîner avec moi un de ces soirs ?

Elle le regarda un moment.

– Je ne vous demanderai pas si vous êtes marié.

– D'accord...

– Vous l'êtes ?

– Je l'étais... Ma femme m'a quitté pour un agent du FBI.

– Je suis désolée, dit-elle.

– Oh, je l'ai été aussi...

– Vous me raconterez ça ? demanda-t-elle avant d'ajouter : Quand nous dînerons ensemble ?

– Je n'ai pas une très bonne mémoire. (Il sourit.) Nous avons intérêt à ne pas trop tarder.

Elle lui rendit son sourire et jeta un coup d'œil à sa montre.

– Il faut que je retourne au travail. (Elle se leva.) Merci pour le café.

Il l'imita et dit d'une voix douce :

– N'oubliez pas de m'appeler, Coriandre Wyatt Vidal.

– Je vais essayer d'apprendre à faire ça sans me sentir complètement stupide.

Elle lui tourna le dos sans lui laisser le temps d'ajouter quoi que ce soit, traversant le snack à grands pas, s'éloignant vers la porte.

Coriandre rêvait. Il y avait deux oiseaux gris au beau milieu d'une route de campagne, l'un était immobile, froissé, et l'autre le poussait du bec vers le talus. Regarde, disait-elle à Danny, elle le protège, même dans la mort, ce petit oiseau s'occupe de son compagnon. Pourquoi *elle* et pas *lui*, lui demandait Danny, pourquoi l'oiseau mort est-il forcément le mâle ? Elle ne pouvait répondre. Ni dans le rêve, ni maintenant. Elle le savait, voilà tout.

Il était sept heures et quart du matin et vingt-quatre heures ou presque s'étaient écoulées depuis le café avec Adam. Coriandre s'éveillait d'un somme bref et d'un autre rêve désagréable. Comme toujours, lorsqu'elle pensait que le sommeil ne viendrait pas, quand elle atteignait ce point de fatigue où les larmes le remplaçait, elle finissait par glisser dans un rêve – des saynettes pénibles où n'apparaissaient qu'elle et lui. Les quarante minutes qui venaient de s'écouler ne faisaient pas exception à cette règle. Mais aussi mal qu'elle se sentît, c'était toujours mieux d'éprouver cela au travail que seule à la maison.

La plupart des gens de l'hôpital s'étaient contentés de la regarder fixement en la voyant revenir la veille. Il y avait de la sympathie sur leur visage mais ils ne trouvaient rien à dire. Quelques-uns étaient venus la voir, avaient bredouillé des paroles indistinctes où il était question de Dieu, de courage, et surtout qu'elle n'hésite pas si elle avait besoin de quelque chose... Toujours mieux que les petits mots de condoléances dans lesquels les auteurs décrivaient en détail ce qu'elle était censée ressentir; sa tristesse, son malheur, l'énormité de sa perte, son chagrin inconsolable. Plus que tout, elle espérait que les gens cesseraient de s'efforcer de lui renvoyer le reflet de sa douleur ou de lui démontrer par écrit à quel point la mort de son mari l'affectait. C'était quelque chose qu'elle n'avait pas besoin qu'on lui explique.

Lottie était l'une des rares à ne pas l'avoir poussée à admettre son désespoir ou à accepter sa peine. Non qu'elle ne lui fût d'un grand secours, malgré son insistance à lui prouver que les membres masculins de cette confrérie macho appelée « chirurgie » n'attendaient qu'une chose, la voir s'effondrer et tomber en morceaux pour cause de tragédie personnelle – une excuse typique pour écarter les femmes de cet ultime bastion de la médecine mâle. En rédigeant les comptes rendus de ces premières vingt-quatre heures, elle repensait aux efforts de Lottie lorsqu'elle s'était effectivement effondrée et avait failli sombrer. L'incident s'était produit quelques heures auparavant...

Quelque part à Brooklyn, non loin de l'hôpital, une jeune femme s'était réveillée avec un cambrioleur dans son appartement. Sa première erreur avait été de s'asseoir et de se mettre à hurler. La seconde était que le téléphone se trouvait du côté droit du lit. Dans sa tentative pour prévenir la police, elle avait essayé de décrocher le combiné de sa main gauche que l'intrus bloqua en plein vol tout en lui plongeant un couteau dans la poitrine.

Grâce aux voisins qui avaient entendu ses hurlements et appelé le 911, la femme était arrivée quelques vingt minutes plus tard aux urgences où l'attendaient Coriandre et son équipe. Le premier examen révéla toute l'histoire : veines du cou distendues, cœur inaudible, tension désespérément basse. La femme approchait de la mort. Le sac cardiaque était plein de sang, ce qui empêchait la circulation de se faire normalement au niveau du cœur.

La bousculade autour du brancard, où gisait la femme en salle de triage, était impressionnante. La procédure d'urgence s'accomplit sans délai : *intubation, respiration, ouvrez la poitrine*, au lieu des habituels *accusation, blâme, critique*. Dix minutes après son arrivée, la femme fut envoyée en chirurgie où son cœur s'arrêta. Coriandre avait suivi sa patiente et elle plongea aussitôt la main dans son thorax pour une manipulation du cœur dont la première contraction envoya un jet de sang jusqu'au plafond. Posant son doigt sur le trou du ventricule gauche, elle parvint à arrêter le flot sanglant tandis qu'un autre chirurgien pinçait un saignement majeur au poumon. C'est ce qui se passa ensuite qui amena Coriandre, selon les mots de ce jeune interne, à « perdre les pédales ». A cet instant précis, Lottie entrait dans la salle d'opération, arrivant du bloc voisin où elle venait de réduire une fracture du fémur sur un gamin dont on soupçonnait qu'il avait été maltraité par sa famille.

Coriandre s'apprêtait à recoudre la plaie ventriculaire quand elle s'aperçut qu'elle n'avait pas l'aiguille appropriée – le modèle standard était trop petit et le grand modèle trop gros. Elle opta cependant pour le second afin d'éviter de déchirer davantage le muscle. Et tandis que ce petit cafouillage se produisait, l'une des infirmières envoya l'interne à la banque de sang, qui se trouvait à l'équivalent de deux pâtés de maison du service, afin qu'il en rapporte du *sang non spécifique*. Le destin voulut que l'employé refuse de donner le produit avant que l'interne n'ait rempli les formulaires *ad hoc*, étant donné que le sang était d'un *type non spécifié* et qu'on n'avait pas eu le temps de déterminer le groupe de la patiente.

Vingt minutes plus tard, le garçon revint avec le sang en salle d'opération, au bord de l'hystérie, au moment exact où la patiente entrait en fibrillation ventriculaire. Après un électrochoc qui ramena la femme à la vie, ou plutôt, comme le formula Coriandre, à « mort moins une », l'opération reprit son cours. Après plusieurs transfusions et de nouveaux chocs, la patiente revint un moment. Mais une série de nouveaux épisodes fibrillatoires, suivis de nouvelles injections et transfusions fit apparaître que rien ne permettrait de réparer les dégâts déjà commis, ce dont tout le monde s'était déjà rendu compte à l'exception de Coriandre.

Elle était comme folle lorsqu'elle ordonna :

– Transfusez-lui tout ce qui vous reste.

– Laisse-la partir, Cory, l'enjoignit gentiment Lottie.

– Beau boulot de chirurgie, Wyatt, ajouta le type de cardio.

– Bien essayé, docteur, conclut l'interne.

C'est alors que Coriandre se retourna pour répondre, les dents serrées :

– Ce n'est pas un putain de match de tennis.

Lottie s'approcha, posa la main sur le bras de son amie.

– C'est inutile, Cory. Cette femme n'est plus là.

Mais leur opinion n'intéressait pas Coriandre. Elle refusait de prendre en compte les réalités.

– Je veux que vous transfusiez la patiente, ordonnat-elle. Tout de suite. Allez, il nous reste sept ou huit unités de sang dans ce bloc, alors remuez-vous.

Tout le monde se remua, du moins les subordonnés effrayés comme l'infirmière et le malheureux interne qui s'empressèrent de relier la poche de plasma aux tubes qui entraient dans les veines de la mourante.

Coriandre suivait le mouvement, massant le cœur, relançant la vie lorsqu'elle vacillait, sentant dans sa bouche le goût de ses propres larmes, obtenant un battement, perdant un battement, épuisée, en sueur, proche de craquer, s'approchant lentement du désespoir absolu. Lottie restait là, impuissante, écoutant son amie lancer des ordres qui n'avaient plus de sens, regardant l'équipe agir, plus par crainte que par devoir.

– Il n'y a plus de pouls, annonça l'infirmière.

– On l'a perdue, confirma l'interne.

Lottie avança d'un pas et toucha à nouveau le bras de Coriandre.

– Cory, je t'en supplie, ne fais pas ça...

Mais rien ne l'atteignait excepté cette femme en train de mourir.

– Amenez une unité d'assistance cardio-respiratoire et branchez-la immédiatement, cria-t-elle, repoussant Lottie. Allez, bougez-vous, maintenant, vite.

Et lorsque personne n'obtempéra, sa voix monta d'un cran.

– VOUS ÊTES TOUS SOURDS ? hurla-t-elle. Allez me chercher cette machine.

– Ça suffit, Coriandre, lança Lottie. Ça n'a plus de sens. La patiente est morte.

Coriandre pivota sur elle-même.

— Ce n'est pas ton bloc et ton opinion n'a aucune valeur ici.

Lottie recula tandis que quelqu'un commettait l'erreur de demander où on pourrait trouver une machine cardio-respiratoire alors même qu'une troisième personne expliquait pourquoi ça ne marcherait pas. Mais Coriandre était déjà dans le couloir et poussait la machine elle-même.

— Branchez-la, aboya-t-elle à bout de souffle, vite, allez, branchez-la!

Deux ou trois secondes plus tard, l'appareil était en marche et il en fallut encore une vingtaine pour la connecter sur la patiente. Coriandre tira un tabouret à elle et s'assit, surveillant les chiffres sur l'unité respiratoire, le pouls, et la tension, écoutant haleter la pompe qui respirait à la place de la femme. A nouveau, Lottie essaya de la raisonner.

— Tu ne pourras pas la ramener, Cory, laisse-la partir en paix.

— Fous le camp, murmura la jeune femme, les yeux rivés à sa patiente. Laisse-nous tranquille.

Mais c'était inutile. Même la machine ne pouvait plus la garder en vie. Elle mourut une heure plus tard, une jeune femme de vingt-deux ans, étudiante infirmière, découvrit-on plus tard, n'espérant rien d'autre que de pouvoir travailler aux urgences du Brooklyn General Hospital, qui se trouvait à deux pas de chez elle.

Coriandre était toujours là, auprès d'elle, lorsqu'ils débranchèrent la machine. Personne n'avait pu la faire sortir, pas même Lottie.

— Ils doivent enlever le corps, Cory, plaida-t-elle à nouveau. Laisse-moi te ramener en bas, je t'en prie.

Les yeux saturés de larmes, elle finit par se lever pour recouvrir la morte d'un drap avec des gestes d'une infinie douceur. Elle resta penchée sur le corps, le protégeant des autres. Lottie était désespérée.

– Ils ont besoin de la salle, Cory, supplia-t-elle.

C'est alors que Coriandre adressa un hochement de tête aux infirmiers qui attendaient avec leur brancard pour emmener le corps à la morgue. Tout le monde eut le bon sens de la laisser tranquille tandis qu'elle quittait le bloc. Les yeux fixes, la tête droite, elle regagna le rez-de-chaussée et entra dans le petit bureau. Elle referma la porte derrière elle, s'allongea sur le divan en position fœtale et pleura à s'en faire exploser le cœur pour la première fois depuis qu'elle avait appris la mort de Danny.

Coriandre finissait de rédiger ses comptes rendus lorsqu'on frappa.

– Entrez, fit-elle.

La porte s'ouvrit. C'était Lottie, échevelée, l'air hésitant et inquiet, la blouse tachée de betadine et de sauce marinara.

– Ça va? demanda-t-elle prudemment.

Coriandre se retourna sur son siège.

– Je suis désolée, dit-elle simplement. Je suis vraiment désolée.

Lottie secoua la tête.

– Je ne suis pas venue là pour entendre tes excuses.

– Viens t'asseoir, enjoignit Coriandre en désignant un siège d'un geste de la main.

– Il faut que tu fasses ton deuil, Cory...

– De quoi, de mon mariage, de mon mari ou des deux...?

– Tu t'es battue pour une cause perdue, là-haut.

– Même sans Danny, je me serais battue comme un tigre pour la sauver, protesta-t-elle.

– Tu as trop essayé, Cory.

– Ou pas assez.

– Ça, c'est une autre histoire...

– Alors ne dit pas que ce qui s'est passé là-haut est dû à la mort de Danny.

– Il ne s'agit pas de déterminer les responsabilités, Cory, mais simplement de reconnaître que tu t'es fourvoyée et que tu as laissé tes émotions prendre le pas sur ton bon sens.

– Une jeune femme en parfaite santé s'est réveillée dans son lit pour se faire assassiner.

– Ça n'est jamais facile de perdre un patient.

– Il ne s'agit pas seulement de perdre un patient, mais de voir une vie complètement gâchée...

– C'est le cas de toutes les blessures par balles qui atterrissent ici, des enfants qu'on nous amène avec des fémurs cassés, et de pratiquement tous ceux qui passent les portes de ce service.

– Je n'arrive plus à émettre le moindre jugement de valeur, dit Coriandre d'un ton las.

– Alors essaye au moins d'accepter les choses telles qu'elles sont et ne te mets pas en tête de vouloir changer ce qui ne peut l'être.

Les yeux de Coriandre se remplirent de larmes.

– Avant, je savais quand il fallait abandonner la lutte. Tu t'en souviens, Lottie, je voyais très bien quand il devenait inutile d'insister... Maintenant, je n'arrive plus à faire la différence...

Elle se passa la main sur le visage pour chasser le chagrin.

– Il est mort, Cory, et tu dois faire ton deuil.

– Les gens font leur deuil et pleurent sur un corps, c'est pour cette raison que le monde civilisé a inventé les enterrements. (Elle regarda Lottie à travers ses larmes.) Moi, je n'ai rien. Rien que des doutes...

– C'est peut-être toi qui les fabrique.

– Non, Lottie, je n'ai qu'une urne remplie de cendres qui ne sont même pas celles de Danny.

Lottie lui prit la main.

– Qu'est-ce que je peux faire. Je veux t'aider et je déteste les gens qui disent ça, mais je voudrais vraiment pouvoir faire quelque chose.

Coriandre ne répondit pas. Elle resta immobile un moment, les yeux rivés à une large fissure qui s'ouvrait dans le mur près de son bureau. Ravalant ses larmes, elle changea de sujet.

– C'est comment, dehors ?

– Comme le rayon lingerie chez Bloomingdale, impossible de dire à quoi va ressembler le prochain client.

Mieux valait parler de morts incertaines.

– C'était fou la nuit dernière, non ?

– Viens que je te présente mes quatre nouvelles fractures et tu verras à quel point c'est dingue ce matin.

– J'étais où quand elles sont arrivées ?

– En chirurgie...

– Encore un accident de la route ?

– Trois voitures, et les infirmiers nous les ont tous amenés. Ils ont dû se dire que c'était notre semaine de rabais sur les plâtres, fit Lottie en se frottant les yeux.

La jeune femme s'apprêtait à répondre lorsque le téléphone sonna. Les deux amies se regardèrent tandis que Coriandre décrochait. Elle fit signe à Lottie de rester. C'était Jorge et il alla droit au fait. Normalement, il ne l'aurait pas appelée à l'hôpital mais il avait essayé de la joindre chez elle toute la nuit sans succès et il craignait de ne pas pouvoir lui parler avant de repartir au *Mexique* pour *affaires*. *Le Mexique ? Pour affaires ?* Les problèmes à la banque l'avaient retenu à New York. Il semblait que Danny lui avait laissé de l'argent au cas où il lui arriverait quelque chose.

De l'argent ? Elle répéta le mot, se rendant compte que Lottie ne la quittait pas des yeux. Tout avait été prévu, mais cette somme n'apparaissait dans aucun testament puisque Danny n'en avait pas fait, ce qui ne l'avait pas empêché d'être conscient de ses obligations... *Obligations* – depuis quand était-elle une obligation ? Apparemment, Danny lui avait laissé un million de dollars en liquide, ce qui signifiait que cette somme n'était pas imposable. Rien de surprenant à ça puisque Danny désapprouvait la notion de contrôle gouvernemental, la paperasserie et la bureaucratie, ce qui expliquait l'incinération précipitée.

Une telle arrogance... En fait, *surprenant* n'était pas le mot qu'elle aurait choisi pour décrire l'effet que lui fit la nouvelle. Choquant aurait été plus exact, d'autant que Danny n'avait jamais parlé d'argent ni de testament avec elle... Un million de dollars, elle répéta les mots à haute voix avant de poser un million de questions. D'où venait cet argent, où se trouvait-il actuellement, où Danny l'avait-il gardé et depuis combien de temps, qu'était-elle censée en faire et pour quelle raison se trouvait-il entre les mains de Jorge ? Toute cette histoire était ahurissante. Jorge lui affirma qu'il reprendrait contact avec elle dans quelques jours avant de repartir pour le Mexique, ou dans quelques semaines, à son retour.

Coriandre raccrocha et se tourna vers Lottie.

– C'était mon beau-frère.

Abasourdie, Lottie ne put que répéter :

– Un million de dollars...

Coriandre était très pâle.

– Danny m'aurait laissé cette somme en liquide. Tu peux croire une chose pareille ?

– Et toi ?

– Pourquoi Jorge se donnerait-il la peine de monter un mensonge aussi énorme ?

– Je n'en sais rien, pourquoi ferait-il ça ?

– Ça n'a pas de sens.

– En tout cas, si c'est vrai, tu peux te permettre de garder l'appartement.

– Si c'est vrai, je peux me permettre de déménager sans m'endetter davantage. Tu ne t'imagines pas le nombre de factures impayées qui ne cessent d'arriver depuis que tout ça a commencé...

– Incroyable, fit encore Lottie qui ne s'était toujours pas remise. Un million de dollars...

Coriandre regarda son amie.

– Je n'arrive pas à comprendre comment et pourquoi Danny a pu penser à faire une chose pareille...

Lottie se leva.

– Je ne peux toujours pas y croire.

– Moi non plus.

– Qu'est-ce que tu vas faire ?

Coriandre secoua la tête.

– Il faut déjà que je digère la nouvelle avant de commencer à savoir ce qu'il faut en penser, ou en dire. Alors pour ce qui est de faire... (Elle regarda sa montre. Il était trois heures passées.) Tu es de garde jusqu'à quelle heure ?

– Six heures.

222

– Vas-y, ne m'attends pas, je te rejoins dans une minute. J'ai un coup de fil à passer.

La main sur la poignée, Lottie murmura encore une fois :

– Un million de dollars...

Quand la porte se fut refermée derrière elle, Coriandre décrocha le combiné et appela Adam. Elle eut d'abord une standardiste, puis une secrétaire, enfin son correspondant qui lui demanda d'une voix inquiète :

– Que s'est-il passé ?

– Qu'est-ce qui vous fait penser..., fit-elle.

– C'est trop tôt pour que vous m'appeliez sans raison.

– Quelque chose de très étrange, commença-t-elle avant de se raviser. Est-ce que je peux passer vous voir à votre bureau ou vous retrouver quelque part ?

– Bien entendu, quand vous voulez.

– Je risque de finir un peu tard ce soir donc il vaudrait mieux que ce soit demain.

– Je vais m'inquiéter si vous ne me donnez pas une idée de ce dont il s'agit.

Elle n'hésita qu'une seconde.

– Vous vous rappelez que vous m'avez demandé au Mexique quel bénéfice je pouvais espérer tirer de la mort de mon mari ?

– Oui, et vous m'avez répondu que vous n'en aviez jamais discuté.

– Eh bien, j'avais tort.

– Vous voulez dire qu'en fait, vous en aviez parlé ?

– Non, je veux dire qu'apparemment, mon mari en a parlé, parce qu'il a pris certaines dispositions.

Adam ne broncha pas.

– Combien ?

– Un million de dollars, fit-elle. Cash. Le jackpot.

– Comment l'avez vous appris? demanda-t-il, réfrénant son excitation.

– C'est la raison pour laquelle je préfère vous en parler de vive voix plutôt qu'au téléphone.

– Voulez-vous dîner avec moi ce soir?

– Avec joie.

– Je passe vous prendre.

– Ça ne vous ennuie vraiment pas de revenir jusqu'ici?

– Dites-moi simplement à quelle heure vous terminez.

– Vers neuf heures.

– Vous avez votre voiture?

– Oui.

– Alors je viendrai sans la mienne. Nous rentrerons à Manhattan ensemble.

– D'accord, dit-elle avant d'ajouter : Et merci, Adam.

Coriandre raccrocha. Elle repensa brièvement à cette conversation tout en passant son stéthoscope à son cou, glissa sa petite lampe électrique et plusieurs stylos dans la poche de poitrine de sa blouse, épingla au revers le badge qui portait son nom et se dirigea vers la salle de triage pour le prochain round. Dîner. Petit déjeuner. Ça pouvait signifier tout et n'importe quoi. A elle de décider. Après tout, il était enquêteur spécial du bureau du District Attorney, et elle était la femme de l'homme sur lequel il menait son enquête. Ou sa veuve...

Adam resta songeur un instant. Il s'échinait à prouver que son mari était en vie, ce qui, d'un point de vue personnel, compliquait encore une situation déjà inextricable. Toute cette affaire lui semblait totalement confuse. Seuls certains de ses sentiments lui apparaissaient parfaitement limpides et ils ne concernaient qu'elle. Il imaginait ce qui se passerait ce soir...

Ils ne quitteraient pas l'hôpital avant neuf heures et demie ; il serait dix heures trente quand ils arriveraient de l'autre côté du pont de Brooklyn, ils se trouveraient alors tout près de Chinatown où ils finiraient sans doute par aller dîner, dans un de ces petits bouges exigus et bondés. Un million de dollars en liquide. Ces mots résonnaient dans sa tête. A n'en pas douter, cet argent avait un rapport avec les chèques sans provision de Fernando Stampa. Tout était tellement évident dans cette histoire que les preuves en devenaient presque inutiles.

Adam n'avait pas dit à Coriandre que son père l'avait appelé de Washington la veille pour lui demander un rendez-vous. Dans un peu moins d'une heure, Palmer Wyatt serait dans son bureau. L'ex-ambassadeur avait assuré Adam que Coriandre était au courant de son passage à New York, d'où il devait repartir pour Buenos Aires. Il lui avait néanmoins demandé de ne pas parler de cette visite à sa fille. Apparemment, Wyatt voulait lui apprendre certaines choses qui pourraient faire avancer l'enquête mais risquaient également d'ajouter au malheur de sa fille. Il était inutile, avait-il précisé, de susciter des doutes et des chagrins supplémentaires. Adam avait accepté de garder l'entrevue confidentielle – du moins pour le moment – puisqu'il avait eu l'intention de soumettre Wyatt à un interrogatoire serré avant qu'il ne quitte le pays.

Tout en attendant le père, il s'efforça de ne pas penser à la fille.

Chapitre treize

Palmer Wyatt entra dans le bureau d'Adam, l'air reposé, en forme, bronzé. Il portait un pantalon kaki, une chemise bleu clair et une veste de lin marine comme d'autres portent le smoking.

— Je vous remercie de prendre le temps de me recevoir, dit-il en serrant la main d'Adam.

— Et je suis heureux que nous ayons une chance de bavarder avant votre départ, répondit Adam en l'invitant d'un geste à prendre place sur le divan. Puis-je vous offrir du café ?

— Juste un peu d'eau, merci, fit Palmer en jetant un coup d'œil à la pièce encombrée de meubles et de dossiers avant de s'asseoir.

Puis il alla droit au but.

— J'espère que vous avez l'intention de tenir votre promesse, monsieur Singer, et que vous ne parlerez pas de cette entrevue à ma fille.

Adam posa deux verres et les deux bouteilles de Perrier, qu'il avait sorties de son réfrigérateur, sur une table à café et s'installa sur une chaise en face de Palmer...

— Je préférerais que vous me laissiez juge de cette décision...

— Elle a assez souffert...

227

– Elle est aussi plus forte que vous ne le croyez.

– Je pense connaître ma fille aussi bien que vous, monsieur Singer et j'estime qu'elle a suffisamment de soucis pour le moment sans avoir à revenir sur le passé...

– Que diriez-vous si je vous promettais de ne rien faire avant de vous en parler ?

Wyatt acquiesça.

– J'aime ma fille, reprit-il, et je me trouve dans une position très délicate. Notez bien que ce n'est pas la première fois que ma fille et son mari me placent dans ce genre de situation.

– Et si vous commenciez par le commencement ?

Palmer se renfonça dans son siège.

– Coriandre, et le désir que j'avais de la protéger, a été l'une des raisons pour lesquelles j'ai tenté de conserver de bonnes relations avec la Junte lorsque j'étais ambassadeur. Il semble que j'ai échoué dans tout ce que j'ai essayé de faire pour elle, mais l'Argentine vivait des temps bien difficiles...

– Ce qui m'étonne le plus, c'est que vous soyez parvenu à conserver votre poste quand nous avons changé de président.

– J'ai tout fait pour me rendre indispensable, si tant est que la chose soit possible dans un gouvernement. J'ai inondé Washington de rapports démontrant que mon remplacement aurait été préjudiciable aux relations unissant les Etats-Unis et la Junte. Vous comprenez, de cette façon, j'ai au moins pu maintenir le dialogue.

– Alors, ce n'était pas uniquement à cause de Coriandre que vous vouliez rester...

– La situation était très étrange.

– C'est-à-dire ?

– Tant que je restais ambassadeur, Coriandre était en sécurité, et même si je n'aimais pas beaucoup Danny, il la protégeait des Montoneros, et de leurs perpétuelles menaces de kidnapping.

– Vous aviez peur que votre fille ne s'implique dans les activités de Vidal ?

– J'aurais craint cette éventualité même s'il n'y avait rien eu entre eux. La plupart des jeunes étaient prêts à tout pour combattre la Junte, dans ces années-là. Pour ce qui me concernait directement, les Montoneros étaient très inquiétants, parce qu'ils avaient besoin d'argent et qu'ils auraient fait n'importe quoi, n'importe quelle action spectaculaire, pour obtenir des liquidités ou un peu de publicité.

– Etait-ce ce côté spectaculaire qui avait attiré Coriandre ? demanda Adam. Cette question le tracassait depuis un moment...

– Danny était plus âgé qu'elle et très séduisant, vous savez sans doute qu'il était son professeur, et il faisait figure de héros au sein du mouvement. Comparé à lui, les jeunes de l'âge de Coriandre apparaissaient comme autant de gamins. C'était un homme qui ne se contentait pas de dire qu'il fallait se débarrasser de ces monstres, mais qui agissait en conséquence.

– Si je vous suis bien, vous ne désapprouviez pas son action.

Palmer esquissa un léger sourire.

– Rien n'est tout noir ni tout blanc en matière de diplomatie... En revanche, je désapprouvais ses méthodes.

– La violence ?

– Je vivais dans la crainte qu'on ne décide de l'assassiner pendant que Coriandre était avec lui et qu'elle ne soit involontairement tuée, dit Palmer.

– Et aujourd'hui, que redoutez-vous ?

– Ce n'est pas la peur qui m'amène ici. Je voulais vous voir parce que je possède des informations sur Danny Vidal qui pourraient vous aider. Voyez-vous, monsieur Singer, cet homme est un meurtrier...

– Nous en revenons à la théorie de la bombe dans l'avion...

– C'est une autre histoire. Je vous parle d'un meurtre qu'il a commis en Argentine.

– Compte tenu de ses activités à cette époque, il a dû en commettre plus d'un.

– Je veux parler d'un meurtre spécifique. (Wyatt s'interrompit un instant puis reprit :) Danny Vidal a assassiné le consul honoraire des Etats-Unis à Cordoba. Il occupait ce poste depuis sa première nomination en Argentine en 1955 et il était également mon mentor.

Wyatt s'empara d'une enveloppe de papier bulle qu'il avait déposée près de lui sur le divan en entrant. Il la tendit à Adam qui l'ouvrit. Il en retira un document de la Cour Suprême frappé au coin supérieur gauche du sceau officiel des Etats-Unis. Sans dire un mot, il se mit à lire. Il s'agissait d'un mandat établi par la Cour Suprême des Etats-Unis et réclamant l'extradition de plusieurs membres des Montoneros qui résidaient à Buenos Aires. Les charges retenues contre eux étaient le rapt et le meurtre de Matthew Johnson, consul honoraire des Etats-Unis à Cordoba. Adam jeta un coup d'œil à Wyatt avant de tourner la page pour lire le détail des accusations.

Le 12 novembre 1977, les hommes en question avaient fait irruption dans le bureau de Johnson et l'avait emmené, laissant derrière eux des slogans anti-américains bombés sur les murs, avant d'embarquer leur victime dans une Peugeot 303 qui attendait devant le bâtiment. Plus tard ce jour-là, un « rapport de guerre » émanant des Montoneros accusait Johnson d'être le « représentant direct des intérêts yankees dans notre province ».

Johnson avait été condamné à être fusillé mais les Montoneros précisaient dans un communiqué additionnel que cette sentence serait commuée si la Junte prouvait, avant le 13 novembre à dix-neuf heures, que cinq Montoneros portés « disparus » étaient toujours vivants. Adam parcourut la suite du dossier et leva encore une fois les yeux vers Palmer avant de lire le dernier document. C'était la copie d'une lettre manuscrite envoyée par Johnson à l'ambassadeur des Etats-Unis à Buenos Aires.

Cher Palmer,

Je sais que tu as le pouvoir de forcer le gouvernement argentin à accéder aux demandes des Montoneros. Si ces cinq membres du groupe ne sont pas morts, je t'en prie, use de toute ton influence pour qu'ils soient libérés à l'heure dite.

Adam regarda Wyatt.

— L'avez-vous fait ?

— J'avais les mains liées, répondit Palmer d'une voix calme. Je ne pouvais pas bouger. Si j'avais réagi à cette lettre, j'aurais discrédité la Junte en la faisant passer pour un pouvoir fantoche à la solde des Etats-Unis. Vous comprenez aisément que je craignais, plus que tout, de contrarier les généraux argentins qui auraient pu se retourner contre ma fille.

— Mais Danny Vidal n'est pas cité dans ce mandat...

— Non, parce que le gouvernement savait qu'il avait plus de chances de récupérer les deux autres Montoneros qui avaient participé au meurtre. Quand la police a fini par découvrir la vérité, Danny était déjà parti pour Cuba. Mais c'est lui qui a tiré la balle dans la tête de Johnson.

– Comment le savez-vous ?

– Parce qu'il en a parlé après l'avoir fait.

– A qui ?

– A un homme nommé MacKinley Swayze.

Adam avait du mal à suivre.

– Il y a deux choses que je ne comprends pas, dit-il. Tout d'abord, qui est ce MacKinley Swayze et ensuite, comment avez-vous pu entendre leur conversation ?

Wyatt soupira.

– La Junte avait fait poser des micros dans l'une des planques des Montoneros, une maison à La Boca, ainsi que dans le bureau de Danny à l'université de Cordoba. Si j'ai pu entendre cet entretien, c'est parce que j'étais en contact avec les généraux qui me transmettaient des copies de toutes les bandes concernant Coriandre. (Une expression de souffrance passa sur son visage.) C'était une sale affaire, étant donné que la bande sur laquelle il parlait de l'assassinat de Matthew Johnson comprenait également certaines choses que je n'aurais jamais dû entendre...

– Que voulez-vous dire ?

Wyatt soupira de plus belle.

– De toute évidence, ma fille était amoureuse de cet homme et avait une liaison avec lui. Le savoir était une chose, l'entendre en était une autre. La nuit où Danny a mentionné le meurtre de Johnson, il se trouvait à La Boca. C'était également la nuit où un ami de Coriandre a été arrêté par la police secrète alors qu'ils sortaient tous deux d'un club à Buenos Aires. Elle s'est précipitée à la maison de La Boca pour aller chercher Danny, puis ils sont venus à l'ambassade. Ils voulaient que je fasse libérer le garçon.

232

– Hernando...

– Elle vous en a parlé ?

– Elle se sent encore coupable.

– Je n'ai rien pu faire...

– Coriandre était-elle au courant du meurtre de Matthew Johnson ?

– C'était dans tous les journaux, et bien entendu, elle n'ignorait pas que Johnson était un ami très proche.

– Savait-elle que c'était Danny qui l'avait tué ?

– Pas à ma connaissance, en tout cas la bande ne contenait rien qui ait pu le laisser entendre.

– Cette bande est toujours en votre possession ? demanda prudemment Adam.

Sans un mot, Wyatt plongea la main dans la pochette de sa veste et en tira une cassette. Il la garda un moment dans sa main avant de la tendre à Adam.

– Tout est là.

Ils parlèrent encore de l'époque où la Junte dirigeait l'Argentine. Adam s'était déjà fait une idée du climat qui régnait en ce temps-là, mais il ne dédaignait pas d'entendre un autre point de vue sur la question. Lorsque Palmer se tut, Adam déclara :

– Revenons à ce Swayze.

– MacKinley Swayze faisait partie des leaders des Montoneros. Il était très proche de Castro à l'époque, et l'est encore aujourd'hui. C'est lui qui a enrôlé Danny, lui encore qui a propulsé Vidal à la tête du Credito de la Plata à Buenos Aires, lui enfin qui a mis sur pied toute l'opération, Swayze s'est enfui à Cuba avec Danny.

– Vous croyez qu'il est toujours en cheville avec Danny aujourd'hui, ou qu'il a quelque chose à voir avec l'argent détourné à l'Inter Federated ?

– Je sais que c'est pure conjecture de ma part, mais c'est effectivement ce que je pense.

– Quels seraient ses motifs puisque la Junte ne dirige plus l'Argentine et que le communisme est devenu un archaïsme ?

– N'oubliez pas que Swayze est un ami de Fidel et que le communisme est toujours en vigueur à Cuba. Mais qui sait si toute cette histoire a quelque chose à voir avec la politique ? Après tout, cinquante millions de dollars suffiraient à faire oublier idéalisme et révolution à n'importe qui. (Palmer but une gorgée d'eau.) Et puis, un détail ne cesse de me revenir en mémoire...

– Lequel ?

– Il se trouve que Swayze est un expert en explosif. On sait qu'il a fait sauter des avions en y posant des bombes à altimètre.

– Monsieur l'Ambassadeur, voilà probablement l'information la plus pertinente que vous m'ayez fournie jusqu'à présent. (Adam sourit.) Parlez-moi encore de Swayze.

Palmer lui tendit plusieurs rapports du FBI et du ministère de la Justice, ainsi que des photos de l'aventurier qui avaient été prises au fil des ans. Il parla brièvement des activités de Swayze au Vietnam et de son expérience des bombes à altimètre.

Adam possédait à présent une assise concrète qui pourrait venir étayer toutes les rumeurs et les hypothèses. Il examina les photos et le visage de cet homme chauve aux yeux noirs et brillants lui parut vaguement familier. Il ne lui fallut pas plus de quelques minutes pour comprendre que Swayze correspondait au signalement de l'homme dont lui avait parlé Lukinbill, celui qui avait racheté les morceaux de la boîte noire sur le lieu du crash. Adam décida de n'en rien dire pour le moment.

– Avez-vous eu connaissance du rapport d'accident fourni par le gouvernement mexicain ? demanda-t-il.

D'un geste de la main, Palmer écarta la question.

– Il est à peu près aussi crédible qu'une promesse électorale. Quelqu'un a été acheté.

– Vous ne savez pas qui, n'est-ce pas ?

– Si je menais cette enquête, j'irais avant tout fouiner là où le Falcon à été repéré pour la dernière fois, en l'occurrence à l'aéroport d'Acapulco.

C'était exactement ce que les hommes d'Adam étaient en train de faire. Les choses allaient être encore plus faciles à présent qu'ils avaient une photo.

– Si vous dites vrai, Danny pourrait donc être directement responsable de la mort des deux pilotes.

– Et de celui, quel qu'il soit, qui occupait le troisième bac, ajouta Palmer avec perspicacité.

– J'y ai déjà pensé, affirma Adam.

– Quelqu'un était au volant de ce camion et lui a fait quitter la route.

– Oui, ou bien quelqu'un l'a aidé à tomber dans ce ravin.

– Je ne peux m'empêcher de penser que Danny est impliqué dans cette histoire...

Une chose tracassait Adam.

– Savez-vous que votre fille attend un enfant de lui ?

– Bien sûr, je suis au courant, répondit Wyatt avec le plus grand calme.

– Et ça ne change rien pour vous ?

Palmer choisit ses mots avec beaucoup de précaution.

– Il y a quelque chose de très réconfortant dans votre confession, monsieur Singer, commença-t-il. Un enfant reçoit automatiquement la religion de sa mère, parce que, n'est-ce pas, on ne peut jamais avoir de doute sur la véritable génitrice...

Adam songea à lui demander comment il savait, mais décida qu'il avait des problèmes plus importants à résoudre pour le moment.

— Vous laissez entendre que Vidal n'est pas le père ?

— Pas du tout, ce que je veux dire, c'est que ce bébé appartient à ma fille. C'est son enfant, mon petit-fils ou ma petite-fille, et le reste n'a pas d'importance.

Les deux hommes continuèrent à parler de Swayze et de ses activités passées au sein des Montoneros, de l'engouement de Coriandre pour Danny, de l'affaire en général. Puis Palmer annonça qu'il avait un autre rendez-vous. Ils promirent de rester en contact, se levèrent et se dirigèrent vers la porte. Au moment de sortir, l'ex-ambassadeur précisa :

— Quoi qu'il arrive, affirma-t-il d'une voix douce, je veux que vous compreniez que ce bébé est un présent, un nouveau départ pour nous tous.

Lorsqu'il fut parti, Adam s'assit à son bureau et tenta de se concentrer sur les papiers, photos et documents que Palmer lui avait laissés. Mais il était distrait. Son esprit ne cessait de revenir à Coriandre, à Danny, à la situation étrange dans laquelle ils se trouvaient. Les dernières paroles de Palmer résonnaient à son oreille, et il comprit que, plus que tout, il désirait être celui qui offrirait ce *nouveau départ* à la mère et à l'enfant.

Chapitre quatorze

Le camion-épicerie était garé au bord de l'allée qui menait à la salle des urgences et comme d'habitude, les gens faisaient la queue pour acheter des piles, des barres de chocolat, des sandwiches ou du café.

Le taxi roula jusqu'au bout de la rampe et s'arrêta devant le panneau qui annonçait BROOKLYN GENERAL-URGENCES. Pendant qu'Adam fouillait ses poches pour trouver de la monnaie, le chauffeur bavassait.

— Faut être dingue pour venir ici la nuit, sauf si vous êtes en train de crever, alors là c'est le meilleur plan de toute la ville, moi, c'est écrit là sur mon carnet, si je me prends une balle, emmenez-moi direct au Brooklyn General, service résurrection, parce que je veux le grand jeu, tout ce qu'ils ont au menu...

Adam esquissa un sourire en préparant un pourboire généreux.

— Vous êtes toubib? demanda le taxi.

Adam secoua la tête.

— Pas flic en tout cas, reprit l'autre. Je vois ça au pourboire.

Adam n'était pas d'humeur à lui répondre. Il ouvrit la porte, descendit de la voiture et gagna l'entrée. Il passa deux portes à ouverture automatique et se retrouva à nouveau dans la salle des urgences où flottait une odeur de désinfectant à l'essence de pin. Il n'était pas tout à fait neuf heures à la grande pendule. En traversant le service il vit que c'était une nuit chargée, mais sans cas d'une exceptionnelle gravité.

Il suivit plusieurs couloirs interminables au sol couvert d'un lino taché mais parfaitement astiqué. Même les graffitis sur les murs semblaient avoir été nettoyés. A intervalles réguliers, des gardes armés se tenaient assis sur de hauts tabourets de bois, accoudés à ce qui ressemblait à des pupitres. Adam s'étonna qu'ils ne lui prêtent aucune attention, ne lui adressent même pas un regard, ne vérifient pas son identité et ne contrôlent pas s'il portait une arme.

La multiplication du nombre des policiers lui fit comprendre qu'il approchait du service de traumatologie. Des amis, des parents ou peut-être simplement des curieux étaient adossés au mur, fumaient, buvaient du café, chuchotaient entre eux. Le panneau fixé sur une porte à double battants interdisant l'entrée à toute personne étrangère à l'équipe médicale était rédigé en anglais et en espagnol.

Ces portes étaient munies de vitres à travers lesquelles on avait vue sur le chaos : des brancards alignés sur l'aire de transit attendaient qu'on les pousse dans les salles de soins surpeuplées; le personnel médical allait et venait, des policiers en uniforme ou en civil traînaillaient, des aides soignants essayaient de calmer ceux des patients qui gardaient assez de conscience pour pleurer ou crier, un certain nombre d'infirmières hurlaient dans des téléphones pour essayer de se faire entendre malgré le vacarme ambiant.

Adam se demandait s'il devait entrer directement ou demander à quelqu'un de prévenir Coriandre de sa présence. L'apparition d'une femme en blouse de chirurgie le dispensa de trancher ce débat. Il la reconnaissait vaguement.

— Excusez-moi, je cherche le docteur Wyatt.

La femme s'arrêta.

— Vous êtes du bureau du DA ? Vous ne vous souvenez pas de moi, n'est-ce pas ?

Il prit le temps de réfléchir.

— Mais si, dit-il. Nous avons parlé quand je suis venu la dernière fois.

Il y a à peine trois semaines, pensa-t-il. Il aurait pu s'être écouler une vie.

Elle tendit la main, se présenta :

— Je suis Lottie Bruner.

Elle le précéda, lui tint la porte ouverte.

— Coriandre m'a dit que vous deviez venir. Elle est un peu en retard parce que nous avons eu deux accidents de voiture ce soir. Un conducteur épileptique a renversé trois piétons.

— Oh..., fit-il prenant conscience de la confusion qui régnait dans le service et trop impressionné pour trouver une réponse plus intelligente.

— Ne vous arrêtez pas, continuez à marcher, lui conseilla Lottie, traversant rapidement le chaos.

Il la suivit, ne pouvant s'épargner aucun détail, apercevant fugitivement la silhouette de Coriandre courbée sur une civière dans l'une des salles de soins. Ses cheveux étaient noués en queue de cheval et elle portait des lunettes.

— Vous voulez une tasse de café, lui proposa Lottie, l'entraînant dans une pièce beaucoup plus longue que large. Une machine à café et plusieurs plateaux de donuts trônaient sur une table poussée contre un mur, il y avait un réfrigérateur de l'autre côté surmonté d'un panneau de liège sur lequel étaient punaisés les menus de quelques restaurants chinois, d'une boutique de sandwiches et d'un take-away mexicain.

— Merci, répondit-il, noir.

— N'ayez pas peur de le dire si ça devient insupportable, conseilla Lottie qui était en train de remplir deux tasses de café. (Elle eut un geste vers la salle de triage.) J'imagine que ça doit être sacrément choquant quand on voit ça pour la première fois.

— Pour le moment, ça va, mais c'est vraiment incroyable.

Plus qu'incroyable, c'était surréaliste : des brancards partout, du sang sur le sol et les draps, les bandages faits à la hâte dans l'ambulance, des perfusions enfoncées dans des veines, des planches de bois supportant des cervicales brisées, des blocs de mousse glissés entre des jambes, pour soutenir les os brisés en attendant la confirmation radiologique.

— Il est inutile, je suppose, que je vous offre un donut ?

Adam en convint.

— Merci, dit-il, pour le moment, je crois que je vais m'en tenir au café.

Lottie s'assit, désignant une chaise à Adam.

— C'est difficile d'imaginer ça de votre point de vue parce que nous perdons probablement tout sens des proportions au bout d'un certain temps.

— Vous fonctionnez toujours à ce niveau d'intensité ?

— Pas toujours, mais en général, quand nous pensons avoir trouvé le rythme et nous être adaptés, il se produit quelque chose et l'enfer se déchaîne à nouveau.

Elle mordit dans un donut.

– Il y a pas mal de femmes qui travaillent ici, on dirait.

Lottie sourit.

– Peut-être parce que c'est un travail peu gratifiant. Nous les sauvons au bénéfice des gros pontes, les chirurgiens des étages supérieurs, qui les récupèrent au réveil et les accompagnent vers la guérison. La famille et les amis les attendent là-haut et remercient le dernier médecin qui les a eus en mains, ce qui veut dire qu'il ne reste rien pour nous...

– Alors pourquoi le faites-vous ?

– Parce que ça ne me laisse pas le temps de penser à autre chose.

– Et Coriandre ?

– Il faudra que vous le lui demandiez...

– Vous la connaissez depuis longtemps.

– On s'est rencontré le premier jour de notre stage de chirurgie, il y a environ huit ans, alors que nous étions toutes les deux internes.

Après tout, songea-t-il, puisqu'il s'était aventuré sur un terrain personnel, il pouvait aussi bien continuer.

– Vous avez bien connu son mari ?

– Je ne l'ai rencontré que deux fois.

– D'après ce que j'ai cru comprendre, leur union était heureuse ?

Il posait des questions, mais n'était pas sûr de vouloir entendre les réponses.

– Coriandre avait réussi à se convaincre qu'elle l'était.

– Vous voulez dire que ce n'était pas le cas ? demanda Adam d'un ton qu'il voulut désinvolte.

Lottie se pencha vers lui.

– Qu'est-ce que vous préférez que je vous dise ? Que

241

c'était un vrai macho latin qui la traitait d'une manière épouvantable ou bien qu'il était le meilleur mari du monde et qu'ils formaient le couple le plus heureux que j'aie jamais connu?

Adam fut un peu surpris par le ton irrévérencieux de la jeune femme.

– Laquelle de ces deux options est la bonne?

– Il y a un peu plus de trois ans, lorsqu'elle m'a appelée pour m'annoncer qu'elle se mariait, elle ne pouvait pas s'arrêter de pleurer. Et moi je pensais, hmmm, qu'est-ce qui se passe, pourquoi toutes ces larmes...

– Vous le lui avez demandé?

– Elle disait qu'elle était heureuse.

– Vous l'avez crue.

– Non.

– Vous le lui avez dit.

– Bien sûr que non.

– Pourquoi?

– Elle ne m'aurait pas écoutée. Elle avait des raisons pour l'épouser.

– Vous ne voulez pas me mettre sur la voie?

Il se trouva idiot de se placer encore une fois en position d'entendre des vérités douloureuses.

Lottie lui jeta un long regard.

– J'ai toujours eu l'impression qu'elle pensait que ça ne durerait pas.

– Pourquoi se lancer dans ce genre d'aventure si on ne se fait pas d'illusions sur ses chances de réussite?

– Vous plaisantez... La plupart des gens mènent leur vie sans la moindre certitude, et se marier est certainement la chose la plus incertaine qu'on puisse entreprendre. On n'a pas seulement affaire à l'inconnu mais aussi à l'imprévisible.

– J'avais l'impression que c'était plutôt une façon de renouer avec une histoire interrompue.

– Alors vous savez tout ?

– Oui, mais j'aimerais bien entendre votre point de vue.

Lottie lui répondit comme si elle récitait une leçon apprise depuis des années.

– C'est très simple, ils étaient ensemble il y a dix ans, il l'a laissée tomber, et soudain, il a réapparu à New York en la suppliant de lui permettre de revenir dans sa vie. (Elle haussa les épaules.) La revanche dont toute femme rêve.

– Il l'aimait ?

– Comment pourrais-je vous répondre.

– Il semblait heureux avec elle ?

– Les fois où je l'ai vu, il semblait surtout nerveux.

– Vous pensez qu'il est mort ?

– Je vais vous dire : j'espère qu'il est mort. Et n'allez pas croire que je le lui souhaite, bien qu'un vœu n'ait jamais tué ni guéri qui que ce soit. Mais s'il n'est pas mort et vous parveniez à le retrouver, je ne sais pas comment elle le supporterait.

– Pourquoi me répondez-vous aussi franchement ?

– Parce que vos questions sont franches.

– Ce n'est pas une raison...

– Je tiens à elle, murmura Lottie. Quant à vous, j'espère que vous cachez mieux votre jeu au tribunal.

– Ce qui signifie... ?

– Ce que vous ressentez se lit sur votre visage.

– Ce n'est peut-être que de l'inquiétude...

– Ce que je vois va bien au-delà de l'inquiétude, répliqua-t-elle. Et n'essayez pas de le nier, parce que pour tout ce qui concerne la vie des autres, je suis une experte.

243

Il était assez fin pour comprendre qu'ils se trouvaient dans une impasse où la discrétion ne pourrait qu'empêcher la jeune femme de répondre et le tact le dissuader de poser des questions.

Lottie se leva et jeta les gobelets à café dans la corbeille à papier.

– Ça vous dit de faire un tour dans le service et de nous voir jouer à Dieu ?

– Ce qui revient à voir Coriandre en pleine action ?

Lottie sourit.

– Suivez-moi, lui dit-elle, le précédant vers la salle de triage.

Coriandre paraissait tendue alors qu'elle passait d'un lit à l'autre, l'œil glacial, jetant des ordres à son équipe, s'occupant des patients, oscillant d'un calme terrifiant à la plus pure sauvagerie. Elle venait de finir d'examiner les piétons qui s'étaient fait renverser par le chauffard épileptique et travaillait déjà sur un jeune homme au regard fou lorsque Lottie et Adam arrivèrent dans le service. S'approchant assez près de Coriandre pour entendre ce qu'elle disait, ils s'efforcèrent néanmoins de ne pas entrer dans son champ de vision.

Le patient était en proie à des douleurs non spécifiées qui semblaient si insupportables qu'il s'écroula en se tordant sur le sol, fut relevé par deux infirmiers et allongé sur une table d'examen. Après avoir tenté de l'ausculter à plusieurs reprises, Coriandre finit par dire :

– Montrez-moi l'endroit où ça vous fait le plus mal.

Il désigna tout son corps.

– Dans le cou, doc, dans la gorge, ça me brûle comme si des couteaux me transperçaient la poitrine, ça m'élance jusque dans l'épaule et j'ai le crâne qui va éclater. J'en peux plus. Je suis en train de crever, doc, je sens plus ma jambe gauche, il me faut quelque chose contre la douleur...

— Ouvrez la bouche, lui intima Coriandre avant de lui inspecter la gorge à l'aide d'une petite torche électrique. Je ne vois rien.

— Tout au fond, doc, regardez bien, c'est là. J'ai l'impression d'avoir bouffé du verre. J'ai dû saigner. J'ai le goût du sang dans la bouche.

— On vous a fait un scanner et une radio du thorax. Vous refusez la prise de sang...

— J'ai mal, doc...

— Je ne vois toujours pas comment c'est arrivé.

— Au boulot, doc.

— Il dit qu'il a mangé un cookie dans lequel il y avait du verre, expliqua l'infirmière avec un regard dubitatif.

— Au boulot ?

— Je travaille à la fabrique de cookies Captain Chippo, et l'un des gâteaux était plein de verre.

Il était plus imaginatif que les autres, non seulement il avait mal, mais attribuait sa douleur à un accident du travail qui lui vaudrait des indemnités. Elle eut une intuition.

— Si vous aviez le choix, quel produit, à votre avis, calmerait cette douleur ?

Le jeune homme jeta un regard nerveux autour de lui.

— La morphine.

Elle l'aurait parié.

— Donnez-lui deux Tylenol III et une ordonnance pour six autres.

La réaction du patient était prévisible. Le temps de compter jusqu'à cinq et il explosa.

— Quel genre de docteur de merde vous êtes ? Le

245

Tylenol III, ça calmera pas ma douleur. Il me faut quelque chose de plus fort, espèce de connasse.

Elle ne se laissa pas émouvoir.

— Pour aujourd'hui, ce sera du Tylenol III. A prendre ou à laisser.

— Je t'emmerde, éructa-t-il. Toi et ton hôpital de merde. Je vais vous faire un procès, expèce de docteur de merde, t'es même pas docteur, t'es bidon...

Et ainsi de suite jusqu'à ce que la sécurité arrive. Elle les empêcha de l'embarquer tout de suite.

— Que vous preniez ou non cette ordonnance, c'est votre affaire, mais vous n'aurez rien de plus fort si vous n'acceptez pas les analyses de sang.

— Allez, pleurnicha le type, visiblement impressionné par les deux armoires à glace qui brûlaient de s'occuper de lui, soyez sympa.

— Les filles sympa ne dealent pas de drogue, lâcha-t-elle avant de s'éloigner.

— Je t'emmerde, docteur Bidon, hurla le garçon.

Coriandre s'apprêtait à rejoindre le patient suivant quand elle aperçut Adam et Lottie.

— Ça fait longtemps que vous êtes là?

— Assez pour comprendre qu'il vaut mieux éviter les cookies du Captain Chippo, répliqua Adam, remarquant qu'elle était encore plus désirable avec des cernes sous les yeux, l'air épuisé et ses lunettes sur le haut de crâne.

— Je lui ai dit qu'on était particulièrement bousculés ce soir, expliqua Lottie.

— J'ai peur d'en avoir encore pour au moins une demi-heure, s'excusa Coriandre. Ça ne vous ennuie pas?

— Pas si je peux rester avec vous.

Elle regarda Lottie.

— Qu'est-ce que tu en penses? S'il tombe dans les pommes on pourra le soigner sur place.

Coriandre esquisse un sourire.

– Vous comptez tomber dans les pommes ?

Il eut un regard circulaire.

– Pas tant que tous les lits seront occupés.

Encore un petit sourire et un regard à Lottie.

– Tu ferais bien de rentrer chez toi avant de te faire happer à nouveau.

– Je n'ai fait qu'accompagner ton visiteur.

Elle tendit la main à Adam.

– Veillez sur elle, ajouta-t-elle, désignant Coriandre qui se trouvait déjà à l'autre extrémité de la salle.

Ils échangèrent un regard.

– Merci encore, dit Adam.

Il gagna l'endroit où se tenait Coriandre, prenant soin de ne pas la gêner par sa présence. Avec un petit hochement de tête, elle désigna un brancard et décrocha la feuille médicale accrochée au cadre métallique. Une conversation était déjà en train entre l'un des internes qu'elle aimait le moins, occupé à décrire les blessures de la patiente, et un policier qui prenait des notes. Il s'agissait d'un viol. L'interne était arrogant et aimait s'adresser aux malades dans un jargon médical incompréhensible qu'il assaisonnait d'allusions sexuelles parfaitement claires quand il s'agissait de femmes.

– La victime déambulait à l'entrée de Prospect Park, expliquait-il.

Coriandre s'approcha du lit pour vérifier le cathéter qui s'enfonçait dans une veine de la main de la femme.

– Elle était consciente à son arrivée ?

– Assez pour qu'il faille l'immobiliser.

– Violente ?

– Sur la feuille, on dit *refus total de coopération*. Le policier intervint.

– Vous savez, doc, on en a trois ou quatre comme ça toutes les nuits.

– Et vous, vous devez savoir que chaque cas est différent. Il faut que je voie de quoi il retourne. (Elle se retourna vers l'interne.) Ça signifie quoi, *refus total de coopération ?*

– D'après les marques sur ses bras et les lésions qu'elle a sous la langue, c'est une toxico, et les toxicos se montrent rarement coopératifs.

– C'est en rapport avec le viol ?

– Ce qui est en rapport c'est qu'elle a une blennorragie galopante.

Elle nota quelque chose sur la feuille.

– Je ne vois pas de relation de cause à effet, docteur.

– A mon avis, la blennorragie exclue le viol.

– Si je vous comprends bien, vous pensez qu'un violeur vérifie la situation vénérienne de sa victime avant de l'attraper et que cette patiente a été épargnée parce que le test était positif ?

Le flic partit d'un grand rire tandis que l'interne devenait écarlate.

– Blennorragie égale tapineuse, tapineuse égale junkie, statistiquement nous savons à quoi nous en tenir sur le viol dans ces conditions, ce genre de personne n'a pas exactement la même définition de l'acte que nous...

Coriandre faillit éclater de rire.

– Et on appelle ça comment ? Viol tarifé ?

Voyant que l'interne s'apprêtait à lui répondre, elle se tourna vers le policier.

– Qui a parlé de viol le premier ?

– Nous l'avons trouvée inconsciente à l'entrée du parc, expliqua l'homme en uniforme. Le bas du corps dénudé et dans cet état.

Coriandre se pencha au-dessus du lit.

— Il paraît évident que quelqu'un lui a fait quelque chose contre sa volonté.

L'interne avait repris du poil de la bête.

— D'abord, elle est visiblement en état de choc à la suite d'une overdose, ce qui pourrait expliquer sa conduite irrationnelle, à moins qu'elle ne découle d'un accès de fièvre dû à la blennorragie.

— Et les contusions, les coupures, les fractures, vous expliquez ça comment ?

— Je n'y étais pas, docteur Wyatt. Et vous ? De toute manière, il n'a pas été fait mention d'un viol quand elle est arrivée.

— Depuis quand un patient en proie au délire est-il soumis à un délai pour signaler une agression sexuelle ?

— Elle était assez lucide pour refuser les analyses d'urine et de sang.

— Décidez-vous, docteur.

— Je suis décidé, elle essayait de s'éviter une inculpation pour usage de stupéfiants.

— Les résultats sont revenus du labo ?

— Pas encore.

— Alors d'où tenez-vous que cette patiente souffre d'une blennorragie et pas d'une simple inflammation pelvienne ?

L'interne rougit.

— Mon diagnostic se fonde sur l'examen que j'ai pratiqué.

— Vous avez fait une exploration gynéco ?

— Oui.

— Alors vous avez dû relever des traces physiques du viol.

— Difficile de faire la distinction entre la présence de sperme et l'infection.

– Laissez tomber le sperme et l'infection. Il s'agit d'un être humain, docteur, pas d'un paragraphe dans un manuel d'anatomie.

Il essaya de l'interrompre, mais elle continua :

– Y a-t-il, oui ou non, confirmation d'un viol ?

Elle consulta à nouveau la feuille médicale et remarqua du coin de l'œil qu'Adam s'était approché. Mais avant qu'elle ait pu se mettre à lire, l'interne était revenu à la charge.

– Ces histoires de viol prennent des proportions intolérables. Dès qu'une tapineuse arrive ici, elle jure ses grands dieux qu'elle vient d'y passer...

Coriandre l'ignora.

– Déchirure vaginale sur la grande lèvre gauche, lut-elle à haute voix. Tuméfaction du col de l'utérus, traces de pénétration forcée, contusions et écorchures sur la face interne des cuisses, abdomen et sein droit contusionnés avec brûlures de cigarette autour du mamelon gauche.

Elle releva la tête et cette fois accrocha le regard d'Adam. Elle se remit à lire.

– Pommette gauche et tempe droite tuméfiée, ce qui pourrait expliquer la dilatation des pupilles. Vous l'avez scannée pour détecter une éventuelle hémorragie cérébrale ?

L'interne secoua la tête. Les lunettes qu'elle avait mises pour lire étaient à présent dans sa main et elle les agitait en direction du lit.

– En conclusion, docteur, et du strict point de vue du diagnostic, je me moque de la drogue ou des maladies vénériennes pour ce qui concerne cette femme et la société en général.

L'interne retrouva sa voix.

– A mon avis, docteur, vous êtes en train d'en faire une question politique.

Coriandre était épuisée, impatiente et excédée.

— Lorsqu'une femme déclare qu'elle a été violée, docteur, nous la croyons jusqu'à ce que la preuve soit faite qu'elle ment, qu'il s'agisse d'une toxico, d'une prostituée voire d'une femme ou de la petite amie de l'un de nos médecins. (Elle regarda le policier.) Quand elle sera en mesure de parler, vous pourrez l'interroger, annonça-t-elle avant de répéter : je veux qu'on fasse un scanner immédiatement et qu'on la monte en médecine.

Après un bref signe de tête aux deux hommes, elle s'éloigna. Adam s'attarda encore quelques secondes avant de la rejoindre, suivi par le flic. L'interne rattrapa la jeune femme devant le desk, au moment où elle s'apprêtait à signer le registre de sortie. Il était fou de rage.

— Ce que vous venez de faire, ce n'était pas une consultation, cracha-t-il, même pas une évaluation. C'était de la castration.

Elle parut surprise.

— La castration de qui ?

— La mienne.

— Impossible, docteur, répliqua-t-elle d'un ton égal, je ne pratique pas la microchirurgie.

Adam y repensa ensuite, tandis qu'ils rejoignaient le parking où elle garait sa voiture. Lorsqu'elle lui tendit les clés et lui demanda de conduire, il se dit qu'il n'aurait pas dû venir à l'hôpital. Il aurait mieux fait de la retrouver ailleurs, à son bureau, dans la rue, dans un snack, n'importe où sauf ici, pour s'épargner de la voir sous ce jour nouveau et de se rendre compte qu'elle lui coupait littéralement le souffle.

Chapitre quinze

Adam prit le bras de Coriandre tandis qu'ils se dirigeaient à pas lents vers le garage de l'hôpital situé sous le
bâtiment.

– Puis-je vous poser une question personnelle?

– Allez-y.

– Comment faites-vous pour supporter une telle
pression tous les jours?

– Je suppose que j'y suis habituée.

– Il vous arrive d'avoir peur?

– Tout le temps.

– Comment parvenez-vous à surmonter ça?

– J'ai établi ma propre hiérarchie de la peur.

– Que voulez-vous dire?

– Quand j'étais enfant, j'avais peur de ne jamais
me faire d'amis à chaque fois que nous déménagions
et un jour, nous avons cessé de déménager et ma
mère est morte. (Elle s'interrompit.) Quand je suis
arrivée à New York, reprit-elle, j'avais peur de rater
mon internat, puis j'ai commencé à opérer, et là, j'ai
eu peur de faire une erreur et de tuer quelqu'un.
(Elle s'arrêta encore une fois.) J'ai aimé Danny durant
toutes ces années et j'ai eu peur de ne jamais parvenir à l'oublier, puis il est revenu et nous nous

sommes mariés. (Elle regarda Adam.) Et aujourd'hui...

– Vous aviez peur qu'il ne vous quitte encore une fois ?

– Je n'y pensais pas. Quand vous faites le serment de tout recommencer, vous consacrez toute votre énergie à faire marcher votre couple, vous ne vous concentrez pas sur les aspects négatifs...

– Est-il le seul homme que vous ayez aimé ?

Elle ne savait pas pourquoi, mais elle avait totalement confiance en lui.

– Le seul, répondit-elle.

– Il n'y a eu personne d'autre, même pas durant ces dix ans ?

– Ça vous paraît étrange ?

– Etrange, peut-être pas, mais certainement inhabituel.

Elle ne répondit pas et lui tendit les clés.

– Ça ne vous ennuie pas de conduire ?

Il fit le tour de la voiture, lui ouvrit la portière, attendit qu'elle soit installée avant de se glisser au volant. Ils roulèrent en silence, sortirent du parking, enfilèrent une succession de rues étroites nommées New York, Flatbush et Nostrand Avenue. Ils dépassèrent des Honda et des Chevrolet transportant des ouvriers qui quittaient leur usine ou s'y rendaient, croisèrent des Nissan maxima blanches aux vitres fumées qui firent crisser leurs pneus en se faufilant dans la circulation, et dont les occupants avaient des allures louches.

– Ceux-ci sont des dealers de moyenne envergure, commenta Coriandre. Leur espérance de vie dépasse de dix ans celle des revendeurs de haut niveau. Quatre-vingts pour cent des trafiquants atterrissent dans mon service au moins une fois dans leur vie à la suite d'une blessure par balle. Cinquante pour cent d'entre eux n'en ressortent pas...

– Vous n'avez pas peur de rouler toute seule la nuit dans ce quartier ?

– Il existe un système particulier par ici, vous apprenez à ne pas vous laisser dépasser ou à ne pas vous faire coincer.

Elle expliqua qu'il y avait d'autres comportements de survie dans ces rues où les feux de signalisation, à chaque coin de rue, constituaient un piège mortel potentiel. Il l'interrompit :

– Il faut se ménager assez d'espace pour pouvoir décamper à toute vitesse, c'est ça ?

Elle sourit.

– Il n'y a rien de pire que d'être bloqué entre deux voitures à deux heures du matin sans un solide plan d'évasion.

– Votre mari ne s'inquiétait pas de vous voir rentrer à ces heures tardives ?

– Tout le monde me pose cette question.

– Quelle est la réponse, alors ?

– Nous n'en parlions jamais.

– Voilà qui paraît étrange.

– Il n'est pas facile de plaquer sur les gens des conversations types ou des systèmes particuliers, parce que chaque relation a sa dynamique propre.

– Vous aimait-il autant que vous l'aimiez ?

Elle eut l'impression qu'on lui avait jeté un seau d'eau froide à la figure.

– Parlons d'autre chose et vous pourrez peut-être reconsidérer cette question...

– Pardonnez-moi, dit-il, se sentant stupide. Qui vous a appelé Coriandre ?

Elle continua à regarder droit devant elle tandis qu'elle parlait.

— Tout le monde me demande aussi cela, fit-elle en esquissant un pâle sourire.

— Et quelle est la réponse ?

— Ma mère était argentine. Elle voulait un nom épicé, pas un de ces prénoms typiquement Nouvelle Angleterre comme en aurait choisi mon père s'il avait été seul à décider. Mère me disait qu'elle associait toujours une couleur au gens et apparemment, je lui faisais penser au rouge. (Elle eut un petit sourire.) Peut-être aussi lui faisais-je voir rouge. (Elle laissa son regard se perdre dans le vague.) Avez-vous déjà goûté de la coriandre ?

Il répondit avec assurance mais n'était sûr de rien.

— Probablement sans le savoir.

Ils arrivèrent à la bretelle de Fort Hamilton Parkway, enfilèrent Linden et Caton, des rues nommées ainsi par leurs premiers habitants, des Juifs allemands, sans doute pour recréer l'ambiance du pays qu'ils avaient quitté.

— Parlez-moi de votre mariage, dit-elle soudain.

— Vous ne vo .lez pas plutôt que je vous raconte mon divorce ? Je vous assure que c'est beaucoup plus intéressant.

— Procédons par ordre...

— Bon, je vous ai parlé d'Eve et du type du FBI...

— Eve ? coupa-t-elle. Vous plaisantez.

— Non, mais c'est une autre histoire.

— Peut-être que j'aimerais l'entendre.

Il sourit.

— Peut-être.

Elle se pencha en avant.

— Alors qu'est-il arrivé à Eve ? (Elle s'interrompit.) Je n'arrive pas à y croire.

256

– Tout a commencé quand Eve s'est réveillée un matin, six mois avant de rencontrer le type en question. (Il eut l'air gêné.) Elle a dit qu'elle avait envie de voir d'autres gens.

– Vous auriez dû lui répondre qu'il n'y avait personne d'autre.

Il rit.

– Je l'aurais probablement fait si j'y avais pensé.

Il lui raconta comment il avait arrêté une balle, comment il avait rencontré Eve à l'hôpital, lui parla de la colère qu'il avait éprouvée quand elle l'avait quitté, bien qu'il pensât à présent que l'orgueil, et non l'amour blessé, avait été à l'origine de sa réaction. Son plus grand regret était de ne pouvoir se réveiller chaque matin auprès de son enfant.

– Fille ou garçon ?

– Une fille.

– Elle vit avec votre ex-femme ?

– Oui, et son nouveau mari, mais je m'arrange pour voir Penny aussi souvent que possible. Et vous, demanda-t-il en se tournant vers elle. Pourquoi avez-vous attendu si longtemps pour avoir un enfant ?

Si la question l'avait ébranlée, elle n'en laissa rien paraître.

– On pourrait dire que c'est une sorte d'illustration vivante de la phrase : « Le Seigneur donne et le Seigneur reprend. » Non ?

Il eut envie de lui prendre la main, cette main adorable posée entre eux sur la banquette.

– C'est une bonne chose que vous soyez proche de votre père, lâcha Adam, tâtant le terrain.

– Je ne l'avais pas vu depuis deux ans avant ces événements.

– Pourquoi ?

– Il désapprouvait mon mariage.

– Pourtant il a accouru à vos côtés...

– Le sang est plus puissant que les cendres, dit-elle d'une voix douce.

Une série de longues jetées apparut devant eux, enjambant le port pollué qui séparait New York du New Jersey.

– Mon instinct me dicte d'être totalement honnête avec vous et ce n'est pas toujours la meilleure chose à faire...

– Pour moi ou pour vous ?

Il eut envie de lui parler de la visite de son père. Mais il avait fait une promesse à Palmer Wyatt.

– Cette affaire provoque pas mal de conflits intérieurs.

– Nous avons tous des conflits avec nous-mêmes.

– Les miens interfèrent avec mon travail.

– Les miens, avec ma vie...

– Voulez-vous que nous parlions d'abord des vôtres ?

– Non, parce que si nous arrivons à résoudre les vôtres, j'ai comme l'impression que les miens s'envoleront d'eux-mêmes.

Il la regarda un instant, faillit sourire puis hocha lentement la tête.

– Il y a tant de questions que je voudrais vous poser à propos de votre mari et je me censure. Avec n'importe qui d'autre, je foncerais et je dirais tout ce qui me passerait par la tête.

– Que voulez-vous savoir, si nous étions heureux, proches, ce que vous n'avez pas arrêté de demander, à moi comme à tout le monde, depuis l'accident ?

– Par exemple...

– Peut-être étions-nous tous deux tellement préoccupés par nos carrières que nous en oubliions de parler. Peut-être aussi n'est-ce qu'une excuse et Danny n'avait-il pas la moindre intention de me raconter ce qui se passait dans sa vie.

– Coriandre, pour de nombreuses raisons, j'aimerais comprendre toute l'histoire.

– Nous pourrions parler de tout ça en dînant. (Elle sourit.) Comme ça, ça nous fera trois sur trois.

– Que voulez-vous dire ?

– A chaque fois que nous nous sommes trouvés ensemble dans un restaurant, j'ai perdu mon appétit.

– Ce doit être l'atmosphère. On fait une autre tentative ? demanda-t-il d'une voix douce.

Elle répondit :

– Absolument, mais allons quelque part près de chez moi, comme ça je pourrai mettre ma voiture au garage. Autant profiter de ce privilège tant que c'est encore possible. Il y a un petit pub qui n'est pas trop mal.

– Vous n'aimeriez pas mieux Chinatown, demanda-t-il. Un restaurant cantonais ou szu-ch'uanais ?

– Si j'ai le choix, je préfère manger esthétique.

– Plutôt qu'authentique ?

Elle lui expliqua qu'elle n'avait rien contre la cuisine chinoise du moment qu'on la mangeait dans un endroit tranquille et confortable, sans néon au plafond ni lino sur le sol, où la farce des rouleaux de printemps n'avait rien de douteux.

– Va pour l'esthétique, dit-il.

– Il y a un restaurant près de chez moi.

– Quand nous arriverons, guidez-moi jusqu'à votre garage.

Ils se dirigèrent vers l'ouest et prirent la 11e Avenue.

Quand ils approchèrent de la 23ᵉ Rue, les trottoirs s'ornèrent d'une intéressante collection féminine. Certaines des filles étaient jeunes et jolies, vêtues de dessous portés comme des vêtements, alors que d'autres étaient boursouflées et abîmées d'avoir passé trop d'années au même coin de rue.

– Leur espérance de vie est de quarante ans, donc celles qui ont l'air usé doivent avoir la trentaine.

– Comment savez-vous tout ça ?

– Avant d'entrer au Brooklyn Général, je travaillai au Roosevelt Hospital deux nuits par semaine. Certaines de ces femmes étaient mes patientes. C'était à vous briser le cœur.

– Vous ne pouvez pas sauver le monde, Coriandre.

– Non, dit-elle tristement, même pas le mien.

Ils atterrirent dans ce restaurant chinois près de chez elle. Il était sans prétention mais confortable et l'air conditionné n'y était pas poussé à fond, comme dans la plupart des endroits à New York en juillet et août, où l'on est accueilli par une bourrasque glacée qui vous fait frissonner en entrant et gonfler en sortant. C'était exactement ce dont ils avaient envie tous les deux, cantonais szu-ch'uanais et esthétique en même temps, avec des lumières tamisées, des nappes en coton et des rouleaux de printemps dont la farce n'était pas douteuse.

On les conduisit à une table d'angle qui le plaça devant un premier dilemme majeur : devaient-il s'asseoir côte à côte ou face à face ? Coriandre se glissa la première sur la banquette et empila immédiatement son sac à sa droite et ses autres paquets à sa gauche. Privé de choix, Adam s'assit en face d'elle. Installés devant un thé et des beignets apéritifs, ils se retrouvèrent à nouveau seuls.

260

– Je l'aime, déclara-t-elle sans préambule. Une phrase lancée comme un défi, une phrase qui disait : aidez-moi à surmonter la douleur, prouvez-moi qu'il est en vie, prouvez-moi qu'il est mort, sortez-moi des limbes mais n'oubliez jamais qu'il y a un fantôme entre nous ; venez par ici, allez-vous en, restez, partez, faites-moi la cour, n'essayez même pas. Elle envoyait plus de signaux de détresse qu'un navire perdu en mer.

Que pouvait-il dire ?

– Que puis-je dire ?

– Les mots ne m'empêcheront pas de l'aimer.

– Que puis-je faire ?

– Me dire ce que signifie ce million de dollars.

Ses yeux étaient magnifiques, couleur d'ambre, en amande et noyé de souffrance.

– Ça fait partie des conflits, fit-il en passant un doigt sur le rebord de sa tasse. J'ai le choix entre vous mentir ou vous dire la vérité. Que préférez-vous ?

– La vérité.

– C'est bien ce que je craignais...

Il la dévisagea avec tendresse et tenta de mettre toute la douceur du monde dans ses paroles.

– Vous vous rappelez ce que je vous ai annoncé au Mexique, que j'avais enfin un témoin prêt à témoigner contre votre mari ?

Elle hocha la tête, sans le quitter des yeux. Il ne dit rien, plongea la main dans la poche intérieure de sa veste et en tira des papiers. Toujours silencieux, il les lui tendit par-dessus la table. Les parties qu'elle devait lire étaient passées au feutre jaune. Il s'agissait de la déposition de Fernando Stampa, les paragraphes, où il parlait des cinq chèques en blanc qu'il avait signés pour un montant d'un million de dollars, racontaient comment Danny avait encaissé et converti ces chèques en liquide sans avoir la provision nécessaire sur son compte, comment il était parti avec ce million un jeudi après-midi, juste avant le week-end du 4 juillet.

Elle lut et ce fut comme si on l'avait giflée. Elle continua cependant sa lecture, lut et relut les trois pages jusqu'à la dernière ligne. Puis elle posa les documents près de son assiette et regarda Adam.

— Mon mari est vivant. (Elle était très calme.) Il savait, lorsqu'il a quitté la banque ce jour-là, qu'il ne reviendrait pas. (Un peu trop calme, peut-être.) Il a tout prévu, tout préparé, ajouta-t-elle, l'air incrédule, les lèvres entrouvertes. Il est vivant, répéta-t-elle.

— Pas nécessairement, fit Adam, tout en sachant qu'il valait mieux à présent ne pas prolonger l'incertitude.

Elle rejeta ses paroles d'un geste de la main.

— Comment pouvez-vous affirmer une telle chose alors que vous n'y croyez pas vous-même, alors que vous n'y avez jamais cru – même avant ça. (Elle prit la déposition.) Depuis le début, vous pensez qu'il est vivant.

— Si j'ai modifié mon opinion, c'est parce que je ne veux pas vous voir souffrir encore. C'est plus important pour moi que de résoudre cette affaire.

— La mort n'est pas une opinion, Adam, c'est un état.

Il déclara :

— Vous comptez énormément pour moi.

Elle répondit avec une grande douceur :

— Et pour une raison que j'ignore, je me fie à vous plus qu'à quiconque, mais ça ne change rien à la réalité.

— Il y a peut-être différents niveaux de réalité dans cette histoire.

— Pourquoi a-t-il fait une chose pareille ? demanda-t-elle, choisissant le niveau qui lui semblait le plus pertinent.

– Il a pris de gros risques pour ce million de dollars. De toute évidence, il pensait que ça comptait beaucoup pour vous.

– Alors c'est qu'il n'a jamais eu la moindre idée de ce qui comptait pour moi. (Elle le regarda.) Comment deux personnes peuvent-elles être si proches et ne rien connaître l'une de l'autre ?

– Peut-être que l'un des deux n'était pas aussi proche que l'autre pouvait le croire, répondit-il avec douceur, posant la main sur celle de Coriandre. Jorge vous a-t-il précisé quand il vous donnerait l'argent ?

Elle retira sa main.

– Il a juste annoncé qu'il reprendrait contact avec moi.

– Quand ?

– Il m'a dit qu'il partait pour le Mexique et qu'il me rappellerait avant de partir ou bien à son retour.

– Je ne veux pas l'interroger avant qu'il vous ait fait passer l'argent.

– Alors nous devrons nous revoir, ou en tout cas nous parler...

Il secoua la tête. C'était absurde. Comme s'il avait pu rester loin d'elle. Il s'en tint néanmoins au sujet.

– Avez-vous jamais rencontré un homme nommé MacKinley Swayze ?

– Non, je ne crois pas.

– Votre mari en a-t-il jamais parlé ?

– Pas que je m'en souvienne.

Adam glissa la main dans sa poche et en sortit une photo.

– Reconnaissez-vous cet homme ? demanda-t-il en lui montrant le cliché qui représentait Swayze.

Elle l'étudia un moment.

– Non, dit-elle d'une voix ferme. Je ne l'ai jamais vu. Qui est-ce ?

– C'est un des suspects dans cette affaire, répondit Adam d'un ton évasif. Votre mari vous a-t-il jamais donné des raisons de penser qu'il se servait de l'argent de l'Inter Federated à des fins politiques ?

Adam avait enfin posé la question qu'elle redoutait. Il y avait tant de choses qu'elle avait senties sans avoir le moyen de savoir si elles étaient vraies. Elle ne connaissait que le début de l'histoire, à Cordoba, quand Danny l'avait quittée pour aller à Buenos Aires. Elle comprenait les raisons qui l'avaient poussé à disparaître plutôt que de figurer au nombre des disparus enfermés dans le sous-sol de l'Ecole Navale d'Ingénieurs.

Et quand elle l'avait revu à New York, elle avait cru ce qu'il disait, que les choses avaient changé, que ce qui s'était passé en Argentine était terminé. Mais que savait-elle au juste ? Elle posa une question plutôt que de répondre à celle d'Adam.

– Me dites-vous vraiment toute la vérité ?

Ils se regardèrent en silence un long moment.

– Non, répondit finalement Adam. Et vous ?

– Non.

– Alors nous sommes à égalité.

– J'ai besoin d'air, dit-elle brusquement. Elle ramassa ses affaires et se leva. Adam ne prit même pas la peine de demander l'addition. Il sortit de sa poche quelques billets froissés – trente ou quarante dollars – et laissa l'argent sur la table. Il se leva, récupéra la déposition qu'elle avait laissée sur la nappe, rattrapa Coriandre et lui prit le bras tandis qu'ils quittaient le restaurant.

Ils marchèrent ainsi en silence. Les mots étaient inutiles car elle était devenue sourde d'avoir compris qu'elle ignorait encore tant de choses, muette à l'idée que la seule personne en qui elle avait confiance au milieu de ce désastre ne lui disait pas tout. Ce qui l'effrayait le plus, c'était de ne rien savoir et d'en connaître encore trop... Elle était couverte de sueur, frigorifiée la minute suivante, elle tremblait, luttait pour ravaler ses larmes, elle avait envie de rire pour fêter le fait que Danny soit vivant, puis se rappelait qu'il l'avait quittée sans un mot.

Elle se laissa aller contre Adam, s'efforçant de ne pas sombrer dans les méandres de son cauchemar. Ces trois cents mètres furent les plus longs de sa vie. *Avance, ma fille, si tu peux aller jusque chez toi, tu peux aller n'importe où.* Ils parvinrent enfin devant son immeuble et s'arrêtèrent. Le portier, discret, quitta son poste sur le trottoir pour rentrer dans le hall. Elle se tourna vers Adam, s'apprêta à dire quelque chose, mais il la devança :

– Voulez-vous que je vous accompagne jusqu'en haut ?

Elle eut un petit signe de tête. Il lui prit à nouveau le bras, l'entraîna dans l'immeuble, la guida jusqu'à l'ascenseur. Au quatorzième étage, ils émergèrent sur un palier privé. Les murs étaient tendus de soie et ornés d'un miroir biseauté, le sol de marbre éclairé par une lanterne en bronze. Il la libéra tandis qu'elle fouillait son sac à la recherche de ses clés. Elle ouvrit la porte et il s'écarta pour la laisser entrer.

Dans un éclair de lucidité elle se demanda s'il y avait eu des signes avant-coureurs ou si elle était passée sans avertissement d'un état parfaitement normal à cet effondrement qui la laissait pantelante dans les bras d'Adam, arrosant de ses larmes sa veste en lin. Il ne dit rien, se contenta de la tenir contre lui, et de cela elle lui sut gré. Il ne prononça aucune de ces inepties que d'autres auraient proférées pour calmer leur propre malaise.

Lorsque ses sanglots se furent calmés, et qu'elle se fut un peu écartée, sans s'arracher toutefois à son étreinte, elle revit comme dans un flash-back son existence avec Danny. Elle aurait voulu raconter toute l'histoire à Adam en quelques phrases pour s'en débarrasser; comment elle avait rencontré ce bel Argentin charmeur, courtois et cultivé et comment leur aventure n'avait été, du début à la fin, qu'une longue danse passionnée. Au lieu de quoi, elle s'éloigna de lui, et passa dans le salon où il la suivit et s'assit en face d'elle. Il la prit par surprise en lui déclarant simplement :

– Je suis amoureux de vous.

D'une part, elle avait peur, d'autre part, elle était terrifiée.

– Ça n'était pas censé arriver.

– Ce n'est peut-être qu'une de ces réalités qu'il faut affronter...

Elle ramassa une poussière invisible sur le bras de son fauteuil.

– Une réalité face à laquelle je n'arrive pas à justifier mes sentiments.

Les yeux plissés par un sourire, il lui demanda :

– De quoi parlons-nous exactement ?

Elle n'avait pas dû perdre complètement son sens de l'humour car elle sourit.

– De mes sentiments pour vous, répondit-elle d'une voix si basse qu'elle le vit tendre l'oreille.

– Pourquoi avez-vous besoin de justifier quoi que ce soit ?

– Parce que c'est mal.

– Et tomber amoureuse de Danny Vidal, vivre cet enfer, c'était bien ?

– C'est différent. Je suis mariée avec lui.

– S'il est mort vous êtes veuve, et s'il est vivant, il vaudrait mieux éviter de lui être trop marié.

– Dans les deux cas, vous auriez intérêt à vous tenir à l'écart de moi et de tout ce gâchis.

– Vous le pensez vraiment?

Voyant qu'elle ne répondait pas, il ajouta :

– Je pars pour Houston demain.

Prise d'affolement, elle demanda :

– Vous resterez absent longtemps?

Elle déchiffra sur son visage la même expression de prévenance et de bienveillance à laquelle se mêlait un soupçon de regret.

– Jusqu'à demain soir à moins que quelque chose d'inattendu ne survienne. En ce cas, je vous appellerai...

Elle était un puits de contradictions.

– Laissez-moi vous accompagner.

S'il avait moins tenu à elle, il se serait laissé tenter.

– Il vaut mieux que j'y aille seul.

– Quand saurez-vous de façon catégorique?

– Bientôt, peut-être, dit-il.

Et il s'abstint d'ajouter, peut-être jamais.

Elle vivait dans un univers flottant. Il lui fallait se poser, se calmer, attendre que se dissipe cette confusion et ce désespoir. Elle se leva en même temps que lui pour le raccompagner à la porte.

– Retrouvez mon mari, murmura-t-elle.

Il fallait du courage pour le demander, et encore plus pour le vouloir.

Adam ne se dévoila pas.

– J'essayerais.

Lorsque la porte de l'ascenseur se fut refermée, elle resta là, dans ce petit vestibule, se sentant seule et totalement dévalorisée. Elle en était revenue au point de départ, quand elle n'avait pas encore trouvé Danny, ou quand Danny ne l'avait pas encore trouvée, ce n'était plus très clair dans son esprit, pas plus que les émotions ou les motifs de leur amour. Servez-vous, c'est ma tournée pensa-t-elle en regagnant lentement sa chambre. Mais il ne restait plus grand chose à prendre.

Chapitre seize

Adam débarqua du vol régulier pour Houston au beau milieu d'un après-midi suffocant. Il tenait à la main une vieille serviette de cuir noir contenant des photographies de Danny Vidal, Jorge Vidal et Fernando Stampa découpées dans une brochure de l' Inter Federated Bank. Il avait l'intention de les montrer à l'homme de l'aérodrome privé. Il possédait également un relevé des appels passés depuis le téléphone public du hall du Houston Hobby Airport où le Falcon Dassault avait fait son escale technique la nuit de l'accident.

D'après ce document fourni par South Western Bell, plusieurs des appels de cette soirée du 3 juillet aboutissaient au numéro privé de Danny Vidal. Adam se mit à examiner les diverses hypothèses qui pouvaient expliquer ces coups de fil. Vidal était peut-être descendu de l'avion tandis qu'on remplissait les réservoirs et avait marché jusqu'au terminal pour appeler sa femme avant de retourner à bord. En ce cas, les choses devenaient claires : il était mort. Ou bien, quelqu'un d'autre aurait pu téléphoner à sa place et même monter dans un avion programmé pour s'écraser dans les collines autour d'Acapulco.

Cependant, étant donné l'existence de ce million de dollars, la probabilité la plus logique restait que Vidal était descendu de l'avion, avait gagné le terminal pour appeler sa femme avant de se fondre dans la nuit. Selon Coriandre, il y avait eu plusieurs appels interrompus sur le répondeur. La seule certitude, c'était que Houston avait été le dernier endroit des Etats-Unis, et même de la planète, où l'on avait vu ce Falcon en un seul morceau avant qu'il pénètre dans l'espace aérien mexicain. Où, pour le dire d'une autre manière, entre le moment du décollage dans le ciel texan et celui de la catastrophe, les pilotes et leur passager, quel qu'il soit, ne disposaient plus que de deux heures et quarante-cinq minutes à vivre.

Lorsque Adam appela Hobby Airport pour prendre rendez-vous avec Kit French, l'homme qui était de service cette nuit du 3 juillet, il eut l'étonnement de découvrir que ce dernier avait eu accès à certaines parties du rapport des Mexicains sur le crash. En se fondant sur la chronologie et le déroulement du plan de vol ainsi que sur des calculs personnels, il en était arrivé à la conclusion qu'il subsistait trop de zones d'ombre et de contradictions pour accepter cette version des faits. Plus il approfondissait certaines données, moins il y adhérait – mieux que ça, il n'était pas preneur.

Ce qui expliquait peut-être que le Fédération aéronautique de Washington et le Département de l'Air de Mexico aient publié un communiqué commun citant l'erreur humaine comme cause officielle de l'accident. Peu après, tous les documents avaient été classés sans autre explication. Ironie du sort, la seule enquête encore ouverte était celle qui provenait directement du bureau d'Adam et qui s'appuyait sur une citation à comparaître relevant de la justice fédérale. Récemment, on avait signalé la présence de Vidal un peu partout dans le pays.

Armés de photographies du banquier argentin, des agents du FBI s'étaient déployés sur tout le territoire américain pour explorer chaque piste et recueillir les dépositions d'une série de témoins potentiels. Malgré le caractère pittoresque de certaines de leurs histoires, ce travail s'était révélé une énorme perte de temps. Un client de la banque prétendait avoir repéré Vidal au moment où il montait dans un cabriolet Cadillac blanc à l'aéroport international de Fort Lauderdale et allait jusqu'à affirmer que lorsqu'il avait crié son nom, l'homme s'était retourné pour lui faire un geste de la main. Un autre jura qu'il avait vu Danny portant une barbe et des lunettes de soleil, en train de manger des pancakes à cinq heures du matin en compagnie de deux blondes dans un routier de nuit près de la Nouvelle-Orléans. La meilleure était celle du type qui racontait avoir croisé Danny Vidal dans la salle d'attente d'un chirurgien esthétique bien connu de Beverly Hills, le visage entouré de bandelettes. Ce témoignage avait donné lieu à une enquête serrée concluant que l'opéré en question n'était pas Vidal mais un acteur de télévision de second ordre qui servait à l'occasion de doublure à Raul Julia.

En se dirigeant vers le comptoir des locations de voitures, Adam essaya de s'imaginer les pensées, les peurs, les impressions et les regrets de Danny Vidal. Ce n'était pas un exercice particulièrement ardu. Il vivait dans la tête de cet homme depuis bien des mois. Traversant l'aéroport, il se demandait si Vidal avait foulé le même sol, le 3 juillet, s'il avait contemplé ce que lui découvrait à présent.

L'endroit pullulait de fast-foods, d'enseignes au néon, et de panneaux d'affichage, proposant aux passants pratiquement tout ce dont ils avaient besoin pour survivre. L'offre la plus visible était celle de *Dial-A-Prayer*, qui suggérait de composer le 1-900-999-Lord pour entrer en communication téléphonique directe avec le ciel. Si le problème était plutôt d'ordre sentimental, il suffisait d'appeler le 1-900-999-Love alors que la dépression trouvait son remède au 1-900-999-Help, à ne pas confondre avec le 1-900-999-Pain qui vous assurait les services immédiats d'un chiropracteur diplômé.

Des chariots électriques roulaient en chuintant sur le sol plastifié du terminal, des dames aux cheveux bleus et aux chevilles enflées étaient assises, berçant leurs petits chiens, auprès d'hommes au teint pivoine berçant leurs sacs emplis de tequila détaxée. Des affiches publicitaires couvraient les murs vantant les charmes de Juarez (Mariages et Divorces instantanés); des posters montraient de jolies squaws aux cheveux nattés et aux jupes courtes invitant les voyageurs à visiter le nouveau Palais des Congrès; d'autres placards libidineux exhibaient des blondes en bikini trop petit au bord des piscines de motels ou de clubs de remise en forme.

Mais en achetant son journal, c'était encore à Coriandre que pensait Adam, imaginant sa réaction face à tout ce qui faisait l'Amérique et qu'on ne voyait jamais à New York.

Houston Hobby Airport occupait un bâtiment sans étage en séquoia, orné d'un panneau qui annonçait : Charters, Locations, Hangars, Leçons. Après avoir garé sa voiture de location sur un emplacement libre, Adam refit le parcours de Vidal, depuis le Falcon Dassault qui avait dû être parqué à l'endroit où se trouvait à présent un petit Piper Cub. Comptant ses pas jusqu'à l'entrée du terminal, il pénétra dans le bâtiment. Dans un coin de la zone d'accueil s'étirait un long comptoir en formica équipé d'un micro et d'un téléphone; contre l'autre mur, un canapé recouvert de tweed et deux fauteuils de toile étaient disposés autour d'une table basse jonchée d'un éventail de magazines, de Penthouse à Playboy, du National Geographic au National Enquirer; des journaux d'aéronautique s'empilaient près du bord.

Poussant une autre porte, Adam entra dans un salon d'attente rutilant où flottait une odeur qu'on sent aussi dans les taxis neufs de New York.

Un homme entre deux âges, portant un jean, des bottes de cow boy et un blouson rouge se leva à son entrée. Il était grand et maigre, avec un visage grêlé et une masse de cheveux blancs. Il tenait des papiers et un tube de carton à la main. Il s'approcha d'Adam.

– Je suis Kit French, dit-il. Vous devez être l'homme du DA ?

Adam se présenta et serra la main du responsable de l'aérodrome avant de le suivre dans un coin du salon. Ils s'installèrent autour d'une table basse.

– C'est toujours aussi calme, ici ? demanda-t-il.

– C'est mort, vous voulez dire. Pratiquement plus personne ne peut s'offrir de location privée à cause des prix du carburant et de ces empaffeurs de chameaux.

Ignorant la remarque, Adam essaya de ramener la conversation aux raisons qui l'avaient conduit à Houston. Mais il ne put y parvenir avant d'avoir écouté French parler de son amitié avec Roy, le copilote qui avait péri dans le crash, et compati à son chagrin.

Adam posa enfin sa serviette sur la table, l'ouvrit et en tira une enveloppe en papier bulle. Il sortit les trois photos et les posa devant son interlocuteur. Danny Vidal, Jorge Vidal et Fernando Stampa.

– Reconnaissez-vous un de ces hommes ?

French n'hésita pas une seconde. Il désigna le cliché représentant Danny Vidal.

273

– C'est lui, c'est le type qui est descendu de l'avion.

– Et les autres?

– Non, jamais vus.

Il examina un instant la photo de l'homme qu'il avait reconnu.

– J'ai cru comprendre, reprit Adam, que vous lui avez parlé. Qui a engagé la conversation?

French désigna un arrangement de fauteuils à l'autre extrémité du salon.

– J'étais assis là-bas. Je buvais un café avec mon pote Roy quand le type m'a demandé s'il y avait des messages pour lui. Il a précisé qu'il attendait un ou deux coups de fil pour ses affaires.

– Y en avait-il?

– Non, rien du tout.

– Si j'ai toujours bien compris, vous avez déclaré à Luckinbill que vous l'aviez entendu téléphoner.

– Il est allé dans la cabine, alors je l'ai pas vraiment entendu étant donné qu'il arrêtait pas de fermer la porte. Mais je l'ai vu appeler, et quand il a poussé le battant, je l'ai entendu composer ses numéros et raccrocher. C'était plutôt silencieux dans le hall, et il faisait très chaud. L'air conditionné est au minimum quand il n'y a pas beaucoup de clients. Economie d'énergie, vous voyez ce que je veux dire, ajouta-t-il.

– Combien de temps a duré la vérification de l'appareil?

– Je dirais, environ quarante-cinq minutes.

– Que s'est-il passé ensuite?

– Par la vitre, j'ai vu que le mécano était en train de finir le plein de l'avion. Le pilote était au gogues et Roy et moi, on finissait notre café. C'est à ce moment-là que le type est sorti de la cabine et a commencé à raconter qu'il avait des problèmes de boulot à Houston.

— A-t-il dit qu'il était obligé de rester en ville?

French eut l'air un peu gêné.

— Je crois bien que j'ai insisté pour qu'ils fassent halte ici, parce que les affaires vont vraiment très mal et que j'espérais pouvoir facturer des frais de hangar. Je leur ai même fait un bon prix.

— Quand vous a-t-il annoncé sa décision?

— Il n'en a pas eu le temps parce qu'à ce moment-là, l'autre type s'est pointé, un de ses amis, je crois. Ils sont sortis tous les deux et ils ont parlé pendant un quart d'heure. J'ai eu l'impression que le second type était venu régler les problèmes de boulot du premier, un peu comme si cette visite était arrangée d'avance...

Adam prit quelques notes.

— Vous pouvez me le décrire?

— Il avait des crochets de métal à la place des mains... grand, mince, plus que mince : maigre, avec des cheveux noirs, la trentaine sans doute, c'est difficile à dire...

— Et ensuite, que s'est-il passé?

— Vous voyez ce micro, là-bas sur le comptoir? (French fit un geste vers la zone d'accueil.) Bon, il était ouvert, comme ça je peux entendre le téléphone sonner dans les haut-parleurs si je suis dans ce salon, ou même dehors. Il y a eu un appel, un autre petit appareil qui devait faire un atterrissage d'urgence et qui avait besoin de mon camion-citerne et de mon mécano. J'ai été pris par cette affaire...

— Où se trouvaient tous les autres?

— Roy était retourné dans son zinc avec le pilote, et le passager était toujours en train de parler avec ce type sur le tarmac, à mi-chemin entre l'avion et le salon.

– Combien de temps êtes-vous resté au téléphone ?

– Cinq minutes environ, mais ensuite, je n'arrivais plus à retrouver mes formulaires d'atterrissage, alors en tout, j'ai dû être occupé quinze ou vingt minutes.

– L'avion qui a atterri en urgence, vous vous rappelez de quel type il était ?

L'homme réfléchit un instant.

– Un bi moteur Cessna.

– Vous avez toujours ces formulaires ?

– Ils doivent être classés à l'aéroport central.

– Vous reconnaîtriez le pilote ?

– Je ne l'ai pas vu. Je n'ai fait que lui parler par radio.

– Qu'est-ce que vous vous rappelez à son sujet ?

– Juste qu'il parlait un mauvais anglais.

Le cœur d'Adam fit un bond dans sa poitrine.

– Latino ?

– Non. C'était pas ça. Plutôt le genre slave, un accent étranger à couper au couteau, mais pas espagnol.

– Qui est descendu de ce deuxième avion ?

– Personne.

– Et vous n'avez vu personne y embarquer ?

– Je n'ai pas vu grand-chose.

L'homme parut embarrassé.

– Que s'est-il passé quand vous êtes ressorti ?

– L'avion de Roy était déjà sur le runaway et poireautait en attendant que la tour de Houston lui donne l'autorisation de décoller.

Adam se sentait vidé, comme s'il avait traversé pas à pas ces quarante-cinq minutes d'escale avec des fers aux pieds.

– Vous avez vu le passager quelque part autour du terminal ou sur le parking ?

276

– Non, nulle part, dit French, mais à dire vrai, je ne suis pas exactement allé à sa recherche non plus, vu que je le croyais dans l'avion, sans quoi ils auraient réglé cette histoire de frais de hangar.

Adam ramassa les photos étalées sur la table.

– Vous m'avez dit que vous aviez eu accès à certaines parties du rapport... Comment avez-vous mis la main dessus ?

– La question n'est pas là. La question, c'est que ce torchon n'a aucun sens.

Le regard d'Adam se fit plus aigu.

– Que voulez-vous dire ?

– C'est un peu facile d'incriminer l'erreur humaine alors que les corps sont déjà incinérés, les certificats de décès signés et que tout le reste des preuves a disparu comme par enchantement. (Il prit le temps d'observer Adam avant de continuer.) Comme je vous l'ai dit au téléphone, je ne suis pas preneur.

Adam se pencha pour examiner ce qui ressemblait à une carte.

– Pourquoi n'essayez-vous pas de m'expliquer ? Lentement, hein ?

French opina avant de commencer :

– Laissez-moi vous montrer ce que j'ai fait. J'ai pris une carte d'aviation et j'y ai tracé une ligne qui simule le contour de la terre jusqu'à 155 miles d'Acapulco. Puis j'ai esquissé la courbe d'atterrissage qui est cette ligne en pointillé que vous voyez ici et qui ressemble à un escalier, c'est ce qui s'appelle le *code d'approche norte* ou code d'approche nord. Rien de plus, en fait qu'un schéma d'approche destiné aux pilotes qui volent aux instruments.

– Qu'est-ce qui vous fait penser qu'ils volaient aux instruments ?

277

– C'est toujours le cas la nuit, répliqua French, revenant à son graphique. Ce qui implique que les pilotes ont respecté ce code et ont fait exactement ce que l'informatique leur disait de faire, c'est-à-dire, suivre cet escalier. (Il fit courir son doigt le long d'une série de lignes pointillées.) Et cet escalier évite toutes les hauteurs. Il passe bien au-dessus des montagnes qui entourent Acapulco. (French posa la main sur l'enveloppe de papier bulle.) Alors, la transcription partielle du rapport que j'ai ici étaye ma démonstration. C'est pourquoi j'ai tracé ces graphiques.

– Me serait-il possible d'en avoir une copie ?

– Je m'en suis occupé, assura French. Vous aurez tout.

– Très bien.

French se frotta le menton.

– J'ai pensé qu'il fallait que je vous explique en premier comment marche la radio de bord. (Il s'interrompit.) A moins que vous le sachiez déjà.

– Faites comme si je ne savais rien et vous serez déjà au-dessous de la vérité, sourit Adam.

– En un mot, voilà comment ça se passe. Il y a un truc appelé *ligne de vue* dans toutes les transmissions VHF, qui signifie en gros : « Si je peux te voir, je peux te parler. » Alors, là-bas à 29 miles d'Acapulco, reprit-il, reportant son attention sur les graphiques, il y a un endroit appelé *torro intersection*. Tout avion survolant ce point a l'interdiction formelle de descendre au-dessous de 13 000 pieds.

– L'interdiction de qui ? interrompit Adam.

– De la sécurité aérienne. (Il fit tourner les graphiques de façon à ce qu'Adam puisse les voir du bon côté.) Les extraits du rapport que j'ai ici révèlent que les pilotes ont établi un contact radio avec Mexico à 14 000 pieds d'altitude, soit à 35 miles d'Acapulco, ce qui met largement l'avion en conformité avec les règles de *torro intersection*. Jusque-là, tout va bien.

La concentration étrécissait les yeux d'Adam.

– Où commence le problème ?

– Juste là, à 14 000 pieds.

– Je croyais que c'était à portée de radio.

– Normalement oui, sauf que celui qui a inventé cette petite comédie a oublié les montagnes. (Il eut un mince sourire.) Elles bloquent les transmissions de la tour émettrice.

– « Si vous ne pouvez pas le voir, vous ne pouvez pas lui parler », ironisa Adam. Et cette histoire d'erreur de pilotage ?

– Ça, c'est ce que les Mexicains aimeraient bien faire croire à tout le monde et c'est là que ça commence à dérailler salement. Le rapport établit la courbe de vol en dessous de toute ligne de vue VHF, sauf pour le dernier point de contact radio qui aurait placé l'avion à 75 miles d'Acapulco, soit à 35 000 pieds.

– Est-ce vraiment le dernier point de contact ?

– C'est discutable, mais les Mexicains prétendent que le pilote a mal lu son altimètre et s'est situé à une distance de 35 miles et à une altitude de 14 000 pieds au lieu de 75 miles et 35 000 pieds. Une sacrée erreur.

– Elle est plausible ?

– La probabilité est tellement infime qu'elle est pratiquement inexistante, dit French d'un ton catégorique.

– Pourquoi ?

L'homme se renfonça dans son fauteuil.

– Il y a un point au-dessus de Mexico appelé zone de

279

contrôle terminal, où le trafic aérien est toujours très dense. Tout vol se trouvant dans cette zone doit se signaler à la tour de contrôle toutes les quelques minutes. A ce point, le Falcon était sous la surveillance continuelle de Mexico. (A nouveau, il se pencha en avant.) Suivez-moi bien, l'avion se signale régulièrement au-dessus de Mexico jusqu'à ce qu'il ait franchi ce point. Alors il se trouve seulement à 120 miles d'Acapulco, ce qui, en temps de vol, nous donne environ vingt-cinq minutes.

Adam réfléchissait. Le puzzle était en train de se mettre en place.

– Continuez...

– Ce que les Mexicains voudraient faire croire à tout le monde, c'est qu'après s'être signalé correctement pendant tout le temps qu'il a survolé Mexico, le pilote a soudain commis cette énorme erreur. Au lieu d'annoncer qu'il se trouve à 75 miles d'Acapulco, il se prétend à 35 miles, ce qui constitue une différence d'environ huit minutes ou une erreur de près de 50 % par rapport à sa dernière position confirmée dans la zone de contrôle terminal. (French secoua lentement la tête.) Si le pilote était arrivé par l'océan, et que Mexico avait été son premier point de contrôle, j'aurais pu comprendre une erreur aussi considérable. Mais pas en se signalant toutes les cinq minutes...

– C'est une erreur de 40 miles, dit Adam d'un air songeur, les yeux fixés sur son interlocuteur.

– Impossible. Il n'aurait pas pu faire une bourde pareille. S'il n'avait pas été en phase, on l'aurait repéré bien avant, quand il volait au-dessus de Mexico. Ce qui signifie que quelqu'un a bidouillé les données.

– Combien de gens faudrait-il impliquer pour brouiller les faits dans une affaire comme celle-ci ? demanda Adam.

– Ça dépend, répondit French. Il suffirait de quelqu'un qui aurait le pouvoir de réclamer toutes les informations *après l'accident*. Ecoutez, la plupart des types dans les tours de contrôle sont débordés, il y a peu de chances pour qu'ils se souviennent d'un avion privé en particulier...

– Même s'il s'est crashé ?

– Même dans ce cas. Il faudrait qu'ils ressortent leurs données... et si celles-ci ont déjà été récupérées par un type décidé à étouffer l'affaire, ils n'ont plus aucun moyen de les retrouver.

Adam resta songeur quelques instants, puis revint au graphique.

– En ce qui concerne l'accident lui-même... un détail me chiffonne : le point d'impact, ou du moins ce que les Mexicains prétendent être le lieu de la collision. Après tout, vous ne pouvez nier la présence de ces montagnes ?

– Allez-y, où le situent-ils ?

– A 76 000 pieds, dit Adam.

– C'est-à-dire à 45 miles.

– Exact, approuva Adam. N'est-il pas possible que l'avion se soit effectivement jeté contre ses montagnes ?

French se pencha encre une fois sur le graphique.

– Regardez ça, admettons que j'accepte ce qu'affirment les Mexicains à propos des 35 miles, que je sois prêt à mettre de côté *la ligne de vue* et le fait que ces montagnes bloquent les communications, disons qu'il y a une faille sur le terrain que je n'ai pas reportée sur la carte, le pilote l'a trouvée, a réussi à plonger et à établir un contact radio...

– Et alors ? demanda Adam d'un ton prudent.

– Comment un avion peut-il établir un contact à 35 miles de sa destination puis se crasher à 45 miles ? Il

281

aurait fallu que le pilote passe son appel puis remonte son zinc dans les nuages pour aller s'écraser. (Il secoua la tête.) Impossible, cet avion était déjà en phase descendante.

C'était logique.

— A quoi pensez-vous ?

— A une explosion.

— Une bombe ?

— Bon, voilà comment je vois les choses, il est peu probable que ce soit un problème de tuyau d'alimentation étant donné que le réservoir de l'avion était pratiquement vide à ce moment-là.

— Mais pourquoi à cet endroit, insista Adam. Pourquoi quelqu'un prendrait-il le risque d'attendre jusqu'à la dernière partie du voyage pour faire sauter l'appareil ?

— Vous avez donné la réponse, dit French, c'est beaucoup plus facile d'étouffer une affaire comme celle-ci au Mexique qu'aux Etats-Unis. (Il s'interrompit.) Autre chose, vous avez mis le doigt sur le point le plus extravagant de toute cette histoire.

— C'est-à-dire ?

French esquissa un léger sourire.

— Les Mexicains ont parié sur une erreur du pilote alors que celui qui a posé la bombe a parié sur la précision du pilote.

— Vous voulez m'expliquer ça ?

— Le poseur de bombe escomptait que l'avion atteigne une altitude donnée à un endroit donné de sorte qu'il explose à 10 000 pieds exactement, à ce moment précis du vol.

— Ce qui veut dire que si pour une raison ou pour une autre, l'avion avait été obligé d'atterrir d'urgence à Mexico, la bombe aurait quand même éclaté avant, énonça Adam d'une voix lente.

– C'est ça, puisque Mexico se trouve à 7 000 pieds...

– Quel genre de bombe, à votre avis, saute ainsi à une altitude préprogrammée, demanda Adam, certain de la réponse.

– Un truc déclenché par un altimètre et une horloge qui met le feu aux explosifs.

– Et l'explosif le plus efficace ? demanda encore Adam en s'efforçant de garder un ton égal.

– Probablement du TNT.

– Ce qui explique pourquoi tous ces arbres étaient toujours debout, fit Adam, comme pour lui-même. (Il regarda French.) C'est ce qu'a dit Luckinbill, reprit-il. Si l'avion s'était écrasé au sommet de la montagne, tous les arbres auraient été brisés comme autant d'allumettes.

– Tout concourt à prouver qu'il s'agit bien d'une explosion en plein ciel, confirma l'homme d'une voix triste.

Ils restèrent tous deux silencieux un instant, perdus dans leurs pensées.

– Il faut que j'y aille, dit enfin French. J'ai un avion qui arrive dans dix minutes.

Ils se levèrent, échangèrent une poignée de main. Adam regarda l'homme enrouler son graphique et le ranger dans son tube de carton.

– Tenez, dit French. C'est pour vous, ainsi que la retranscription. J'ai des copies de tout ça...

– Merci beaucoup. On reste en contact, je vous ferai savoir quel usage nous avons pu tirer de ces informations. (Il s'interrompit.) Si vous entendez parler de quoi que ce soit, j'apprécierais que vous me contactiez.

– J'ai un conseil à vous donner, mais vous savez déjà certainement ce que je vais vous dire.

– Allez-y.

– La seule manière de prouver qu'il ne s'agit pas d'une erreur de pilotage, c'est de retrouver la boîte noire.

– Nous essayons, monsieur French. C'est notre intérêt de démolir cette théorie parce que ce à quoi nous avons affaire va bien au-delà d'un accident d'avion...

– Sale histoire, fit French. Il posa la main sur l'épaule d'Adam et ajouta : faites de votre mieux et tenez-moi au courant.

– Merci. Vous aussi.

Très sale histoire. Adam réfléchit un instant puis se dirigea vers la cabine téléphonique. Il hésita, entra, s'assit à l'intérieur, referma la porte, l'ouvrit...

Il connaissait le numéro par cœur. Il décrocha le combiné, composa le numéro, attendit que la voix électronique de l'opérateur lui demande de taper le numéro de sa carte de crédit. Il écouta le téléphone sonner à l'autre bout de la ligne – une, deux, trois fois. Puis elle décrocha. Elle paraissait essoufflée.

– Allô ?

– Pourquoi n'êtes-vous pas à l'hôpital ?

– C'est pour me demander ça que vous avez appelé ?

– Non, fit-il... J'ai appelé...

Pourquoi l'avait-il fait sinon pour entendre sa voix. C'était une manie dans cette cabine téléphonique.

– Vous êtes à Houston ? dit-elle pour meubler le silence.

– Je vais bientôt rentrer.

Rentrer. Il resta assis là, le combiné coincé entre menton et épaule, la bouche contre le haut-parleur.

– Vous n'avez pas l'air d'aller. (Il y avait une nuance d'inquiétude dans sa voix.) Que se passe-t-il ?

Il revoyait parfaitement son visage, cette petite ride entre les sourcils, sa tête penchée sur le côté. Il ferma les yeux.

– Je suis peut-être fatigué, lâcha-t-il, bien que je ne sache plus très bien si ce mot a encore un sens. Je manque de points de comparaison.

– Je me sens coupable quand vous dites ça.

Il se redressa dans la cabine, se cognant le genou contre la tablette du téléphone.

– Si quelqu'un doit se sentir coupable, c'est moi puisque je suis juif.

– Les cartons de déménagement sont arrivés aujourd'hui...

– Maintenant, je me sens vraiment coupable. Si vous attendez une journée, je viendrai vous donner un coup de main.

– Merci, mais personne ne peut m'aider pour ce que je suis en train de faire. Je range et je trie...

Toute une vie, pensa-t-elle.

Il trouvait incroyable qu'elle puisse lui manquer à ce point. Il la connaissait à peine en termes de temps et de durée, et pourtant il aurait été capable d'énumérer les moindres détails de son corps et de son visage.

– J'ai quelque chose d'intéressant à vous montrer, commença-t-il avant de parler du graphique et d'expliquer brièvement la théorie de French. (Il avait besoin de la voir, ne serait-ce que pour parler de l'affaire)...Vous travaillez demain ?

– Une demi-journée, seulement, dit-elle d'un ton léger, douze heures.

– Vous ne croyez pas que vous devriez ralentir un peu ?

– Ça me permet de rester saine d'esprit.

– En bonne santé aussi ?

– Je ne suis pas malade, Adam, je suis enceinte.

Il eut un coup au cœur. Les choses auraient pu être différentes pour tous les deux – il aurait pu aimer un peu plus la mère de son enfant et un peu moins celle de l'enfant d'un autre.

– Et si je vous appelais en rentrant ? S'il n'est pas trop tard, je pourrais peut-être passer vous voir.

– Ça peut attendre, Adam, répondit-elle avec cette même note d'inquiétude dans la voix. Vous feriez mieux de rentrer chez vous et de dormir tout votre saoul. Nous parlerons demain.

Il se rendait parfaitement compte qu'une étrange intimité s'était développée entre eux.

– Je verrai comment je me sens en rentrant, dit-il, appuyant sa tête contre le mur de la cabine. Au fait, (il venait de se souvenir d'un point important) connaissez-vous quelqu'un, ou Danny a-t-il jamais parlé d'un homme qui aurait des crochets métalliques à la place des mains...

Il l'entendit hoqueter.

– Que se passe-t-il ?

– Adam, rentrez vite, murmura-t-elle, je vous en prie.

Il se redressa sur son siège.

– Qu'est-ce-qu'il y a ? insista-t-il.

– Rentrez vite, je vous attends chez moi...

Il resta là un moment, le combiné à la main, alors qu'elle avait déjà raccroché. De quoi pouvait-il bien s'agir... Chaque jour, un événement survenait qui l'entraînait toujours plus profond dans cette affaire, lui faisant accepter l'attrait qu'elle exerçait sur lui avec un sens de l'inéluctable teinté de regret. Ce qui rendait encore les choses plus difficiles, c'est qu'aucun des coups qui lui avaient été portés n'était parvenu à la briser, rien de ce qu'elle avait vécu jusqu'ici n'avait pu réussir à éteindre cette flamme rebelle dans ses yeux. Pas encore...

TROISIEME PARTIE

... Ils avaient choisi la Patagonie pour son isolement absolu et son climat épouvantable; ils ne voulaient pas devenir riches.

En Patagonie – Bruce Chatwin

La part la plus difficile de l'amour
c'est d'être assez égoïste,
C'est d'avoir l'aveugle persévérance
De briser une existence
Juste pour son propre bien.
Quel culot cela doit demander.

Love – par Philip Larkin

Chapitre dix-sept

Des crochets métalliques à la place des mains.
Coriandre ne pouvait penser à rien d'autre tandis qu'elle
triait livres et papiers, les rangeait dans des cartons ou les
destinait à la poubelle. Une part d'elle-même réfutait la
simple possibilité qu'Hernando soit vivant, une autre
croyait fermement qu'il l'était, comme si elle l'avait vu de
ses propres yeux. Elle avait assez de finesse pour
comprendre que le fait qu'il ne soit jamais entré en
contact avec elle entre sa libération et son « suicide », ou
sa disparition, allait bien au-delà du jeune homme lui-
même et du sentiment d'amitié blessée qu'elle éprouvait à
son égard. Au-delà également de la culpabilité qu'elle ressentait en se rappelant qu'elle aurait pu sauver Hernando
en sacrifiant son propre bonheur. Tout n'en était que plus
confus puisque son mari n'était plus disparu et présumé
mort, mais plutôt mort et présumé disparu.

Elle se regarda dans le miroir en se dirigeant vers
l'entrée. Elle avait des traînées de poussière sur une joue
et au bout du nez, ses cheveux n'étaient pas attachés et
tombaient n'importe comment sur ses épaules. Elle ne
prit même pas la peine de s'essuyer le visage ni d'arranger
sa chevelure avant d'ouvrir la porte. Adam entra. Elle lui
saisit aussitôt les mains et se mit à lui expliquer :

– Je sais qui est cet homme, celui de Houston avec les crochets métalliques.

Il s'efforça de la calmer.

– Doucement...

Mais elle était trop agitée.

– J'ai la certitude, à présent, que Danny est vivant...

Il retourna ses mains et serra celles de Coriandre entre ses doigts.

– Comment le savez-vous ?

Elle continua, très énervée :

– L'homme aux prothèses métalliques, celui de l'aéroport, c'est quelqu'un qui nous était très proche en Argentine. (Elle se libéra de l'éteinte d'Adam.) Vous ne comprenez pas, c'est Hernando...

Il ne voyait pas de quoi elle parlait...

– Mon ami, celui avec qui j'étais la nuit où il a *disparu*...

– Mais Danny vous a dit qu'il était mort, qu'il s'était suicidé...

C'en était presque comique.

– Mort, pour mon mari ne signifie pas la même chose que pour la plupart des gens.

Difficile d'argumenter sur ce genre d'affirmation.

– Mais vous m'avez dit...

– Non, Adam, dit-elle en marchant de long en large, je vous ai menti... Par omission, rectifia-t-elle, je vous ai menti.

– Calmez-vous, Coriandre, et essayez de m'expliquer ça tranquillement.

– Quand j'ai retrouvé Danny à New York après toutes ces années, l'une des premières choses que je lui ai demandées c'était s'il avait eu des nouvelles d'Hernando...

– C'est à ce moment-là qu'il vous a parlé de ses mains ?

– Oui, et qu'il m'a annoncé qu'Hernando s'était suicidé peu de temps après...

– Et le corps?

– Je ne lui ai pas demandé, je n'y ai pas pensé. (Elle
était totalement bouleversée.) Nous étions devenus tellement insensibles que nous ne nous préoccupions plus des
corps...

– Et le voilà qui réapparaît à Houston.

Elle fit un pas vers lui, se retrouva dans ses bras, la
tête sur son épaule.

– Je suis si fatiguée, dit-elle.

Adam la serra contre lui.

– Je sais, murmura-t-il d'une voix apaisante. Nous
sommes tous fatigués.

Elle leva la tête vers lui.

– On devrait peut-être aller s'asseoir?

– Si on arrive à trouver un endroit où se poser dans
cette pagaille.

Elle lui demanda de l'excuser pour le désordre, lui fit
traverser l'appartement, plus pour tenter de se remettre
les idées en place que pour lui montrer ce qu'avait été sa
vie. Ils foulèrent les sols de marbre luisant, où traînaient
encore quelques tapis d'Orient, enfilèrent des couloirs
ornés d'esquisses de Piranèse et d'Ensor, pénétrèrent dans
un petit boudoir où des antiquités, certaines déjà embal-
lées dans des caisses, d'autres encore en attente, s'apprê-
taient à repartir là où elles avaient été achetées, passèrent
sous une arche gothique et arrivèrent dans un salon où les
tableaux avaient déjà été décrochés et posés sur le sol. Ils
s'installèrent près d'une rangée de fenêtres qui couvrait
un mur entier.

– Vous êtes triste de devoir quitter cet appartement?

– J'ai de nombreuses raisons d'être triste, mais celle-ci n'en est pas une.

– Quand déménagez-vous?

– Dimanche prochain.

– Si vite?

– Je ne peux pas me permettre de rester ici un mois de plus et même si je le pouvais, je ne le voudrais pas. Le dimanche est le seul jour où j'ai un peu de temps.

– Où allez-vous?

– Là d'où je viens, fit-elle d'un ton légèrement ironique.

– Buenos Aires?

Non qu'elle n'eut envisagé brièvement cette solution.

– Je retourne dans mon ancien appartement, dans le West Side, là où je vivais avant que Danny ne me trouve.

– C'est une bonne idée, vous croyez?

– Je ne sais plus. J'ai l'impression de perdre le contrôle de moi-même.

– Je pense que vous vous en tirez très bien.

Ils restèrent silencieux un moment, contemplant le paysage par les fenêtres. Partout, les lumières blanc et or de la ville étincelaient; au sud, sur une enfilade de gratte-ciel dont l'un affichait à son sommet l'heure et la température en chiffres lumineux, à l'ouest, par-delà Central Park et la masse sombre et inquiétante du Metropolitan Museum, sur *ce jardin où les enfants joueront, querida.*

– Vous voyez ce terrain de jeux là-bas? demanda-t-elle en le montrant du doigt.

Il se rapprocha d'elle.

– Oui, pourquoi?

– Jadis, j'avais placé tous mes espoirs dans ce jardin. J'avais pris l'habitude de le regarder et d'y imaginer mes enfants. Je m'inventais un emploi du temps parfaitement organisé de façon à pouvoir les y emmener tous les jours en rentrant de mon travail... (Son regard se perdit au loin.) Je croyais vraiment que je pouvais tout avoir, l'amour, la famille, la sécurité...

– Vous savez ce que je pense ?

Elle secoua la tête.

– Je pense que vous n'y avez jamais cru...

Elle regarda à nouveau le jardin.

– Peut-être... Je le voulais tellement que ça a fini par devenir vrai pour moi.

– Vos parents étaient heureux ?

– Mes parents buvaient quand ils se disputaient et se réconciliaient avec un verre.

– Toujours devant vous ?

– Assez souvent pour que je décide en grandissant que ma vie serait différente. J'étais convaincue que si je renonçais à la passion, je conserverai ma raison et puis quand j'ai rencontré Danny, j'ai cru que je pouvais tout avoir. (Elle eut un vague sourire.) La passion, la raison, et bien entendu, la culpabilité...

– Pourquoi ?

Il lui caressa tendrement la joue.

Elle se retourna vers lui, le dos contre la vitre.

– A cause du choix que mon père m'a laissé cette nuit-là, à savoir que si je quittais Danny pour rentrer à la maison, il ferait ce qu'il pourrait pour libérer Hernando.

– Vous vous êtes donc persuadé que si vous épousiez Danny, au moins, Hernando n'aurait pas souffert pour rien, c'est ça ?

– Oui, c'est ça, murmura-t-elle en lui prenant la main. Venez.

Elle l'entraîna le long d'un couloir interminable.

D'un côté du mur s'étalaient des miniatures, de l'autre, quelques primitifs sud-américains et mexicains. Elle s'arrêta devant l'agrandissement d'une photo représentant une enfant qui ne devait pas avoir plus de cinq ou six ans. Elle arborait le sourire de Coriandre et un tablier à smocks. Ses pieds étaient glissés dans des escarpins d'adultes à talons hauts et l'anse d'un sac à main encombrant était passé à son bras fin et fragile.

– C'est moi, fit Coriandre.

Il se retourna, la regarda comme pour comparer la femme et la fillette, puis revint sur la photo.

– Quel âge aviez-vous?

– La photo a été prise l'année dernière, avant toutes ces histoires. Vous trouvez que j'ai vieilli?

Il lui fut reconnaissant de ce moment d'humour et se détendit un peu.

– Vous avez le même visage, un peu plus vieux peut-être, mais je vous reconnaîtrais n'importe où. (Son regard revint sur la photo.) Vous allez avoir un bébé magnifique, Coriandre Wyatt, prédit-il.

Il y avait tant de choses qu'il ne pouvait lui dire. Parce qu'elle n'aurait pu les entendre.

– J'ai tellement désiré cet enfant...

– Encore une conséquence positive de cette situation.

– J'ai presque peur de penser ça.

– Il n'arrivera plus jamais rien de mal, dit-il d'une voix ferme.

– Danny m'avait dit ça une fois.

– Je ne suis pas Danny.

Elle ne répondit pas tout de suite, pas avant qu'il n'ait juré :

– Je suis là pour vous, Coriandre, quoi qu'il arrive, et jusqu'à ce que vous ne vouliez plus de moi.

Des paroles trop familières.

– J'ai besoin de temps.

– Je ne suis pas pressé.

Ils continuèrent leur avance dans le couloir et débouchèrent dans une pièce lambrissée qui avait été le bureau de Danny. Certaines personnes, lui dit-elle, se servaient des revolvers, mais l'arme de prédilection de son mari était le téléphone. Il l'utilisait constamment, à toute heure du jour et de la nuit, passant d'un fuseau horaire à l'autre. Elle entraîna Adam vers un long canapé modulaire de daim beige puis se dirigea vers une étagère de la bibliothèque abritant un assortiment de carafes en cristal.

– Vous voulez un verre ?

– Vous en prenez un ?

– Dans six mois environ.

– Vous me laisserez vous l'offrir ?

– Si vous n'êtes pas parti en courant à ce moment-là...

Elle se détourna, puis sans rien demander, servit un whisky sec dans un verre à cognac et retourna vers le canapé.

– Pourquoi me regardez-vous ainsi ? demanda-t-elle en lui tendant le verre.

Comment aurait-il pu lui expliquer que l'obligation de retrouver Danny Vidal éveillait en lui des sentiments contradictoires, surtout à présent qu'il avait écouté la cassette confiée par Palmer. Comment pouvait-il lui dire qu'il avait passé la moitié de la nuit à couper, sur la bande magnétique, les passages qui ne concernaient ni la politique, ni l'argent, mais uniquement l'amour. Comment aurait-il pu décrire ce qu'il avait entendu sans l'humilier – ces cris étouffés, ces murmures, ces respirations haletantes, les craquements rythmés d'un lit, une nuit de plaisir à La Boca après l'arrestation d'Hernando par la police secrète, ou un rendez-vous d'amour dans le bureau de Danny entre deux cours...

Le plus incroyable était que son père n'avait pas effacé ces passages avant de lui donner la bande. Quand Adam lui en avait demandé la raison le lendemain matin, Palmer lui avait répondu avec franchise. Il avait eu peur d'être accusé d'avoir falsifié les preuves s'il avait essayé de les supprimer. Il avait été également honnête en admettant que sa seule préoccupation était d'amener Danny Vidal devant la justice, même s'il fallait pour cela sacrifier tout le reste, y compris l'intimité de sa fille.

— Vous auriez pu laisser votre serviette dans l'entrée, fit remarquer Coriandre en voyant qu'il l'avait gardée avec lui.

— Elle contient certaines choses que je veux vous montrer.

— Ai-je quelque chose à craindre?

— Pas si vous faites appel à cette hiérarchie de la peur dont vous m'avez parlé.

— Que voulez-vous dire?

— Vous m'avez affirmé que Danny n'était pas un voleur, que vous en étiez absolument sûre, vous vous rappelez?

— Oui, au Mexique...

— A présent que vous êtes au courant pour le million de dollars, avez-vous changé d'avis?

— Qu'est-ce que ça signifie?

Il eut envie de la prendre dans ses bras.

— Est-il possible que votre mari ait fait sauter l'avion?

— Je ne peux pas me permettre de le penser.

– Dites-moi une chose, Coriandre, y a-t-il un coffre-fort dans cet appartement ou un placard qu'il aurait tenu fermé et auquel vous n'auriez pas eu accès?

Il se faisait l'effet d'être un tortionnaire. Mais elle ne broncha pas.

– Il fermait parfois la porte de son bureau à clé.

– Et ça ne vous paraissait pas étrange?

– Rien ne me paraissait jamais étrange parce qu'il avait toujours une explication logique. Il disait qu'il ne voulait pas que la femme de ménage farfouille dans ses papiers.

– Et aujourd'hui?

Elle rougit.

– Oui, aujourd'hui ça me paraît bizarre.

– Je ne suis pas en train d'essayer de vous prendre en faute.

Elle détourna les yeux.

– Et si vous vous contentiez de me raconter ce que vous avez découvert à Houston?

Au lieu de lui répondre, il se pencha pour ouvrir sa serviette et en sortit le compte rendu de l'accident et le graphique que Kit French lui avait donné. Il les étala sur la table, lui expliqua le système de communication entre la tour de contrôle et le cockpit, lui parla de la *ligne de vue* et des montagnes, ajouta qu'il était peu probable que l'appareil se soit écrasé contre un des sommets et que quelqu'un avait dû déposer une bombe à bord afin que le Falcon explose en plein ciel.

– Quelqu'un, mais pas Danny.

Elle ne voulait pas en démordre.

Malgré tout, il admirait sa loyauté.

– Je voudrais vous faire écouter une cassette.

– Le pire est encore à venir, n'est-ce pas?

Que pouvait-il répondre ? Il se tut. Elle ne le quitta pas des yeux tandis qu'il sortait de sa serviette un petit magnétophone qu'il déposa sur la table. Il la regarda, comme pour lui demander une autorisation, puis appuya sur la touche *play*. Il la vit sursauter quand la voix de Danny résonna dans la pièce. Quelques secondes d'écoute suffisaient à dissiper tous les doutes : Danny décrivait le meurtre de Matthew Johnson, comment il avait tiré une balle unique dans la tempe du consul qui était agenouillé, les mains liées derrière le dos.

Coriandre devint très pâle. Adam arrêta le magnétophone.

– Ça va ? demanda-t-il

– Continuez, s'il vous plaît, murmura-t-elle.

Adam appuya de nouveau sur la touche *play*. Danny expliquait comment, avec l'aide de plusieurs de ses compagnons, il avait enveloppé le corps dans un drapeau des Montoneros avant de le jeter par-dessus le mur de l'ambassade américaine. « Mac » fit remarquer que cette action aurait un impact inoubliable.

Coriandre et Adam se regardèrent, comprenant que Danny parlait avec l'homme qui s'appelait MacKinley Swayze. Ils l'écoutèrent affirmer que l'Argentine tout entière saurait à présent que les Montoneros étaient de retour et qu'ils ne craignaient pas de provoquer un incident diplomatique. Et cette fois-ci, ce n'était pas pour de l'argent, puisque avec la rançon du kidnapping, soixante millions de dollars, ils avaient tout ce qu'il leur fallait ; cette fois, c'était pour la cause, pour l'honneur, pour faire ravaler sa morgue à ce crétin pompeux de l'ambassade américaine, l'homme qui pensait qu'ils étaient « tout juste une bande de sauvages. »

Adam appuya sur la touche *stop*.

– Comment avez-vous eu cette bande ?

– Quelqu'un me l'a donnée.

– Qui ?

– Coriandre, ne me...

Elle l'observa quelques instants.

– Seuls les militaires auraient pu faire cet enregistrement.

– Ça n'a plus d'importance.

– Tout a son importance, protesta-t-elle, parce que brusquement, tout est devenu une question de vie ou de mort.

– Disons simplement qu'il s'agit d'une personne qui tient à vous.

Une lueur de compréhension passa dans les yeux de Coriandre.

– Ce qu'on fait par amour... (Elle le regarda.) J'aurais voulu être un peu moins aimée dans ma vie.

– Et être aimée différemment, qu'en pensez-vous ?

L'instant d'après, elle était contre lui, la tête sur son épaule. Il la prit dans ses bras et la tint serrée.

– C'est presque fini, dit-il d'une voix apaisante, le visage enfoui dans ses cheveux.

– Pas encore, murmura-t-elle.

– En tout cas, les choses ne sont plus confuses.

– Trouvez-le, murmura-t-elle encore.

– Je ne suis pas sûr d'en avoir envie, Coriandre, déclara simplement Adam.

Elle se redressa.

– Ce n'est pas une solution.

– J'ai pensé qu'il valait peut-être mieux que je laisse tomber.

Elle leva les yeux vers lui.

– Qu'est-ce que j'ai de particulier pour que les hommes me quittent dès que les choses s'enveniment.

Il sourit.

– Je ne pars pas, je propose simplement de passer l'enquête à quelqu'un de plus objectif.

– Quand on tient une affaire avec issue potentielle aussi spectaculaire, on balance l'objectivité par la fenêtre.

– Vous êtes une contradiction vivante, Coriandre Wyatt Vidal. Ou bien vous raisonnez comme une enfant, ou vous êtes la pire cynique que j'ai jamais rencontrée.

Elle garda le silence un instant.

– Sans avoir l'air d'une enfant, reprit-elle, je peux vous demander ce qui va se passer ?

– Dans l'abstrait ou dans la réalité ? biaisa-t-il.

– Les deux.

– Dans le vrai monde, nous attendons que Jorge vous donne l'argent, et dans la pure abstraction, nous attendons de voir comment vous vous sentez.

– Je me demande...

– Dites-moi une chose, coupa Adam sans prendre le temps de réfléchir, si nous ne le retrouvons jamais, vous allez passer les dix prochaines années comme vous avez passé les dix dernières ?

– Que voulez-vous dire ?

Elle le savait très bien.

– Seule, et sans vous autoriser à aimer quelqu'un d'autre.

– Il est toujours le père de mon enfant.

Argument irréfutable.

– Je vais sans doute vous paraître simpliste, mais il aurait dû s'en rappeler avant de disparaître en tuant trois innocents.

– Je n'arrive toujours pas à accepter ça...

– Quelle que soit l'issue de l'enquête, il n'aurait

jamais dû vous mettre en danger, ni vous placer dans cette position.

– Je suis une femme adulte, Adam, et je me suis mise toute seule dans cette histoire. Que je sache, il ne m'a pas braqué un revolver contre la tempe.

Pas encore, pensa-t-il. Mais il ne dit rien.

La journée avait été longue, la nuit encore plus. Leurs actes comme leur paroles étaient déjà de l'histoire ancienne. Ils avaient épuisé toute la gamme des émotions mais cela ne suffisait pas à expliquer ce qui se passa à la porte de l'appartement tandis qu'ils attendaient l'ascenseur.

Pour lui, ce fut un tournant décisif. Il lui prit doucement le menton et embrassa son visage légèrement humide à la lisière des cheveux. Un soupir discret tandis qu'il la serrait contre lui et que leurs bouches, leurs langues s'entremêlaient. La respiration d'Adam s'accéléra et elle sentit son corps dur pressé contre le sien. Il était assez grand pour qu'elle puisse disparaître entre ses bras, et Dieu sait combien elle aurait aimé ça.

– Je suis désolée, murmura-t-elle d'un ton sérieux lorsque leurs lèvres se séparèrent.

– Je vous aime, murmura-t-il tout aussi sérieusement avant de monter dans l'ascenseur.

– Pardonnez-moi, souffla-t-elle en fermant la porte de son appartement.

Chapitre dix-huit

Le seul bruit était celui du vent qui faisait claquer un portail au loin. Danny Vidal était assis sur un siège de repos en cuir noir, dans la cabane préfabriquée d'un ranch d'Ushuaia et lisait le récit de sa propre mort. Il laissait pousser sa barbe et il n'avait pas eu les cheveux aussi longs depuis des années. Vêtu d'un jean serré, de mocassins sans chaussettes, et d'un pull à col en V, il ressemblait plus à un acteur italien jouant le rôle d'un guérillero urbain qu'à un combattant de l'ombre.

Des répercussions immédiates de sa disparition, les journaux savaient beaucoup moins que ce qu'il avait prévu. La nature des spéculations sur Danny Vidal variait d'un pays à l'autre, d'un titre à l'autre. La presse à scandale annonçait qu'il s'était suicidé pour se soustraire au scandale financier qui le menaçait et qu'avait entraîné deux innocents dans la mort. Les hebdomadaires évoquaient la possibilité de son appartenance à divers services secrets, israéliens, irlandais et sud-africains. Les quotidiens sérieux plaçaient leurs papiers sous l'angle de la coïncidence bizarre qui avait voulu que le banquier soit tué à la veille de sa ruine financière.

Le *Wall Street Journal* touchait un point sensible dans une série d'articles consacrés à la chute de la banque.

Bien que Jorge Vidal eût été dans le secret de la plupart des machinations financières de son frère, aucune preuve tangible ne le liait au moindre acte délictueux. Il n'avait jamais signé un seul document bancaire, une seule autorisation de prêt, n'avait jamais siégé au sein d'aucune commission de crédit. Dans une déclaration transmise par son avocat, Jorge Vidal confirmait la thèse du journal en affirmant que ses rapports avec l'Inter Federated se limitaient aux quelques milliers d'actions qu'il en possédait, ce qui le rangeait dans la catégorie des victimes.

L'Inter Federated était fermée depuis des semaines, tous ses dossiers, archives et actifs saisis par le bureau du District Attorney, et la Commission Bancaire de l'Etat de New York. Bien que cet organisme eût garanti les dépôts en dessous de cent mille dollars, on parlait d'une reprise par Republic Exchange – ironiquement, la banque utilisée par Fernando Stampa – qui protègerait les clients sans obliger le gouvernement à avancer des fonds.

Danny s'inquiétait moins de cette possible reprise que de Fernando Stampa. Dans tous les articles parlant du scandale, l'homme était considéré avec sympathie; on le présentait comme une victime qui s'était retrouvée avec cinq chèques en bois pour un total d'un million de dollars. Et les journalistes n'omettaient jamais de rapporter les déclarations de l'enquêteur spécial du bureau du DA, l'homme dont la vigilance s'exerçait sans relâche à l'encontre de Coriandre.

Il la connaissait bien, sa Coriandre, si bien qu'il pouvait presque l'entendre affirmer qu'entre la trahison et la mort, elle choisirait la mort sans hésiter. Il ne se passait pas un jour, une heure sans qu'il pense à elle ou à leur vie ensemble. Le vent amenait dans le campement l'odeur de la terre humide et des plantes aux senteurs âcres, et il pensait à elle. Deux bœufs passaient, attelés à une charrette, et il pensait à leur vie. Les vastes pampas s'étiraient jusqu'à l'infini et il pensait avec un frisson à sa solitude, au gâchis de son existence.

Un feu brûlait dans l'âtre de pierre au-dessus duquel était accrochée une tête de sanglier dont les babines avaient été barbouillées de peinture rouge. Par l'une des fenêtres, on apercevait une palissade ocre, les arbres nus et les buissons agités par le vent mordant. Par l'autre, au loin, c'était le Canal Beagle et les côtes déchiquetées des îles Hoste, et au-delà, la passe de Murray glissant vers le détroit de Magellan et l'archipel du cap Horn, le tout pointant vers l'Antarctique. La légende prétendait que des milliers d'années auparavant, la Patagonie avait roulé d'une montagne dans un prisme de glace bleutée, s'était engloutie dans un des multiples lacs pour arriver au fond en parfaite condition.

Il la connaissait bien, sa Coriandre, si bien qu'il aurait pu prédire sa réaction face à ce million de dollars. Là encore, si ce n'avait pas été trop demander, elle aurait préféré pouvoir choisir entre la vérité et une valise bourrée de coupures flambant neuves de cent et de cinq cents dollars. Et franchement, elle aurait opté pour la vérité... En mon absence, *querida*, pour toi au cas où je disparaîtrais, une sécurité pour toi et pour l'enfant, mais surtout pas une façon de m'excuser. Tout au long des jours, il tenait avec elle des conversations imaginaires, lui racontait comment il passait le temps. C'était monotone, il ne voyait presque personne, ne sortait presque jamais, se contentait de rester assis là, à lire ou à regarder le vent.

Elle lui manquait atrocement. Son sang s'échauffait quand il pensait à elle. La Patagonie est le seul endroit au monde où l'éternité a ses territoires, où l'infini prend forme et matière. Il aimait se faire croire que ses uniques possessions étaient un couteau de chasse, un fusil, une liste de griefs et ses souvenirs d'elle. Ils avaient vécu une histoire d'amour, la différence entre une *passion cosmique* et une *aventure à la sauvette*. Et même ici, dans cet avant-poste de nulle part, l'offre ne manquait pas pour les secondes. Six fois au moins, Swayze avait mit une fille dans son lit, et à chaque fois qu'il avait été tenté de s'abandonner à l'oubli, sa réaction avait été la même. Il renvoyait la fille avec un air vaguement paternel qui semait l'inquiétude chez ses compagnons. Ils le voulaient heureux, satisfait, sans remords. Ils auraient aussi bien pu le vouloir en morceaux dans ce bac de métal, à Chilpancingo.

Danny ouvrit les yeux et regarda par la fenêtre. Swayze se tenait près d'un feu surmonté d'une grille métallique. Il s'apprêtait à jeter deux lapins dans une marmite d'eau bouillante. Sans doute rentrerait-il ensuite pour bavarder. Danny ramena son attention sur la cabane, reprit l'inventaire de ce qui resterait sa prison jusqu'à ce que la prochaine phase du plan l'envoie à La Havane.

La pièce était encombrée d'antiquités anglaises, des objets pas assez anciens pour posséder une vrai valeur, pas assez neufs pour en être totalement dépourvus. La cabane se dressait sur un ranch où l'on élevait des moutons, au milieu d'un territoire au relief varié, hautes collines, plaines, forêts, ruisseaux, et ces prairies inondées qu'on appelait *vegas*. Des chemins de gravier sillonnaient la propriété.

L'entrée de Swayze lui fit tourner la tête. Otant son anorak, l'homme se réchauffa rapidement les mains avant d'aller s'asseoir. Il alla droit au but.

– Ton frère a contacté Coriandre à propos de

l'argent. Dès l'instant où il le lui donnera, il se trouvera impliqué.

– Les billets ne sont pas marqués.

– Le type du bureau du DA attend la réapparition de ce million de dollars. Réfléchis un peu. Combien de sommes pareilles se baladent-elles dans New York?

– Lequel des deux constitue un danger?

Swayze n'hésita pas.

– Les deux, répondit-il avant d'ajouter : il y a aussi Stampa.

Danny gagna du temps.

– Qu'est-ce qu'il peut faire de plus?

Swayze secoua la tête, observant Danny comme s'il n'arrivait pas à croire à tant de naïveté.

– Tu n'as pas les idées claires. C'est lui qui apportait six cent mille dollars tous les mois à La Havane, et il est capable de déchiffrer tous les codes de tes dossiers. Tu l'as sous-estimé, ou peut-être les as-tu surestimés tous les deux lorsque tu as laissé Stampa avec cinq chèques en bois et transformé ton frère ^n convoyeur de fonds. Tu as purement et simplement exposé les deux maillons les plus faibles.

– Si Stampa parle des livraisons à La Havane, il s'implique lui-même.

– Tout le problème vient peut-être de ce que tu ne comprends pas le système judiciaire américain. (Swayze martela les mots de la phrase suivante.) Il va passer un accord.

Danny perdait patience.

– Je connais parfaitement le système américain et je n'ignore rien de ces accords. Mais même s'il en arrive là, ils attendront de lui qu'il leur dise où nous sommes, et ça, il ne peut pas.

– Il sait que tu n'es pas mort.

– Qu'est-ce que tu veux que je fasse?

– Dis à Jorge de se débarrasser de l'argent. Dis-lui de le foutre à l'eau ou de le brûler. Il n'est pas question que le DA se rende compte que tu as pris des dispositions testamentaires de dernière minute.

– Où est Jorge en ce moment?

– Quelque part entre New York et Acapulco.

– Pourquoi est-il retourné au Mexique?

– Je l'ai envoyé là-bas pour retrouver mes types quand ils sont redescendus de la montagne avec le reste de la boîte noire.

– Ils ont tout?

– L'intégralité. Tu vois, *hombre*, j'ai fait ma part du boulot.

Il attendait un compliment. Danny le lui accorda.

– C'est déjà un soulagement.

– Dis à Jorge de balancer le fric, répéta Swayze.

Comme s'il allait lui obéir...

– Si c'est ce que tu veux...

L'autre parut satisfait.

– Tu sais, Danny, reprit-il, elle n'est toujours pas convaincue de ta mort. Mais bon Dieu! je ne sais pas ce qu'elle ferait de toi si elle te retrouvait, à part te flinguer elle-même. (Il rit.) C'est comme je l'avais prévu. Cet enquêteur spécial et Coriandre sont devenus très proches.

Swayze le coinçait sur tous les plans, pratique, légal, émotionnel.

– Qu'est-ce que Stampa leur a dit? demanda-t-il pour changer de sujet.

Son esprit travaillait pour trouver des solutions à un problème qui ne concernait qu'elle. Coriandre. Avant qu'il ne soit trop tard.

– Il parle tant qu'il peut, parce qu'il est terrifié de se retrouver en prison et franchement, *hombre*, à son âge, qui pourrait le lui reprocher?

Le regard vague, Danny tira une longue bouffée de sa cigarette.

– C'est toute la question, pas vrai?

Swayze acquiesça d'un haussement d'épaules.

– Il est vieux, il est malade, sa vie ne vaut plus un clou.

– Et Jorge? demanda-t-il, s'efforçant de paraître nonchalant. Qu'est-ce qui se passera si je n'arrive pas à le joindre à temps?

Malheureusement, Swayze ne pouvait faire aucune promesse à son sujet, sauf, bien sûr, si le million de dollars était détruit, auquel cas, il n'y aurait aucun problème.

– C'est ton frère, *hombre*. Débrouille-toi pour lui parler tant qu'il est encore temps.

– Ce n'est pas une réponse, Mac.

– Ça nous concerne tous les trois, Danny. Toi, moi et Hernando.

– Et ma femme?

– Co-ri-an-dre, prononça Swayze, détachant chaque syllabes. Ce n'est plus ta femme, *hombre*, c'est ta veuve.

Il s'interrompit, parut réfléchir, et ajouta:

– Elle va peut-être se tirer avec ce flic à la gomme, se marier et avoir beaucoup d'enfants. Alors, ils oublieront de partir à ta recherche. *Con suerte*, ils oublieront tout de toi.

Danny résista à l'envie de se lever et de le prendre à la gorge. Avec un peu de chance, Swayze irait rejoindre ses lapins dans cette marmite d'eau bouillante.

– En fait, le sort n'a rien à voir là-dedans, Danny, c'est juste une question de temps. Les femmes surmontent tout avec le temps. L'ennui, c'est que plus la femme est intelligente, plus il lui faut de temps. Et la tienne est un modèle du genre.

A nouveau, Danny laissa se perdre son regard tandis que Swayze continuait à parler.

— Et toi, Danny? C'est toi qui m'inquiète, dit-il, avec des inflexions paternelles. Qu'est-ce qui va te redonner envie de vivre? Tu sais, cette fille n'a que dix-sept ans, elle est très sensible, tu la blesses à chaque fois que tu la renvoies de ton lit. (Il sourit.) Tu vas finir par lui donner des complexes.

— Dis-lui que je n'aime pas les filles.

— Elle ne voudra jamais croire que tu es un *maricon*.

— Qui a parlé de ça? Dis-lui que je n'aime que les femmes.

— Elle ne comprendra pas.

— Elle comprendra en grandissant, et là, peut-être que je ne la chasserai plus de mon lit.

— Essaye-la, insista Swayze. Laisse-moi te l'envoyer ce soir.

Il avait mal à la tête, son cœur cognait dans sa poitrine, il voyait le visage de Coriandre, lisait dans l'esprit de Swayze. Il fallait déconnecter le passé du présent. Ses mains tremblaient tellement qu'il évitait de porter la cigarette à ses lèvres. Ça valait la peine d'essayer. Que Swayze envoie cette fille après tout. Il fallait qu'il le rassure sur son état d'esprit. Les hommes comme lui ont besoin de partager la même femme, comme ces chiens qui marquent leur territoire dans le sillage d'autres chiens.

— *Por cambiar las ideas*, concéda-t-il. Envoie-la moi.

Swayze se leva et lui donna l'accolade. Comme il en fallait peu pour satisfaire le vieux bouc. La promesse qu'il ne balancerait pas une petite pute à peine pubère hors de son lit. Il écouta pendant encore dix minutes des considérations sur le fait que Jorge ne poserait aucun problème aussi longtemps qu'il serait contrôlé, aussi longtemps qu'il ne se retrouverait pas en position d'agir seul, de prendre des décisions unilatérales, de choisir de sauver sa propre peau aux dépens de tous les autres...

Mais ce problème aussi semblait résolu et c'était un soulagement étant donné que la livraison de ce million de dollars risquait de mettre en péril tout ce qu'ils avaient accompli jusqu'à présent. Quant à Stampa, ce n'était même pas la peine d'en parler, bien qu'il eût espéré un moment le voir s'installer dans une retraite confortable, agrémentée par les revenus de l'affaire de tricots faits main de sa femme.

Swayze enchaînait à toute allure les affirmations sur la nécessité de mettre au rancart les désirs individuels, toutes les obligations personnelles pour parvenir aux objectifs qu'ils s'étaient fixés. Il se flattait d'avoir une petite armée à sa disposition, deux hommes de valeur qui se trouvaient en ce moment même à New York, prêts à parer à toute éventualité. Puis il se leva. Il n'y avait pas lieu de s'inquiéter tant qu'ils étaient d'accord sur la façon de mener les choses. Au moins, l'aspect émotionnel semblait-il sous contrôle, en voie de guérison ; Coriandre avait toute la vie devant elle et il était certain qu'elle ne l'offrirait ni au deuil ni à la solitude. Il ne lui souhaitait que du bien... Quant à eux trois, à Ushuaia, au cœur de l'hiver patagonien, ils pouvaient considérer la suite sous un angle nouveau. Les choses s'arrangeaient de telle façon qu'ils seraient en mesure de partir pour Cuba plus tôt que prévu. Le plan prévoyait que Swayze s'en irait le premier avec l'argent. Danny et Hernando le rejoindraient ensuite avec les dossiers et le matériel informatique.

Aucun doute ne subsistait dans l'esprit de Danny tandis qu'il écoutait parler Swayze. Il fallait qu'il entre en contact avec Coriandre. Avant qu'il ne soit trop tard. Il suivit son compagnon jusqu'à la porte, resta sans réaction quand l'autre lui étreignit les épaules, ne répondit pas quand il lui exprima son plaisir de le voir réintégrer le monde des vivants. Si baiser était revivre, alors il y aurait bien une résurrection... Après une dernière accolade, Swayze remit son anorak et répéta que rien ne pouvait se dresser entre eux, puisqu'ils étaient une équipe, une famille. Après son départ, Danny resta là, immobile, à se dire que tout ça lui rappelait quelque chose, qu'il avait déjà entendu ailleurs, autrefois, mais sans pouvoir retrouver où ni quand...

Des signaux silencieux, pensa-t-il en tirant sur sa cigarette, des mots imprononcés. Mais quelque chose continuait à le tarauder. Il était clair que Swayze avait raison sur certains points, Stampa, par exemple, qui était vieux et malade, en sursis, dont la vie n'avait plus de sens.

Le problème le plus pressant, cependant, était ce million de dollars et comment s'occuper de Jorge sans que Swayze soupçonne que la livraison n'avait pas été annulée. Il pourrait expliquer qu'il avait essayé et que Jorge n'avait pas voulu l'écouter, en proie à des sentiments tardifs d'obligations et de responsabilités liés à la grossesse de Coriandre. Ou plus simplement qu'il n'était pas parvenu à joindre son frère... Du moment que l'argent parvenait à destination, il se moquait de ce qui adviendrait ensuite. Perdu dans sa rêverie, il lui semblait la voir. Elle était allongée sur le lit et le regardait tandis qu'il baisait ses endroits préférés, les yeux, le nez, les oreilles, le cou et la bouche, encore et encore, *Adieu mon amour.*

De ses sentiments pour Coriandre, Swayze n'avait jamais mesuré ni l'étendue ni la profondeur. Personne n'en était capable, sauf Hernando. Il se rassit, attendant que le garçon rentre de la ville, décidé à lui parler du problème de l'argent. Hernando trouverait une solution. La question concernait Coriandre, et après tout, lui aussi avait été amoureux d'elle...

Curieusement, Danny sentit un désir puissant l'envahir. Sombrant dans la torpeur, il laissa ses pensées s'égarer vers la petite putain, puis s'éveilla en sursaut, trempé de sueur, l'esprit éparpillé dans mille directions. Il se rappelait soudain quel souvenir familier le discours de Swayze lui avait évoqué. C'était Matthew Johnson à nouveau, c'était ce vieux truc des Montoneros sur la fierté, l'honneur et le meurtre.

Chapitre dix-neuf

Le District Attorney subissait la pression de la Commission Bancaire de New York qui se trouvait menacée par la Federal Deposit Insurance Corporation de Washington, qui était harcelée par l'Office du Contrôleur de la Monnaie. Tous réclamaient l'inculpation du conseil d'administration de l'Inter Federated au complet, des membres des commissions de crédit de la banque et de Jorge Vidal. Mais plus que tout, ils désiraient un témoignage concret de Fernando Stampa contre Danny Vidal.

Bien qu'on eût offert à Stampa l'immunité la plus totale, il se contentait de proposer de maigres amuse-gueules, tout en promettant le plat de résistance, qu'il faisait ingurgiter à Adam bouchée par bouchée. Une situation frustrante, qui empêchait la mise au point rapide d'un dossier suffisamment solide pour qu'on puisse passer à l'action. Le DA fit savoir à Adam que le moment était venu de passer aux choses sérieuses. Ils s'inquiéteraient plus tard de savoir si les accusations tenaient debout.

Adam trouva le message en arrivant à son bureau. Cela signifiait que non content de devoir se plonger dans les monceaux de paperasses qui l'attendaient, il allait être obligé de passer le reste de son temps à jouer au dentiste avec Fernando Stampa. Le coup de la roulette. Il aurait préféré arracher carrément des dents.

Accompagné par sa femme, l'homme apparut à la réception avec plus d'une demi-heure d'avance et, à peine cinq minutes plus tard, parvint à arracher Adam à sa réunion de travail. A la surprise du garde en faction à l'entrée, Adam se précipita pour accueillir Stampa et son épouse. Le petit homme resta silencieux et sa femme parla pour eux deux, expliquant qu'elle était venue dans le seul but de s'assurer que son mari ne serait pas indûment bouleversé par les questions qu'il allait lui poser.

Tandis qu'ils se dirigeaient vers les ascenseurs, au fond de l'entrée dallée de marbre, et montaient jusqu'au bureau du District Attorney, au cinquième étage, Adam bavarda avec les Stampa, parlant du temps et de l'air conditionné qui était enfin réparé. Il leur ouvrit la porte, les invita à entrer, disposa les sièges en demi-cercle autour de la table basse, rassembla les dossiers, les papiers, les journaux et plusieurs lourds manuels de droit qui traînaient, leur demanda d'excuser le désordre avant de leur proposer du café.

Quand ils furent installés, Adam s'absenta un moment. Il n'avait pas dit aux Stampa qu'il avait demandé à Coriandre de venir au bureau jeter un coup d'œil aux dossiers et chéquiers personnels de Danny. Avant de rentrer dans son bureau, il pria sa secrétaire de le prévenir dès qu'elle serait arrivée. Puis il s'assit et observa Elsa Stampa.

C'était une femme menue à l'ossature délicate, aux traits gracieux, aux cheveux roux qui avaient jadis dû être magnifiques. Ils étaient à présent lourdement striés de gris, toujours fins et difficiles à coiffer comme l'attestaient les mèches qui se détachaient du chignon noué dans sa nuque pour s'enrouler sur son front et son cou. Son visage était ridé, ses yeux bleu porcelaine exprimaient une grande lassitude, celle d'une femme qui a beaucoup trop souffert pour se préoccuper encore de cacher sa douleur.

De toute évidence, elle protégeait son mari. Elle le regardait lorsqu'il parlait, lui tapotait la main quand il s'arrêtait, l'interrompait pour informer Adam que ce cauchemar avait sapé les forces de son époux, qu'il avait le cœur faible, qu'il était à bout de résistance et qu'il fallait, si possible en terminer au plus vite avec cette formalité...

Adam commença par donner les raisons de cette entrevue surprise.

— Je crains que le DA ne s'impatiente, expliqua-t-il d'une voix douce.

Elsa Stampa répondit pour son mari.

— Vous pourriez peut-être expliquer à votre DA que mon mari n'est pas un homme bien portant.

— Il le sait, madame Stampa, et il compatit, mais Washington fait pression sur nous.

— Vous pouvez le dire aussi à vos amis de Washington, mon mari n'est pas très solide.

Adam lui affirma que plus vite ils commenceraient, plus vite ils en auraient terminé et prit son silence pour un assentiment. Adam commença son interrogatoire lentement, respectant la chronologie, faisant allusion, sans mentionner ses sources, à certains incidents qui lui avaient été révélés par la bande magnétique de Palmer Wyatt. Stampa admit tout en bloc, depuis le plan du kidnapping de cet homme d'affaires à Buenos Aires, jusqu'au système consistant à lui faire transporter chaque mois six cents mille dollars qui quittaient ainsi la banque pour atterrir dans les mains des Montoneros.

Il parlait d'une voix hésitante, s'arrêtant régulièrement pour passer sa langue sur ses lèvres desséchées ou pour prendre une gorgée d'eau dans le verre qu'Elsa lui avait préparé, adressant un pâle sourire à sa femme pour lui montrer qu'il était en état de continuer. Elle ne l'interrompit qu'une seule fois, pour s'assurer que son mari, quel que soit son degré d'implication avec Danny Vidal et les événements qui s'étaient produits à New York et à Buenos Aires, continuerait à bénéficier de l'immunité. Adam répéta qu'il serait totalement protégé tant qu'il dirait la vérité. Stampa continua son récit :

— La serviette était préparée à l'avance. La première semaine de chaque mois, Danny m'appelait dans son bureau pour que je vienne la prendre.

— Il vous la remettait toujours en personne ?

— Toujours. Parfois il lui arrivait même de sortir au beau milieu d'une réunion pour me la confier et me rappeler de lui téléphoner dès mon retour.

Elsa Stampa avait sorti son tricot, et les aiguilles cliquetaient en se croisant pour former des points nets qui devenaient des rangs. Ses lunettes perchées sur le bout de son nez, elle écoutait son mari, posant de temps en temps son ouvrage pour observer la réaction d'Adam avant de retourner à ce qui, expliqua-t-elle, devait devenir un pull over. Vint le moment où Adam ne parvint à se détendre qu'en entendant le bruit feutré des aiguilles.

— En sortant de la banque, je prenais un taxi pour Kennedy Airport, et là j'embarquais à bord d'un vol direct pour Montréal. Il y avait toujours trente-cinq ou quarante minutes d'attente avant l'avion de La Havane. Danny insistait pour que je ne passe jamais la nuit là-bas, et je ne l'ai jamais fait, ce qui veut dire que tout était soigneusement chronométré. Quand j'arrivais à La Havane, un type du gouvernement me faisait passer la douane à toute vitesse et me conduisait directement vers une maison sur la plage où quelqu'un attendait que je lui remette la serviette.

– Qui possédait la maison ?

– Je ne sais pas.

– Comment saviez-vous que la serviette contenait de l'argent ?

– Parce qu'on l'ouvrait toujours devant moi, qu'on comptait les billets avant de me remettre un reçu signé que je devais rapporter à New York.

– Où sont ces reçus ?

– Dans les dossiers personnels de Danny, qui sont codés.

– Pouvez-vous déchiffrer ce code ?

– Oui.

Adam prit une note sur le bloc de papier en équilibre sur son genou.

– La somme était-elle la même tous les mois ?

– Oui, c'était toujours six cents mille dollars en grosses coupures, rangés dans la même serviette.

– Connaissiez-vous la personne qui réceptionnait l'argent ?

– Oui, c'est l'un des leaders de l'organisation. Il est un peu comme un père pour Danny depuis que le sien est mort lorsqu'il était tout jeune.

– Comment s'appelle cet homme ?

– MacKinley Swayze.

Adam ne broncha pas.

– Avez-vous une idée de l'endroit où il se trouve aujourd'hui ?

– La dernière fois que je l'ai vu, c'était à La Havane, il y a environ un an.

– C'est-à-dire la dernière fois que vous avez transporté de l'argent.

– Oui, ensuite, la banque n'a plus fait suffisamment de profit pour que nous puissions prélever les intérêts.

– C'est à ce moment là que Danny s'est mis à vider les comptes de dépôt ?

Stampa acquiesça.

– Danny était devenu très soupçonneux et paranoïaque, il ne faisait plus confiance à personne. Il a décidé de se charger en personne des transferts d'argent.

– Comment ?

– D'après ce que j'ai pu comprendre, il sortait tous les jours de petites sommes en liquide dans une valise.

– Personne à la banque ne s'est demandé ce que contenait cette valise ?

– Si quelqu'un l'a fait, il n'en a rien dit.

– Pourquoi ?

– Danny était le patron, alors à moins d'être décidé à en référer aux autorités, quel intérêt pouvait-on avoir à le prendre de front ?

Sans quitter son tricot des yeux, la femme de Stampa proposa une explication plus plausible.

– Vous ne pouvez pas savoir à quel point il était charmant, charmant et attentionné, il se rappelait le nom de tous ses employés, demandait des nouvelles de leur famille, savait si un tel avait mal au dos ou si sa vieille mère était malade. Il faisait en sorte de s'informer de tous et de tout, ça faisait partie de son travail, de sorte que les gens croyaient qu'il s'intéressait vraiment à eux. (Elle regarda Adam par-dessus ses lunettes.) Il les réduisait au silence à coup de charme.

– Et puis, tant que les salaires tombaient, pourquoi l'aurait-on défié ? ajouta Stampa.

– Et il se débrouillait toujours pour assurer la paye

des employés, murmura Adam, impressionné par les talents de Vidal.

— C'était ce qui passait en premier.

— Après lui-même, ajouta Elsa, reportant à nouveau son attention sur son tricot.

— Vous a-t-il jamais dit explicitement que cet argent était destiné à La Havane, monsieur Stampa ? demanda Adam.

— Il m'a annoncé que lorsqu'il aurait réuni la totalité de la somme, il allait louer un avion privé pour se rendre là-bas avec son butin.

— A votre avis, c'était ce qu'il avait l'intention de faire ce week-end du 4 juillet ?

— D'après ce que je sais, il avait prévu de se rendre à La Havane après une escale à Acapulco pour prendre Jorge.

— Que voulait-il faire de cet argent à Acapulco.

— Je n'en sais rien.

— Je croyais que vous aviez dit qu'il était allé y chercher une maison ?

— Non, admit Stampa. C'était juste la version officielle si quelqu'un posait des questions.

— Comment cinquante millions de dollars peuvent-ils tenir dans deux valises ?

— Ce n'était pas cinquante, mais quarante-six millions quatre cent mille. N'oubliez pas que Danny avait déjà fait passer six cent mille dollars par mois pendant six mois...

Adam fit un effort pour ne pas paraître ennuyé.

— Comment quarante-six millions quatre cent mille dollars peuvent-ils tenir dans deux valises ?

— Danny avait tout prévu.

— Vous voulez dire qu'il avait cet argent avec lui quand il a quitté New York à bord de cet avion.

Stampa avait les larmes aux yeux.

– C'est un horrible tour du destin, mais c'est ce qui s'est passé.

Quand le téléphone sonna, le couple leva les yeux d'un air interrogateur. Adam décrocha.

– Donnez-moi encore deux minutes, dit-il avant de reposer le combiné.

Cette interruption lui offrit l'occasion de changer de sujet.

– Avez-vous entendu parler de l'affaire Matthew Johnson ?

Elsa Stampa abandonna son tricot.

– Mon mari n'a rien à voir dans cette histoire, lâcha-t-elle.

– Personne n'a dit le contraire, madame Stampa, répondit Adam d'un ton égal. De plus, votre mari est toujours protégé par l'engagement que nous avons passé avec lui et qui lui garantit l'immunité.

– Oui, répondit calmement Stampa, je connais cette affaire. Johnson était le consul honoraire américain à Cordoba.

Adam se renfonça dans son siège et croisa les bras.

– Danny Vidal l'a-t-il assassiné ?

Stampa ne chercha même pas du regard l'approbation de sa femme, tandis qu'il alignait les faits qui confirmaient à peu près mot pour mot ce que Danny avait décrit sur la bande. Quand il eut terminé, Adam estima que le moment était venu de ramener la conversation vers le présent.

– Visiblement, vous étiez très proche de Danny.

– Oui, c'est ce qui rend les choses si difficiles.

– Il appartient à un passé très douloureux, ajouta Elsa.

324

Adam procéda avec prudence.

– Vous êtes conscient, monsieur Stampa, que ce bureau n'enquête pas sur le meurtre de Matthew Johnson ? Je n'en ai parlé que pour essayer de comprendre un peu mieux la personnalité de Danny Vidal, cet homme dont vous étiez si proche, en qui vous aviez confiance, et qui vous a laissé sous la menace d'une inculpation criminelle.

– Je ne serais jamais venu vous voir si Danny ne m'avait pas mis dans cette position, confirma Stampa avec une émotion visible.

Pendant un moment, Adam pensa à Coriandre assise en bas à la réception, imaginant ce qui se passerait lorsqu'il l'appellerait. Il avait déjà établi son plan.

– Je veux que vous sachiez que je comprends qu'il s'agit là d'une décision extrêmement difficile. (Il fit une pause.) Voyez-vous, sans cette forte amitié qui vous liait à lui, je serais absolument persuadé que Danny Vidal a mis en scène sa propre mort, mentit-il. Mais le fait que vous ayez été si proches me donne à penser que Danny n'aurait jamais encaissé ces chèques s'il n'avait pas eu l'intention d'arranger les choses. (Une nouvelle pause.) Voilà pourquoi je crois qu'il est mort dans ce crash.

Stampa accepta les conclusions de Danny avec un soulagement évident. Ce fut Elsa qui émit des doutes.

– J'ai passé bien des nuits à essayer de comprendre comment il aurait pu couvrir ces chèques.

– C'est une chose que nous ne saurons jamais.

– Je ne pense pas que Danny ait jamais voulu me nuire, répéta Stampa avec obstination.

– Ce qui nous ramène à ma première question, monsieur Stampa. Pourquoi avoir attendu avant de venir me voir ?

La gêne s'inscrivit sur le visage du petit homme.

– J'avais peur, murmura-t-il.

– Vous aviez des doutes, c'est ça ? demanda Adam d'une voix douce.

– Ma femme... commença-t-il.

Elsa l'interrompit calmement.

– Nous étions déjà passés par des...

– C'était un choc, coupa Stampa à son tour.

– Un million de dollars, c'est une somme, concéda Adam, persuadé qu'Elsa avait joué un rôle déterminant dans cette décision.

– Je suis un vieil homme...

Adam hocha la tête. Il lui fallait maintenant choisir ses mots avec soin. Le timing était déterminant, et une fois que Coriandre serait dans son bureau, il n'aurait droit qu'à un essai.

– Quand avez-vous parlé à Danny Vidal pour la dernière fois ?

– Environ une semaine avant l'accident.

– Vous êtes absolument sûr ne n'avoir eu aucune conversation avec lui après cela, ni quand son avion s'est posé à Houston ?

– Absolument.

Adam se pencha vers lui.

– Voyez-vous, monsieur Stampa, si nous pouvons prouver que Danny est mort, cela arrangera vos affaires. Dans le cas inverse, on pourrait penser que vous étiez complice dans cette histoire jusqu'à ce qu'il vous laisse en plan avec ce million de dollars...

Madame Stampa en oublia son tricot.

– Et l'immunité ?

– On peut la faire sauter comme ça, affirma Adam en claquant des doigts. Il suffit que votre mari soit soupçonné de mentir ou de ne donner qu'une version tronquée des faits.

Il inventait les règles au fur et à mesure, mais quelle importance ? Ce type était un menteur. Et puis, une douleur lancinante lui déchirait l'estomac et il voulait en finir au plus vite.

– Ils attendaient un enfant, annonça Stampa sans émotion, les yeux toujours rivés au plancher.

– C'était prévu ? demanda Adam.

L'autre releva la tête.

– Comment pourrais-je le savoir ? répondit-il misérablement.

– Quand Danny vous en a-t-il parlé ?

– Plusieurs semaines avant son départ, répliqua Stampa sans réfléchir.

Adam ne dit rien. Il venait d'entendre ce qu'il soupçonnait depuis le début, ce qu'il avait à la fois espéré et redouté. Stampa n'avait rien pu savoir de cette grossesse plusieurs semaines avant le départ de Danny. Il n'avait pu l'apprendre que le jour de son envol pour Acapulco – au plus tôt – ce qui signifiait qu'il lui avait forcément parlé après avoir découvert que ses chèques étaient revenus sans provision. Et si c'était le cas, il restait à comprendre pourquoi il était venu au bureau du District Attorney pendant ce week-end férié, sauf si les chèques ne faisaient pas partie de l'accord et qu'il ait paniqué.

S'excusant, Adam se pencha pour décrocher le téléphone.

– Maintenant, dit-il dans l'appareil, et une immense tristesse le submergea.

Les mains croisées sur la poitrine, il ne dit rien en attendant que la porte s'ouvre et que Coriandre entre dans son bureau. Il n'avait plus assez d'estomac pour ces petits jeux.

Elle arriva avant que Fernando ou Elsa Stampa aient pu demander ce qui se passait. La surprise fut générale.

– Vous vous connaissez, je crois, dit Adam, les regardant à tour de rôle.

– Oui, bien sûr, répondit Coriandre, la première à retrouver son sang-froid.

Elle s'approcha de la femme et lui tendit la main.

– Je suis désolée de ce qui arrive, madame Stampa, dit-elle avant de se tourner vers son mari. Comment allez-vous monsieur Stampa ?

Son incroyable dignité donna envie à Adam de la prendre dans ses bras et de la serrer contre lui. Il tira la question à bout portant.

– Coriandre, quand avez-vous annoncé à Danny que vous étiez enceinte ?

Sa désorientation ne dura qu'une seconde.

– Le 3 juillet, le jour de son départ, répondit-elle. Pourquoi ?

– Parce que monsieur Stampa prétend que Danny lui en avait parlé depuis des semaines.

Il ne lui fallut qu'un instant pour comprendre. Son regard passa de l'un à l'autre des deux hommes, puis elle parla d'une voix douce :

– Où est-il ?

Stampa réagit comme si on venait de le gifler. Elsa devint blême.

– Je vous en prie, dites-moi où est mon mari, reprit Coriandre. Je sais qu'il ne vous arrivera rien si vous parlez. (Elle tourna vers Adam un regard implorant.) Vous ne leur avez pas dit ?

Il ne répondit pas. Un tic nerveux faisait battre sa joue. Coriandre dévisagea Stampa puis sa femme.

– Je vous en prie. Si je savais qu'il était vraiment mort, je pourrais l'accepter. Mais comme ça, c'est une véritable torture...

Ce fut Elsa qui parla.

– Vous n'imaginez pas ce que nous avons vécu.

– Mais si, je le sais, répondit Coriandre dans un souffle. Ce que je ne comprends pas, c'est que vous protégiez celui qui nous a fait subir cet enfer.

Elle eut conscience d'accuser Danny pour la première fois.

– C'est votre père qui est responsable de ce qui est arrivé à notre fils. Il recevait ces meurtriers à votre ambassade.

Cordoba revenait à nouveau sur le tapis, mais cette fois, elle avait les réponses.

– Même si mon père n'avait pas été en contact avec les militaires, croyez-vous que cela aurait changé quoi que ce soit au sort de votre fils ?

– S'il avait accepté d'intervenir, mon fils serait peut-être encore vivant.

– Mon père a fait ce qu'il pouvait.

– Il ne risquait pas sa vie.

– Non, mais il croyait que la mienne était menacée. C'est pourquoi il gardait le contact avec les militaires. Vous auriez fait la même chose pour votre fils si vous en aviez eu l'occasion.

C'était la première fois depuis toutes ces années qu'elle comprenait vraiment les motivations de son père.

Adam choisit ce moment pour interrompre l'échange des deux femmes. D'une voix délibérément neutre, il dit :

– Rien de tout cela n'a à voir avec ce qui se passe aujourd'hui à la banque.

– Sans la mort de mon fils, rectifia Elsa, nous n'aurions jamais rien eu à faire avec la banque puisque nous ne serions pas venus à New York.

– Vous aviez des relations avec Danny avant que votre fils ne soit tué et il vous a aidé à le rechercher, contra Coriandre.

– Jusqu'à ce qu'il n'y trouve plus son compte.

Une fois de plus, Coriandre se mit en position de défendre son mari.

– Ce n'était pas une affaire d'intérêt. Danny était un homme seul contre toute une armée.

– Nous avons cru qu'il avait le pouvoir de sauver la vie de notre fils, intervint Stampa.

– Non, monsieur Stampa, vous vouliez le croire, et c'est une chose qu'on ne peut pas vous reprocher. Personne ne comprenait vraiment ce qui se passait au début. Danny vous a donné de l'espoir. Il nous donnait à tous de l'espoir.

– La tragédie, c'est que nous avons cru Danny et qu'il nous a trompés parce qu'il n'agissait que pour l'argent. Comment oublier la déception qu'il nous a causée en disparaissant comme il l'a refait cette fois. Et encore à l'époque, nous avions des recours.

A ce moment, Fernando Stampa sembla vouloir rechercher l'appui de Coriandre.

– Vous pouvez oublier ce qu'il vous a fait? Lui pardonne de vous avoir abandonnés ainsi, vous et votre enfant?

Contenant les larmes qui perlaient à ses yeux, la jeune femme répondit d'une voix douce :

– Tout ce que je vous demande, c'est de m'accorder le droit de savoir ce que je dois éprouver. S'il est mort, je veux pouvoir le pleurer, s'il est vivant, je veux pouvoir le haïr.

– Pourquoi devrions-nous vous donner le choix alors que nous ne l'avons jamais eu? demanda Elsa avec amertume.

– Alors pourquoi le protégez-vous? cria Coriandre.

– C'est nous que nous protégeons.

Cette fois, son calme l'abandonna.

— En quoi le fait de ne pas me dire où il est et ce que vous savez vous protège-t-il ?

— Qu'est-ce qui vous rend si sûre que nous savons quoi que ce soit ?

— La seule chose que nous sachions, c'est que je dois me disculper, ajouta Stampa.

— Tout ce que mon mari a essayé de faire, c'est de rendre coup pour coup aux gens qui ont tué votre fils. Il n'avait pas d'autres intentions.

— Et maintenant ? demanda Elsa.

Coriandre parut soudain perdue.

— Je ne sais pas...

La femme reprenait du poil de la bête.

— Tout ce que je sais, c'est que mon fils est mort parce que nous étions des gens sans importance et que vous êtes en vie parce que votre père était l'ambassadeur des Etats-Unis.

— C'est vrai, souffla Coriandre. Je ne peux pas dire le contraire.

— Je pense que ça suffit, intervint Adam. Nous avons un accord. Soit monsieur Stampa parle et répond honnêtement aux questions, soit son immunité est supprimée et il est inculpé avec tous les autres.

— Nous n'avons rien de plus à dire, déclara Elsa Stampa en rangeant ses affaires dans son sac à main. Nous allons prendre un avocat.

Son mari se leva à son tour, livide, les yeux baissés, en attendant qu'elle donne le signal du départ. Il n'avait rien à ajouter.

Elsa lui prit le bras pour l'entraîner jusqu'à la porte. Elle se retourna avant de sortir.

— Peut-être votre mari ne vous aimait-il pas assez.

C'était déjà une vieille histoire. Pourtant, Coriandre prit la peine de répondre.

– Ou peut-être l'aimais-je trop.

Adam ne fit rien pour empêcher Fernando Stampa de s'en aller. Il serait toujours temps de s'occuper de lui, de supprimer son immunité, de le cuisiner à fond, même s'il était convaincu qu'il ne proférerait plus que des mensonges. Il s'approcha de la fenêtre et laissa son regard se perdre dans le vide, tournant le dos à la pièce, écoutant la porte claquer derrière le couple, leurs talons cliqueter sur le sol de marbre, tandis qu'ils s'éloignaient vers l'ascenseur. Alors seulement, il se retourna, s'approcha doucement de Coriandre et la prit dans ses bras. Elle laissa aller sa tête contre son épaule, sans résistance.

– Elle a raison, vous savez.

– A quel sujet?

Il lui caressait les cheveux.

– Il ne m'aimait pas assez.

Les larmes revenaient.

– Et si moi, je vous aimais trop? murmura-t-il.

Ils demeurèrent longtemps ainsi, figés dans leur étreinte immobile...

Chapitre vingt

Il était six heures et demie du matin quand la voiture apparut au coin nord-est de la 3e Avenue et de la 68e Rue. C'était une Honda quatre portes beige ou grise. La couleur était difficile à discerner car une couche de boue couvrait la carrosserie jusqu'aux poignées des portes et masquait les plaques d'immatriculation.

La voiture remontait le côté droit de la 3e Avenue, ne dépassant pas les trente ou trente-cinq kilomètres à l'heure. Elle tourna à l'est, dans la 70e Rue, redescendit la 2e Avenue, prit à l'ouest dans la 63e, revenant vers la 3e. Elle continua ainsi à tourner en rond, n'accélérant jamais, mais empruntant successivement les différentes rues qui allaient de la 2e à la 3e Avenue. A six heures quarante-deux minutes précisément, le véhicule s'immobilisa au même coin nord-est, moteur au ralenti.

Le propriétaire de la boutique coréenne au coin de la 3e et de la 69e Rue était arrivé quelques minutes avant six heures un quart et s'était mis à installer ses fleurs coupées sur les étals extérieurs. Quelques dizaines de mètres plus haut, il y avait un kiosque à journaux. Le marchand, arrivé à peu près à la même heure, s'employait à empiler les exemplaires de l'édition du dimanche du *New York*

Times qui venaient d'être lancés sur le trottoir depuis un camion de livraison.

De l'autre côté de l'avenue, un gratte-ciel de construction récente occupait la quasi-intégralité du pâté de maisons de la 67e Rue, entre Lexington Avenue et la 3e. Le bâtiment était en retrait du trottoir, précédé d'une allée circulaire qui conduisait à l'entrée et à la rampe menant au parking souterrain.

A six heures trente-huit minutes, un homme d'un certain âge sortit de l'immeuble pour se diriger lentement vers la 3e qu'il commença à remonter vers le nord, comme il le faisait chaque matin à peu près à la même heure, pour aller acheter des oranges et son journal. Vêtu d'un blouson brun et d'un pantalon beige, portant des verres teintés et des sandales sur des chaussettes marron, il avait l'air d'un étranger. Du moins serait-ce ainsi qu'un témoin le décrirait plus tard. Il atteignit l'angle de la 69e Rue juste au moment où le feu des piétons passait au vert ce qui lui permit de s'engager sur la chaussée. Il n'arriva jamais de l'autre côté.

A l'instant où il descendait du trottoir, la Honda s'élança sur la 3e Avenue, vira brutalement à gauche et fonça sur lui, le heurtant de plein fouet. Le choc fit décoller l'homme de terre. Il retomba tête la première sur une voiture en stationnement avant de rouler sur le macadam à trois mètres de là. Sans faire marche arrière ni ralentir, la voiture repartit vers l'ouest dans un hurlement de pneus et disparut au loin.

Avant même que la victime n'ait touché le sol, une femme qui avait assisté à la scène depuis sa fenêtre du deuxième étage s'était mise à crier, à hurler au chauffard de s'arrêter. Quelques secondes plus tard, le Coréen surgit de sa boutique et se précipita au centre de la 3e Avenue et regarda, impuissant, la Honda s'éloigner. Encore quelques secondes et le marchand de journaux jaillit de son stand pour se ruer vers le téléphone public installé au coin de la rue. Il appela la police.

Il ne fallut que quelques minutes à ces trois témoins, y compris la femme qui était descendue de chez elle en robe de chambre, un bébé dans les bras, pour se regrouper à l'angle de la 3e Avenue et de la 69e Rue et pour contempler la silhouette désarticulée qui gisait sur la chaussée. L'homme était mort.

Coriandre arriva à l'hôpital et salua d'un signe de tête les trois gardes qui déambulaient devant les portes battantes, attendant de prendre leur service.

– Comment ça va, doc ?

– On a l'air en forme, doc ?

– Hé, doc, fit le troisième, s'étreignant le côté, mon appendice, je vous la donne.

– Le donne, corrigea-t-elle en continuant son chemin.

Traversant les urgences, Coriandre adressa un sourire aux employés installés derrière les vitres à l'épreuve des balles de la réception tandis que l'increvable Roy Orbison moulinait son *Running Scared*. Les paroles la frappèrent. *S'il revenait, lequel choisirais-tu...*

Elle s'arrêta devant le distributeur de boissons, introduisit une pièce dans la fente et attendit que le café et le nuage de lait aient rempli son gobelet. La salle d'attente était presque vide à l'exception de quelques patients qui attendaient leur dose quotidienne de méthadone ou leur injection d'insuline. Les dimanches matins étaient généralement calme, sauf pour la maternité, comme si les bébés du ghetto s'arrangeaient pour naître pendant le cessez-le-feu du sabbat, cette courte trêve avant la reprise des

335

combats qui iraiént *crescendo* du milieu de la semaine jusqu'au vendredi où ils deviendraient une guerre totale.

Seize nouveaux internes devaient commencer dans son service ce matin ; six étudiants de troisième année, deux préinternes, trois internes diplômés, un de deuxième année, trois de troisième année et un de quatrième.

Portant son café, Coriandre poussa les portes de traumatologie derrière lesquelles elle fut immédiatement interceptée par un garçon qui venait de quitter son service.

– Vous donnez la conférence de ce matin à l'auditorium ou dans le bureau du patron ?

– Vous avez vraiment l'intention d'y assister ? demanda-t-elle avec un sourire.

– Je ne la raterais pour rien au monde, docteur Wyatt.

– Pourtant vous n'étiez pas très assidu quand vous étiez dans mon service.

– Quand je ne travaillais pas, je profitais de mes dix ou quinze minutes de pause pour dormir, plaisanta-t-il.

– Dur métier, répliqua-t-elle, souriante. Vérifiez sur le panneau, mais je pense que ça sera à l'auditorium.

Changeant son sac d'épaule, elle traversa le triage, passa devant les salles de soins et coupa à travers le hall pour atteindre le petit bureau situé au fond du service. Le speech qu'elle allait prononcer était prêt dans sa tête. Elle ne se servait jamais de notes, dans la mesure où elle n'évoquait que des faits réels et des situations survenues récemment en traumato. Son but était toujours le même : donner à ces nouveaux médecins pleins d'enthousiasme une idée de la réalité, les débarrasser des illusions qu'ils entretenaient sur le fait qu'ici plus de vies auraient été sauvées miraculeusement que stupidement perdues.

Fermant la porte, Coriandre s'approcha de l'armoire pour y ranger son sac. Un moment, elle appuya son front contre le métal froid. C'était le premier jour où elle avait mal au cœur, une pointe de nausée matinale, même si la fatigue qu'elle éprouvait était plus nerveuse que physique.

Depuis la confrontation avec les Stampa, ses capacités de patience et de compassion s'étaient nettement atténuées sauf à l'égard des victimes innocentes qui passaient dans son service. Personne n'avait besoin de lui rappeler qu'il valait mieux ne pas émettre de jugement de valeur sur les malades. La médecine est comme le sexe, si elle est de mauvaise qualité elle prend une importance considérable, et si elle est bonne, personne ne se sent obligé d'en faire toute une histoire.

Elle se déshabilla sans hâte, accrochant ses vêtements aux cintres de l'armoire, avant d'enfiler un pantalon bleu et une blouse blanche. Puis elle s'assit au bureau et refit ses gestes habituels, fouillant dans un tiroir pour en extraire deux stylos et une petite lampe électrique qu'elle glissa dans sa poche de poitrine avant de se passer le stéthoscope autour du cou.

Coriandre sortit et se dirigea prestement vers l'ascenseur. Dans la cabine, elle se dit que tout était peut-être une question de jugement, et que si c'était le cas, elle était la dernière personne au monde à savoir quoi ressentir à propos de qui. Après tout, elle était tombée amoureuse d'un homme, avait adopté toutes ses angoisses et toutes ses douleurs, lui avait fait confiance, l'avait épousé, avait partagé sa vie, avait fait des plans, bercé des espoirs, pour finir par se rendre compte qu'il n'y avait rien de vrai en lui...

Quittant l'ascenseur, elle se félicita qu'on ne lui ait pas demandé une allocution sur les bienfaits du mariage.

Puis elle pénétra dans l'auditorium que remplissaient une soixantaine de personnes, en se demandant comment Adam Singer avait pu devenir si important dans sa vie. Ou peut-être n'était-ce qu'une erreur de jugement de plus ?

Le mois précédent, Hermine Mashavas avait gagné le prix de l'employée de l'année du Sheraton Hotel qui lui avait été remis lors d'une petite cérémonie dans la salle à manger du personnel, près des cuisines. Pour Hermine, le meilleur du prix était qu'il lui permettait de choisir ses horaires de travail pour l'année à venir.

Elle avait pris le service de jour, de huit heures du matin à quatre heures de l'après-midi, ce qui lui permettait de récupérer son bébé chez sa mère et de rentrer chez elle pour préparer le dîner de façon à ce que toute la famille puisse manger en même temps, dès que son mari rentrait. Hermine avait également décidé de travailler le dimanche et de prendre son jour libre dans la semaine pour que l'enfant puisse passer un jour entier avec chacun de ses parents et que sa propre mère puisse faire relâche pendant deux jours.

Les dernières heures de ce dimanche-ci étaient plus agitées qu'à l'ordinaire. Trente-quatre membres de l'Allied Insurance Compagny étaient partis à midi et trente-six cadres du cirque Barnum & Bailey étaient attendus à quatre heures. Hermine et deux autres femmes de chambre se hâtaient de préparer les chambres en vue de l'inspection du superviseur, prévue pour deux heures. On avait déjà appelé de la réception pour prévenir que certains des gens de Barnum & Bailey buvaient leur verre de bienvenue au bar, attendant impatiemment de pouvoir gagner leurs appartements.

A exactement une heure trente-quatre minutes de

l'après-midi, Hermine referma la porte de la chambre 1636 et calcula qu'il lui restait encore quatre pièces à faire : les 1638, 1640,1642 et 1644. Poussant son chariot à linge, elle s'arrêta entre les chambres 1638 et 1640 et sortit son passe pour ouvrir la porte de la seconde. Elle frappa d'abord, et compta jusqu'à trente, pour s'assurer qu'il n'y avait personne à l'intérieur – les règles Sheraton – puis elle fit tourner la clé dans la serrure et entra.

La pièce était obscure, les doubles draperies tirées devant les fenêtres. Sur le côté du petit couloir où elle avait pénétré se trouvait la salle de bains. Elle y alluma la lumière et constata qu'on ne l'avait pas utilisée. Les serviettes étaient pliées sur les étagères, les savons et les shampooings intacts sur la tablette près du lavabo, même la bande sanitaire qui encerclait le siège des toilettes n'avait pas été déchirée.

Mais les règles maison voulaient que draps et serviettes soient changés après chaque départ, même si personne ne s'en était servi. Hermine se demanda pourtant si l'une des deux autres filles de l'étage n'avait pas déjà fait la chambre. Retournant dans le couloir, elle rejoignit ses collègues, s'arrêtant devant chaque chambre pour les interroger. Elle apprit qu'aucune des deux ne s'était occupée de la 1640.

Elle retourna donc dans la chambre et entra dans la salle de bains pour y ramasser les serviettes qu'elle alla jeter dans un sac qui pendait sur le côté de son chariot. Les bras chargés de linge propre, elle alla regarnir les étagères puis referma la porte et passa dans la pièce principale.

Elle se cogna la jambe contre un fauteuil et chercha son chemin à tâtons vers la fenêtre. Elle ouvrit les draperies opaques. La lumière filtrait sous les doubles rideaux.

Hermine s'apprêtait à se diriger vers l'autre côté de la fenêtre pour les tirer quand son regard accrocha le lit. Horrifiée par ce qu'elle avait vu, trop secouée pour se mettre à courir, elle resta là, à hurler sans pouvoir s'arrêter. Les draps et les oreillers baignaient dans le sang, tout comme le corps de l'homme qui gisait sur le dos, fixant le plafond de son regard mort, la gorge tranchée d'une oreille à l'autre.

Juste avant de conclure son intervention, Coriandre avait tendu la main vers le verre d'eau posé près d'elle. A cet instant, les portes du fond de l'auditorium s'étaient ouvertes et un homme était entré. Adam.

Avec lui dans la salle, elle avait du mal à se concentrer. Il avait dû arriver quelque chose, sinon il n'aurait pas été là. Abrégeant sa conférence, elle déclara qu'elle était prête pour les questions. Une douzaine de mains se levèrent, et tout en écoutant et en répondant, elle lançait des regards nerveux vers le fond de l'auditorium. Enfin, elle put remercier l'assistance et renouveler ses vœux de bienvenue aux nouveaux internes, ajoutant qu'elle serait disponible pour les aider et les guider chaque fois que ce serait nécessaire.

L'ovation fut longue et nourrie. Les mains qui applaudissaient se brouillèrent quand elle enleva ses lunettes. Le ban se poursuivit tandis qu'elle quittait le podium, traversait l'estrade et descendait les trois marches menant au public. Ses pensées étaient entièrement tournées vers Adam. Remettant ses lunettes, elle s'arrêta pour serrer la main de plusieurs médecins de l'équipe et d'une poignée d'internes qui se pressaient autour d'elle pour lui dire à quel point ils avaient apprécié son intervention. Adam il était plus qu'à un mètre d'elle et paraissait partager son impatience de voir les gens quitter la salle. Il avait l'air contrarié. Au bout de quelques minutes interminables, tout le monde finit par se disperser et elle parvint à s'approcher de lui.

– Que s'est-il passé ? demanda-t-elle, anxieuse.

La prenant par le coude, il l'entraîna dans l'allée.

– Sortons d'ici.

Elle se sentit propulsée hors de l'auditorium, et dut forcer l'allure pour le suivre.

– Qu'est-ce qu'il y a ? répéta-t-elle, essayant de lire sur son visage tandis qu'ils se dirigeaient vers les ascenseurs.

Au lieu de lui répondre, il la félicita.

– Passionnant, votre speech. Pas étonnant que vous attiriez les foules.

Un peu hors d'haleine, elle lui répondit :

– Vous n'êtes pas venu pour le speech. Qu'est-ce qui s'est passé ?

Lorsqu'ils furent devant les ascenseurs, il la prit par les épaules et lui dit rapidement :

– Stampa est mort.

Elle pâlit.

– Comment ?

– Un chauffard.

– Où ?

– Pourquoi serait une meilleure question, répliqua Adam au moment où l'ascenseur arrivait.

Il la poussa dans la cabine déjà pleine de monde. Le trajet s'effectua en silence, mais ils ne se quittèrent pas des yeux.

– Pourquoi ? répéta-t-elle à l'instant où ils sortaient au rez-de-chaussée.

Lui prenant le coude, il l'entraîna vers le service de traumatologie.

– Je vous dirai tout quand nous serons assis dans un endroit tranquille.

Visiblement secouée, elle s'efforçait de suivre son pas.

– Allons dans mon bureau.

Ils traversèrent le service sans regarder qui que ce soit. Elle ouvrit la porte du bureau, y pénétra la première. Adam la suivit. Ils n'étaient à l'intérieur que depuis quelques secondes, la porte à peine refermée, quand il annonça :

– Vous ne pouvez plus rester seule.

– Pourquoi ?

– C'est dangereux.

– Adam, de quoi parlez-vous ?

– Jorge est mort aussi.

Elle se raccrocha au dossier d'une chaise.

– Quoi ?

– On l'a trouvé dans une chambre d'hôtel cet après-midi. (Adam fit une pause.) La gorge tranchée.

Sonnée, elle s'effondra sur la chaise.

– Je ne peux pas y croire, murmura-t-elle. Pourquoi ?

Adam s'agenouilla devant elle.

– Maintenant, vous comprenez pourquoi vous ne pouvez pas rester seule ?

– Qu'est-ce que vous dites ? demanda-t-elle, la voix tremblante.

– J'ai peur qu'ils ne vous retrouvent.

Elle était en proie au vertige.

– Qui ? interrogea-t-elle. Je croyais que c'était nous qui cherchions quelqu'un.

Il lui prit les mains.

– Deux hommes sont morts, fit-il, insistant sur les

mots. Assassinés. Vous ne comprenez donc pas ce qui se passe ?

Sans réfléchir, elle lança :

– Pourquoi Danny s'en prendrait-il à son propre frère ? Ça n'a aucun sens.

– Le sens n'a rien à voir là-dedans, Coriandre. C'est de millions de dollars qu'il s'agit.

– Mais quel rapport avec moi ? dit-elle sur un ton presque implorant.

Il avait la voix d'un homme fatigué.

– Je n'en suis pas sûr, mais je pense que Jorge a été tué à cause de ce million de dollars.

– Mais c'est Danny qui avait pris cette disposition.

– Et c'est probablement Swayze qui a compris sa stupidité...

Adam se releva, attira une chaise, la fit pivoter et s'y assit à califourchon, les bras croisés sur le dossier.

– Croyez-moi, Coriandre, votre vie est en danger. Ces deux hommes sont morts parce que l'un nous a parlé de cinq chèques sans provision et l'autre vous a annoncé l'arrivée d'un million de dollars. Ne comprenez-vous pas ? C'est le rapprochement de ces deux faits distincts qui rend les choses évidentes. Danny avait l'intention de vous faire remettre un million de dollars parce qu'il savait qu'il ne reviendrait jamais. Ce qui prouve qu'il est probablement en vie, qu'il a tout organisé, et ce qui l'implique dans trois meurtres.

Elle reposa sa question.

– Mais pourquoi Danny s'en prendrait-il à moi ? Il m'aimait.

– Assez pour vous abandonner comme ça, enceinte ?

Un accès de fureur s'empara d'elle.

– M'abandonner c'est une chose, bon sang, c'est déjà

suffisamment difficile à accepter, mais préparer le meurtre de deux pilotes pour assurer sa fuite en est une autre qu'il m'est insupportable d'imaginer. Et maintenant, vous voudriez me persuader qu'il a fait tuer son propre frère et un vieillard pathétique?

Il n'était pas d'humeur à la réconforter aujourd'hui.

— Vous avez oublié de mentionner ce torse dans le bac de la morgue. Mais je ne vois pas vraiment ce qui vous étonne. Vous avez oublié Matthew Johnson?

Il lui tenait toujours les mains. Il les lui secoua comme pour la réveiller.

— Ces gens sont sans pitié, Coriandre. Et il est des leurs.

Elle répondit, dans une sorte de transe :

— Je déménage aujourd'hui.

Comme si cela changeait quoi que se soit.

— Je vais vous aider et soit je m'installerai chez vous, soit vous viendrez dans mon appartement.

— Et mon travail? Et le vôtre? Et ma vie? Et la vôtre. Et tout le reste...

Rien n'avait d'importance.

— Ils vont devoir se passer de vous pendant un moment ici, l'interrompit-il. Quant à nos vies et au reste, c'est une autre histoire.

— Je ne vais pas me cacher jusqu'à la fin des temps, murmura-t-elle.

Elle se leva. Il l'imita et la prit dans ses bras.

— Rien ne dure jusqu'à la fin des temps, Coriandre, eut-il le temps de dire avant que leurs lèvres ne se trouvent.

Elle lui passa les bras autour du cou et ils s'embrassèrent tendrement. A la fin du baiser, leurs regards se rencontrèrent. Elle tendit la main pour lui caresser le visage.

344

– Qu'est-ce que je deviendrais sans vous, murmura-t-elle.

Il l'étreignit à nouveau.

– Quelle importance, puisque vous ne vivrez plus jamais sans moi.

Rien ne dure jusqu'à la fin des temps. Les mots tournaient dans sa tête. Mais elle resta silencieuse.

Chapitre vingt et un

Son visage était celui d'un cadavre, pâle, émacié avec des yeux morts, une expression sans vie, lasse, pas celle d'un homme qui a tout vu, mais de celui qui n'a même pas envie de commencer à regarder. Il se déplaçait avec grâce, les membres fluides, le pas assuré, comme un danseur classique qui entendrait en permanence un adagio jouer dans sa tête. Grand et maigre, il marchait légèrement penché en avant, le poids de son corps portant sur les métatarses. Le pantalon remonté haut à la taille flottait sur ses hanches et ses fesses, et on croyait apercevoir la protubérance des os iliaques sous chaque poche. Il avançait à grandes enjambées dans les rues d'Ushuaia.

Il avait son idée sur ce qui s'était passé à New York. Il estimait qu'il y avait des limites à ne pas dépasser. Le vol était acceptable, le kidnapping également, le meurtre, même, s'il était perpétré contre des ennemis et seulement s'il n'y avait pas d'autre moyen de se faire entendre, de lancer une offensive ou de se protéger.

Mais tuer un vieil homme – l'écraser comme un chien – revenait à se placer au même niveau d'inhumanité que les monstres dont il avait eu à souffrir. Quant à Jorge, quoi qu'on ait pu trouver à redire sur sa moralité et les autres traits peu reluisants de son caractère, lui trancher la gorge dans une chambre d'hôtel anonyme était un acte de violence dénué de sens. Danny avait sombré dans une dépression pire que celle qui avait suivi la mort d'Alicia.

Hernando n'était pas venu à Ushuaia depuis des mois et tandis qu'il avançait dans les rues de la ville, il comprit pourquoi il n'aimait pas s'y rendre en hiver. Il n'y avait pas un être humain en vue, rien que des chiens perdus qui erraient ou se blottissaient dans l'embrasure des portes, abandonnés par les hommes qui étaient venus travailler pour une des entreprises de construction ou une des compagnies d'électricité possédées par l'Etat.

Le vent violent balayait la baie d'Ushuaia, les plaques de glace sur le sol auraient rendu la marche impossible s'il n'y avait eu ces cordes et ces rampes métalliques le long des trottoirs. La ville elle-même n'avait rien d'attrayant. Seules les forêts et les montagnes qui l'entouraient, et les vastes étendues d'eau qui s'étiraient jusqu'aux îles Hoste et Navarino, du côté chilien du Canal Beagle, lui conféraient une certaine majesté.

Quel que fût le laps de temps écoulé entre deux visites, le bord de mer, perpétuellement en travaux, restait dans le même état, inachevé, comme arrêté. Les grues couvertes de neige et les bulldozers étaient immobiles, attendant les fontes printanières pour se remettre en marche et profiter des courts mois de travail avant le retour des vents d'automne et d'hiver.

Il passa devant une rangée de maisonnettes en bois, coiffées de tôle ondulée et ornées des décorations tarabiscotées typiques de la Russie tsariste qui, par on ne sait quel miracle, étaient arrivées jusqu'à ces terres australes désolées.

Il s'était mis en tête d'entrer en contact avec elle, et depuis qu'il avait pris sa décision, il ne pouvait penser à rien d'autre. Il n'avait révélé ses intentions qu'à Danny, mais en présentant son affaire comme si l'opinion de ce dernier ne pourrait rien changer. Il y avait eu du fatalisme dans la réaction de son compagnon, qui lui avait laissé une entière liberté d'action, se réservant la décision finale lorsque la fin serait là.

Il regrettait de ne pas y avoir songé plus tôt. Jorge aurait pu être sauvé s'il l'avait fait, c'était au moins une chose certaine. Il n'y aurait jamais eu cette histoire du million de dollars. Mais il était inutile de s'appesantir sur l'évidence ou de se lamenter sur le passé. Le temps était compté. Swayze se préparait à partir pour La Havane aujourd'hui avec deux valises contenant plus de quarante-six millions de dollars, parce qu'on avait soudain estimé que la situation était plus sûre à Cuba qu'en Argentine. Ils devaient le suivre le dimanche.

Il changea de direction, longea plusieurs rues et pénétra dans un quartier à l'architecture différente. Les demeures tsaristes avaient fait place aux bâtiments de béton et aux maisons préfabriquées suédoises des ouvriers, des baraques en bois serrées les unes contre les autres le long des trottoirs. Il ne cessait de se répéter ce qu'il allait dire. Si elle décrochait, il serait froid et bref, refuserait de répondre aux questions ou de fournir des explications par téléphone. Il ne donnerait rien d'autre qu'une date et un lieu de rendez-vous. Et si elle était absente, il laisserait un message qu'elle serait la seule à comprendre.

L'agence de voyage Tierra Major se trouvait juste après le carrefour, sur l'Avenida San Martin, pas loin de l'Albatros, le plus grand et le meilleur hôtel d'Ushuaia. Si tout se passait selon son plan, Marie Ines n'était pas partie déjeuner et l'attendait. Le rendez-vous était à midi. Il arriva devant la porte de l'agence trois minutes avant l'heure prévue, l'ouvrit et entra, accompagné par le tintement du carillon de verre suspendu au plafond par du fil de pêche. Il fut soulagé de voir que son amie était là et l'attendait.

Elle le regarda de derrière son bureau, sourit et fit pivoter le téléphone de façon à placer le cadran face à lui.

– *Hola*, Hernando, dit-elle. J'espère que tu as du temps pour réussir à passer ton appel.

Hernando comprit ce qu'elle voulait dire. L'attente, en longue distance, durait parfois des heures, surtout en hiver où les opératrices étaient moins nombreuses et les lignes plus rares. Malgré tout, c'était plus agréable d'appeler d' ici que de se geler en pleine rue et d'être obligé de demander à quelqu'un de vous aider à glisser les *cospeles* dans un téléphone à pièces capricieux.

S'asseyant devant le bureau, Hernando remercia Marie Ines avant de s'embarquer pour la première étape d'un long retour vers le passé. Il décrocha le combiné, composa le numéro de l'opératrice avec le crochet de métal de l'une de ses prothèses et attendit qu'elle arrive en ligne pour lui donner le numéro du Brooklyn General Hospital.

Il n'y avait qu'un obstacle dans ce plan par ailleurs sans faille, une chose qu'Hernando ne pouvait savoir à ce moment-là. Comme toujours, Swayze s'était montré un chef prévoyant, préparé à toutes les trahisons. Après avoir organisé les meurtres de Stampa et de Jorge, il avait ordonné qu'Hernando soit suivi et s'était arrangé avec le propriétaire de l'agence de voyage pour que les appels passé de chez lui soient notés, pas seulement l'heure et le prix mais aussi le nom et le numéro des correspondants demandés. Il ne lui faudrait que quelques heures après que le garçon aurait raccroché pour réparer les dégâts qu'il aurait commis. Une fois que Swayze avait pris une décision, il savait s'y tenir.

L'idée était de dîner dans un restaurant du quartier. Ensuite, Adam passerait la nuit dans le nouvel appartement de Coriandre. Elle n'était pas de garde et ne s'était rendue à l'hôpital que pour discuter avec le chef de clinique du congé qu'elle souhaitait prendre.

Elle était en retard, pas gravement, d'une dizaine de minutes, mais cela suffisait à rendre Adam nerveux. La logique lui disait qu'il n'y avait rien là d'exceptionnel. Mais son instinct exprimait un avis différent. Il essayait de ne pas s'inquiéter. Après tout, il lui arrivait souvent de s'attarder à son travail. Avec un peu de chance, c'était le médecin-chef qui l'avait retenue ou elle était coincée dans un embouteillage sur le chemin du retour. Par pure nervosité, il se mit à composer le numéro de l'appartement, raccrochant plusieurs fois, pour finir par laisser un message sur le répondeur signalant qu'il se trouvait au bureau et qu'il espérait ne pas s'être trompé ni sur l'heure ni sur l'endroit de leur rendez-vous.

A six heures trente, alors qu'elle avait déjà une demi-heure de retard, Adam décida d'appeler l'hôpital et de la faire demander, quitte à se sentir ridicule si elle était toujours en réunion.

Ce fut Lottie qui vint à l'appareil.

— J'allais justement vous appeler, dit-elle. Coriandre est arrivée ?

— Non, pas encore, c'est pour ça que je téléphone. Je commence à m'inquiéter.

— Ne vous en faites pas, je l'ai vue tout à l'heure. Elle filait attendre son taxi.

– Alors pourquoi vouliez-vous me parler ?

– Parce que j'ai relevé ses fiches d'appel, et qu'elle a eu un message vraiment bizarre. Enfin je pense qu'elle l'a eu si elle a pris le temps de les consulter.

– Pourquoi avez-vous ces fiches si elle les a relevées ?

– Ils en envoient toujours un tirage informatique et j'étais dans notre bureau quand il est arrivé, répondit-elle avec un rire nerveux. C'est tout l'un ou tout l'autre ici. Soit ils sont trop efficaces, soit ils tombent en panne de plasma à la banque du sang.

– Que dit le message ?

Il se renversa dans son fauteuil, écarta le combiné et prit une profonde inspiration.

– L'opératrice dit qu'un homme a appelé sans laisser son nom et s'est contenté d'annoncer qu'il la verrait vendredi. (Elle hésita.) Après-demain.

– C'est tout ? Il n'a pas dit où ?

– C'est pour ça que je voulais vous en parler. Ça ne vous paraît pas bizarre ?

Plus que bizarre. Adam se redressa dans son fauteuil.

– Vous pouvez me passer l'opératrice ?

Il ne fallut que quelques seconde à Lottie pour effectuer le transfert, de sorte qu'Adam et elle se retrouvèrent ensemble sur la ligne. L'opératrice était embarrassée. En effet, elle se rappelait cet appel destiné au docteur Wyatt, pas seulement parce qu'il semblait venir de loin et que l'homme parlait avec un fort accent, mais aussi à cause de ce qu'il avait dit. Elle avait d'ailleurs transmis verbalement au docteur Wyatt la totalité du message qu'elle n'avait pas pris la peine d'entrer intégralement dans l'ordinateur. Elle espérait n'avoir causé aucun problème, mais il y avait tellement d'appels provenant de détraqués qu'il était parfois difficile de distinguer le vrai du faux, sans parler des coups de fil personnels des épouses et des petites amies des médecins dont l'abondance empêchait de garder trace de tout.

– Quel était la suite du message ? demanda Lottie.

Au fait, s'énervait silencieusement Adam. Crache le morceau. L'opératrice finit par se décider.

– L'homme a dit qu'il la retrouverait là où était le nain...

Lorsqu'Adam arriva au brownstone de la 76e Rue Ouest, Coriandre était déjà partie. Il descendit quelques marches et alla presser la sonnette de bronze de la porte menant à l'appartement de Miranda Malone.

– Qui est là ? demanda une voix teintée d'accent britannique dans l'interphone.

– Adam Singer, un ami de Coriandre Wyatt. J'étais là hier soir.

– Je sais qui vous êtes, mon chou. Une seconde, j'arrive.

Il essaya de se calmer, mais c'était inutile.

– Patience, mon chou, continuait la voix, il y a tellement de serrures, de loquets et de chaînes...

Vêtue d'un kimono fleuri, chaussée de mules brodées, ses cheveux rouges noués dans un foulard franchement écarlate laissant apparaître des racines grises, les ongles peints d'un vernis couleur sang, Miranda Malone ouvrit la porte et annonça :

– Elle est partie, mon chou.

Son cœur se serra.

– Où ?

– Depuis une heure, fit-elle comme si elle n'avait pas entendu.

Il reposa la question d'une voix anormalement basse.

– Savez-vous où elle est allée ?

Miranda réfléchit une minute, puis ouvrit la porte en grand.

— Entrez, il fait trop chaud.

Il suivit la femme dans l'appartement encombré, enjambant plusieurs cartons pleins de bouteilles d'eau minérale entassés au milieu du salon.

— Ils ne prennent même pas la peine de les porter jusqu'à la cuisine, se plaignit-elle. Ils considèrent déjà ça comme une faveur de vous les livrer.

— Voulez-vous que je le fasse ? proposa Adam.

Miranda n'hésita pas.

— C'est par là, mon chou, au bout du couloir. Attention aux litières des chats.

Adam empila les cartons et suivit la femme le long du corridor obscur jusqu'à une vaste cuisine où des casseroles et des poêles en cuivre étaient suspendues au-dessus du fourneau et des plans de travail. Il les posa sur une table.

— Où les rangez-vous ?

Son estomac le faisait souffrir. Il se sentait mal.

— Vous êtes un gentleman, dit-elle. Laissez-les ici, je m'en occuperai plus tard.

Il revint à la charge.

— Savez-vous où elle est allée ?

— A l'aéroport.

Il soupira.

— Buenos Aires ?

Miranda haussa les épaules.

— Je lui avais dit de ne pas l'épouser. Je l'avais prévenue que les femmes ne guérissent jamais de ces types-là. C'est comme l'hépatite, vous savez, ils sont là, en sommeil, vous voyez ce que je veux dire ? Une tasse de thé, mon chou ? Je vous trouve un peu pâlot.

354

Il n'avait rien contre elle, mais il devait se contrôler pour ne perdre ni sa patience, ni son calme, ni ses esprits.

— Buenos Aires, répéta-t-il. C'est tout ?

— C'est une fille adorable, intelligente, sauf quand il s'agit de lui. (Elle s'arrêta pour ramasser un de ses chats.) Même ce petit Lucifer est plus malin que Coriandre.

Il savait bien qu'il avait un début d'ulcère, ce qu'il ignorait, c'était s'il sortirait indemne de toute cette histoire. Il ne l'oublierait jamais, quelle qu'en soit l'issue, il n'oublierait jamais Coriandre, quel que soit son sort...

— Vous a-t-elle dit qu'elle allait le retrouver ?

— Pas exactement, mon chou, mais elle n'y allait pas pour rendre visite à son père, ça c'est sûr. Et j'ai vu cette lueur dans ses yeux quand elle est venue me dire au revoir. Ça se lisait sur son visage, la folie pure. Franchement, je n'ai jamais cru qu'il était mort. Et vous ?

Il n'avait jamais rien cru, et surtout pas qu'il tomberait amoureux d'elle.

— A-t-elle dit où elle devait le retrouver à Buenos Aires ?

— Non, mon chou, rien, dit Miranda. Juste qu'elle allait là-bas.

Il transpirait dans cette cuisine où l'air conditionné faisait régner une température au-dessous de la normale.

— Puis-je me servir de votre téléphone ?

Elle ne se contenta pas de lui en donner la permission. Elle l'installa dans un fauteuil confortable de son boudoir, avec une bière et un annuaire téléphonique. Il appela Aerolinas Argentinas, mais le vol décollant dans quarante minutes était plein et de toute façon, il n'aurait pas pu l'attraper. L'employé des réservations refusa de lui dire si Coriandre figurait sur la liste des passagers. Adam raccrocha et essaya de joindre plusieurs autres compagnies assurant la liaison avec Buenos Aires. Il finit par trouver une place pour le vendredi. Ceci fait, il resta assis jusqu'au moment où Miranda revint dans la pièce.

— Vous avez l'intention de la suivre là-bas, c'est ça?

— Oui.

— Vous êtes amoureux d'elle, c'est ça?

Il acquiesça.

S'il avait jugé sa dernière question indiscrète, elle dut trouver la sienne bizarre.

— Elle ne vous a pas parlé d'un nain, n'est-ce pas?

Quoi qu'elle eût été dans le passé, Miranda se révéla une femme douée d'une grande sensibilité qui refusait d'émettre le moindre jugement sur qui que se soit. Secouant la tête, elle le regarda tristement, d'un air presque maternel, et dit :

— N'allez pas vous imaginer des choses, mon chou. Je suis sûre qu'une fois qu'elle l'aura sorti de sa tête, elle se rendra compte quel type bien vous êtes. Alors inutile de vous raconter qu'il y a quelqu'un d'autre, je ne sais quel géant, ou quel nain...

Qu'aurait-il pu répondre? Il la remercia de sa gentillesse et quitta le brownstone comme un homme en sursis, ni tout à fait vivant ni tout à fait mort. Comment allait-il s'y prendre pour la retrouver à Buenos Aires? Il aurait l'air fin à sillonner la ville à la recherche d'un nain.

Chapitre vingt-deux

Et voilà, elle était de retour à Buenos Aires. Elle flânait sur Corrientes comme si toutes les années passées se résumaient au mois qui venait de s'écouler. Bien avant qu'elle n'ait dit adieu à Danny pour la première fois, avant qu'elle l'ait à nouveau accueilli dans sa vie new-yorkaise, avant que leur existence ne soit devenue la fiction qu'il avait inventée, il y avait eu la période heureuse qu'elle avait connue dans cette ville.

Corrientes restait le cœur de la ville, avec ses lumières, ses rires, ses musiques. Elle s'attendait à ce qu'Hernando soit en retard ou même à ce qu'il ne vienne pas du tout. Elle s'apprêtait à revivre toute l'incertitude de ce jour si lointain où elle l'avait perdu, où elle avait refusé d'aller au bout du sacrifice pour le sauver.

Elle avait attrapé l'avion à New York de justesse et était arrivée à Buenos Aires le jeudi matin. Elle avait pris une chambre dans un petit hôtel de Recoleta. C'était près du cimetière, le seul endroit où elle s'était rendue ce jour-là, pour voir la tombe de sa mère. Tout en déambulant dans les allées de ce jardin où dormaient les morts de la meilleure société, elle redécouvrait le caractère profondément argentin du cimetière. Incroyablement éclectique, avec cet amoncellement de styles architecturaux représentatifs de toute une variété de cultures et de nationalités.

Certains mausolées arboraient des portails de fer forgé et des cloches de bronze, d'autres étaient munis de portes de verre, avec des anges ailés perchés sur leur toit. Sur les façades de pierre étaient gravés les noms et les professions de leurs occupants. Coriandre avait toujours la tentation d'aller sonner, comme si la personne habitant ce monument allait se relever pour venir lui ouvrir.

Cette promenade dans Recoleta lui fit un peu oublier la tristesse qui l'envahissait lorsqu'elle pensait à sa mère et en cherchant la tombe maternelle, elle oublia provisoirement la tristesse qui l'envahissait quand elle pensait à Danny. Elle passa le reste de la journée dans sa chambre d'hôtel, craignant de tomber sur quelqu'un qu'elle connaissait si elle sortait.

Vendredi était arrivé. Un froid matin d'hiver aoûtien préludait à sa rencontre avec Hernando. Elle se promena sur Corrientes, s'arrêtant aux étals des petits bouquinistes installés en plein vent. Elle savait parfaitement où il avait l'intention de la retrouver.

La ponctualité n'était pas son fort, mais elle arriva au bon endroit à l'heure dite, avec une marge d'une demi-journée dans la mesure où le message ne précisait pas s'il s'agissait du matin ou de l'après-midi. Entrant et sortant des boutiques, elle feuilletait les journaux, les magazines, les livres. Elle parvint au bout de l'avenue, fit demi-tour et recommença. Elle marcha jusqu'à l'endroit où l'Avenida Callao confluait avec Corrientes. La démocratie était bien revenue en Argentine : les rues étaient criblées de nids-de-poule, les sans-abri erraient sur les trottoirs, les mendiants se tenaient à l'ombre des statues de marbre séparant les avenues gigantesques qui s'étendaient à l'infini.

Les portes des magasins étaient verrouillées, on voyait des panneaux derrière les pare-brise des voitures prévenant d'éventuels voleurs qu'il n'y avait aucun objet de valeur à dérober à l'intérieur, les passants mangeaient des hamburgers, le temps des longs repas et des siestes semblait révolu. Où étaient les hommes en uniforme impeccable qui tournaient dans la ville pour ramasser les morts et les papiers gras laissés par les manifestations? Elle se sentait incroyablement éloignée de cet endroit où elle avait été chez elle autrefois.

Elle n'avait pas plus sa place ici que les autres Portenos, ces citoyens de Buenos Aires dont le nom même suggérait qu'ils étaient arrivés par le port de leur contrée lointaine. Peut-être était-elle différente, plus proche de ce pays que les autres. Il y avait son sang, ses ancêtres qui habitaient cette terre depuis le dix-neuvième siècle, sa mère qui l'habiterait pour l'éternité, ensevelie dans une crypte de marbre rose de Recoleta; son père aussi était là, sa photo accrochée avec celles des autres diplomates sur un mur de l'ambassade américaine.

Elle fit à nouveau demi-tour et se remit à descendre Corrientes, passant devant les vieux cafés avec leurs grandes vitrines aux cadres de bois qui s'ouvraient sur le trottoir quand le temps le permettait, devant les cinémas qui jouaient des films américains, devant les fast-foods. Elle ramena son manteau contre elle pour se protéger du vent. Elle avait froid, elle était fatiguée, elle avait peur et elle aurait voulu qu'Adam soit là, avec elle, mais ça, c'était une autre histoire...

Pour l'heure, tout ce qui importait était de voir Hernando et Danny, même si elle n'avait pas la certitude de les rencontrer, ni l'un ni l'autre. Elle prenait le risque.

Toute sa vie, on l'avait accusée de n'avoir aucun sens de l'humour. Une fille sérieuse, disaient-ils, studieuse et intense, pas comme ces jeunes gens qui dansaient, flirtaient, tombaient amoureux puis se séparaient. Coriandre avançait dans la vie d'un pas délibéré, efficace et résolu. C'était ce qu'ils disaient. Plus mûre que son âge. Ce qui faisait de Danny la dernière personne au monde dont ils imaginaient qu'elle pourrait s'éprendre. Mais elle les avait adoptés tous les deux, Hernando et Danny, l'un pour son esprit, l'autre pour son âme. Et maintenant, il y avait Adam. Peut-être n'était-il pas trop tard pour que la fille sans humour soit la dernière à rire...

Il n'y a rien de plus déprimant qu'un night-club au milieu de l'après-midi, aussi morne et désert que la plage de Punta del Este après la fin de la saison. L'éclairage violent de la Verduleria mettait en évidence les taches de la moquette, les bords effrangés du rideau de velours rouge, les nappes fanées, la poussière recouvrant les plantes et les fleurs artificielles. Les musiciens avaient le teint cireux et les bras de la chanteuse semblaient flasques sans le halo rose du projecteur, qui leur donnait l'arrondi de la jeunesse, ni les raies de lumière jaune qui faisait briller les sequins de sa robe.

Ils lui permirent de s'installer dans la salle pour attendre. Le nain se tenait à l'autre bout du bar, vieilli et ratatiné, les manches de sa chemise roulées sur ses bras glabres appuyés au comptoir. Il n'y avait rien de chaud à boire, ni café ni thé, c'était trop tôt. Plaçant son siège de façon à pouvoir apercevoir la rue, elle demanda un verre d'eau minérale.

Elle resta là plusieurs heures, vit le jour tomber, les lumières baisser tandis qu'une équipe de gros bras faisaient rouler un piano sur la scène. Quelques uns des musiciens s'installèrent et commencèrent à s'accorder tandis que le nain passait une veste rouge avec des boutons de cuivre et coiffait une casquette de cuir noir. *Bienvenue à La Verduleria, señoras et caballeros, cumbias, sambas et tangos commencent à trois heures du matin...*

Elle descendit de son tabouret, passa les portes battantes et se retrouva dans la rue. Il était là. Sans un mot, elle lui prit doucement les poignets et les lui embrassa, juste au-dessus du métal de ses prothèses. Puis elle le regarda dans les yeux sans le lâcher. Les larmes perlaient à ses paupières, elle était incapable de parler. Quant à lui, il souriait, fou de joie de la revoir, malgré tous ses efforts pour avoir l'air sombre. En un instant, la tension qui les séparait s'évapora, les épaules du garçon se relâchèrent et il sembla se détendre.

A l'évidence, les années de séparation étaient oubliées et ils se lancèrent dans leur vieux numéro, quand il l'aidait à réviser ses cours d'anatomie. Il désigna certains endroits de son corps et de son visage, lui demandant le nom des os correspondants. Riant derrière ses larmes, elle les énuméra : « Tibia, zygomatique, temporal, humérus. » Il l'aimait toujours, même si Coriandre, la femme qui portait l'enfant de son mentor, lui inspirait des sentiments mitigés.

— Il m'a dit, pour le bébé, déclara-t-il, quand le jeu fut terminé.

Elle avait fait des efforts considérables pour ne pas mentionner Danny durant les cinq premières minutes de leurs retrouvailles. A présent, une émotion plus forte que le soulagement la saisissait à l'idée que le doute était enfin totalement dissipé. Mais elle ne ressentit pas la moindre surprise.

— Pourquoi est-il parti ?

– Il n'avait pas le choix, Coriandre. Mais il a toujours eu l'intention de te faire venir.

– Il aurait dû m'en parler. Il aurait dû me l'expliquer.

– Il ne pouvait pas te faire confiance à ce moment-là. Il n'était pas sûr que tu comprendrais. Il y avait trop de choses en jeu.

– Tu es si naïf..., commença-t-elle d'une voix triste.

Il était si maigre, si pâle. Elle lui toucha la joue.

– C'est toi qui ne comprends pas, reprit-elle.

Il détourna son visage et répondit d'un ton coléreux :

– Tu n'auras qu'à lui dire ça quand tu le reverras.

– Tu m'emmènes là-bas ?

Il acquiesça sans la regarder.

Elle lui prit le menton et l'obligea à se tourner vers elle.

– Et toi, pourquoi ne m'as-tu pas donné de nouvelles pendant toutes ces années ?

Un instant, il parut avoir vingt ans à nouveau, ce garçon au bandonéon qui était devenu un combattant.

– Est-ce que j'aurais pu encore jouer pour toi ?

– Tu étais vivant.

– Tu crois que c'est suffisant ?

– Bien sûr que c'est suffisant. Tu aurais pu être mort...

Il secoua la tête.

– J'avais vingt ans quand j'ai perdu mes mains, et tout ça pour quoi ?

Elle n'osa pas respirer.

– Ai-je volé ? Ai-je tué quelqu'un ?

Les larmes roulaient sur ses joues émaciées et il incarnait soudain tous ceux qui avaient souffert ou disparu entre les mains de la Junte.

– Qu'avais-je fait ? Quel était mon crime ?

Elle resta là, sans bouger, puis tendit une main qui resta suspendue entre eux.

– Hernando, dit-elle d'une voix qui se brisait, c'était leur crime, pas le tien.

Elle comprenait l'injustice, l'inhumanité, la cruauté de ce qui s'était passé, mais elle savait maintenant que cela n'avait véritablement d'importance que pour ceux qui en avaient souffert dans leur chair, pas pour ceux qui l'avaient vécu par procuration.

– Et Danny ? interrogea-t-elle.

– Il m'a demandé de venir me battre.

C'était fou.

– De venir te battre..., répéta-t-elle doucement, avant d'ajouter : te battre contre qui, Hernando, et pour quoi ?

– Pour que ça n'arrive plus jamais...

– Tu vis dans un autre temps, Hernando, plaida-t-elle. Tes convictions sont sans fondement dans la réalité d'aujourd'hui.

– La réalité, dit-il d'un air buté, c'est que nous partons dimanche pour La Havane. Est-ce que ça fait une différence ?

Rien ne faisait plus de différence. Ou alors tout, c'était fonction du moment. Cette fois, elle estimait que ses raisons étaient illogiques et irrationnelles bien qu'il s'accrochât encore à ses justifications. Il n'était pas compliqué de comprendre qu'il en avait besoin pour continuer à vivre. Pour son mari, c'était une autre histoire ; l'idéaliste avait viré à l'homme d'affaires, l'homme d'affaires au criminel.

– Où est-il en ce moment ?

– Dans l'estancia de mes parents à Ushuaia. Nous ferons une partie du trajet en voiture et nous prendrons l'avion à Bahia Blanca.

Il n'était pas question qu'elle n'y aille pas. Il fallait qu'elle revoit Danny, ne fût-ce que pour comprendre ce qu'il n'avait jamais pris la peine de lui expliquer.

Adam arriva à Buenos Aires le samedi matin, deux jours après Coriandre. Un chauffeur de taxi lui suggéra de descendre à l'hôtel Alvear qui se trouvait à l'intérieur d'un centre commercial appelé Galeria Promenade, en plein cœur du Barrio Norte. L'établissement était si proche du cimetière de Recoleta qu'il suffisait pour y arriver de traverser une rue et le jardin bien tenu qui entourait la cité des morts. Si Coriandre était allée sur la tombe de sa mère aujourd'hui, Adam aurait eu des chances de l'apercevoir.

En s'enregistrant à la réception, Adam demanda au concierge :

— Si quelqu'un donnait rendez-vous à quelqu'un d'autre là où se trouve le nain, auriez-vous une idée d'où cela pourrait être à Buenos Aires?

L'expression de l'employé derrière son comptoir d'acajou fit penser à Adam qu'il aurait été préférable de poser la question après avoir obtenu la clé de sa chambre.

— C'est le message tronqué que m'a laissé quelqu'un, ajouta-t-il avec un rire embarrassé.

Mais l'homme était un professionnel. Il hocha la tête comme s'il comprenait le problème.

— Je vérifierai pour vous, señor, dit-il avant d'appeler le garçon d'étage qui attendait de s'emparer de la valise d'Adam pour la monter dans sa chambre.

C'est par courtoisie que l'homme s'adressa à son subordonné en anglais, lui répétant la question avec un air inexpressif et sur un ton neutre. Mais le groom réagit immédiatement.

– Il doit s'agir de La Verduleria, dit-il. C'est un célèbre night-club sur Corrientes, avec un nain comme portier.

Il se tourna vers le concierge et ajouta une phrase en espagnol à laquelle l'autre répondit d'un sourire et d'un mouvement de tête.

– Bien sûr, La Verduleria, très connue, répéta-t-il. Mais vous savez, señor, si vous comptez danser le tango ou la samba là-bas, vous devrez attendre jusqu'à trois heures du matin. On ne danse qu'à partir de cette heure-là.

Adam le remercia, repensant au récit que Coriandre lui avait fait de la nuit qu'elle avait passée avec Hernando. Ils avaient dansé jusqu'à quatre heures du matin tandis qu'elle commençait à s'inquiéter pour Danny et lorsqu'ils avaient quitté la boîte, une voiture avait surgi sur Corrientes et la police avait embarqué le jeune homme...

Il suivit le garçon d'étage à travers le hall rutilant, jusqu'à l'ascenseur dont la cage ancienne avait été conservée. Adam décida se se rendre directement à la Verduleria. Il n'était pas tout à fait midi, quinze heures trop tôt pour la samba, et probablement un jour trop tard pour Coriandre.

Depuis le taxi qui traversait Buenos Aires, il regarda de tous ses yeux, fasciné par ce qu'il voyait. La ville était aussi superbe que Coriandre l'avait décrite, avec ses immenses avenues, ses terre-pleins de gazon bien tenu agrémentés de bancs. Les bâtiments qui se dressaient de chaque côté mêlaient l'architecture européenne et le verre et chrome des buildings américains. Des sculptures élaborées représentant des personnages grecs ou romains sur leur char ou des statues de marbre dépouillées figurant des héros et des libérateurs argentins ornaient les placettes circulaires qui précédaient divers immeubles de bureaux ou d'habitation.

Chemin faisant, Adam aperçut des églises, des marchés en plein air, des autobus Mercedes rouges, des petits édifices vitrés appelés kioskos, illuminés au néon. Il demanda au chauffeur ce qu'on y vendait et apprit que malgré leur taille ridicule, on y trouvait de tout, depuis les cigarettes jusqu'au savon en passant par les billets de loterie, vingt-quatre heures sur vingt-quatre. Il y avait quelque chose d'étrangement familier dans cette ville où il n'avait pourtant jamais mis les pieds. Elle éveillait en lui des images connues, sûrement à cause de Coriandre, de ce qu'elle lui avait raconté de sa vie ici. Il en tira la conclusion qu'elle était profondément enracinée dans son cœur et dans son esprit.

Il sut tout de suite où ils étaient quand le chauffeur arriva sur Corrientes. Là encore, tout était exactement comme elle l'avait décrit – i'artère qui ne dort jamais – avec les cinémas, les foules, la circulation, les restaurants, les night-clubs dont les enseignes restaient allumées en plein jour et d'où s'échappaient des flots de musique.

Le taxi s'arrêta devant la Verduleria. Adam réprima un frisson. Il paya le chauffeur et quitta la voiture. Il fut soudain frappé par l'idée que quiconque vivait à Buenos Aires et avait plus de quatorze ans était né ou avait vécu sous la Junte, avait eu à en souffrir. En entrant dans la boîte, il vit le nain installé à son poste habituel au bout du bar, comme un lien entre le passé et le présent, un homme qui avait assisté bien longtemps auparavant à un incident qui avait mis en marche toute une série d'événements et bouleversé un nombre considérable de vies...

Adam avait apporté une photographie d'elle pour la montrer à ceux qu'il interrogerait. Le nain se rappela l'avoir vu la veille et lui montra l'endroit exact où elle s'était assise. Comment aurait-il pu l'oublier ? Elle était restée des heures à attendre quelqu'un. Avant qu'ils ne la fassent entrer à l'intérieur du club, elle avait arpenté Corrientes dans tous les sens, stationnant longuement devant la porte à chaque passage. Personne d'autre à la Verduleria ne put rien lui dire de plus. Apparemment, elle n'avait parlé qu'au barman et seulement pour lui commander plusieurs bouteilles d'eau minérale. Lorsque son ami était enfin arrivé, elle s'était ruée dehors et avait même failli oublier son manteau.

Le propriétaire du club était inquiet. Il vint dire à Adam qu'il espérait ne pas avoir d'ennuis avec la police. C'était la première fois qu'il voyait cette femme. Il ne l'avait laissée attendre à l'intérieur que par pure courtoisie et ne savait rien d'elle. Adam assura à l'homme qu'il n'avait aucun rapport avec la police, qu'il s'agissait d'une affaire strictement personnelle. Soulagé, l'autre hocha la tête et sourit, murmurant quelque chose comme *son cosas del corazon*... Pas très heureux de ce rôle d'amant éconduit ou de mari jaloux, Adam continua à poser des questions. Quelqu'un pouvait-il décrire l'homme ou la voiture ? Quelqu'un les aurait-il entendu dire où ils allaient ? Mais personne ne savait rien. Au moment où Adam s'apprêtait à s'en aller, le nain le rattrapa. Il y avait autre chose que personne n'avait signalé, une chose qui était peut-être passée inaperçue, touchante. Lorsque la femme s'était précipitée dehors pour saluer son ami, elle lui avait embrassé les mains. Adam dut avoir l'air choqué car le nain se hâta de lui expliquer que ce n'était pas exactement ses mains qu'elle avait embrassées mais plutôt ses poignets. Car cet homme, voyez-vous, n'avait pas de mains, seulement des crochets de métal.

En arrivant à Buenos Aires, Adam n'avait pas eu l'intention de signaler sa présence à Palmer Wyatt. Lorsqu'il quitta la Verduleria, il avait changé d'avis.

De retour à l'hôtel, il s'arrêta à la réception pour voir s'il n'y avait pas de message – comme si quelqu'un allait l'appeler – avant de monter dans l'ascenseur pour rejoindre sa chambre. La porte refermée, il s'assit sur son lit et appela l'ancien ambassadeur. Wyatt décrocha à la deuxième sonnerie. Il fallut plusieurs minutes à Adam pour le mettre au courant des derniers développements de la situation et lui expliquer ce qu'il faisait ici. L'homme l'écouta sans l'interrompre ni poser de questions auxquelles l'enquêteur n'aurait pu répondre – du moins pas encore.

– Que savez-vous de l'homme qu'elle a retrouvé au club ? demanda Adam.

– C'est celui dont je vous ai parlé. Il s'appelle Hernando Sykes et j'ai un dossier sur lui établi au moment où il a été arrêté.

Adam retint son souffle, espérant que Wyatt avait encore accès à ce dossier qui devait être lié à l'histoire de la bande magnétique enregistrée chez Danny, laquelle avait un rapport plus que direct avec Coriandre. Palmer lui répondit qu'il allait vérifier et le rappellerait. Le téléphone sonna dix minutes plus tard.

– Sa famille possède un élevage de moutons à Ushuaia, dit Wyatt, d'où j'en déduis que se sont des gens honnêtes et travailleurs.

– Comment dois-je faire pour me rendre là-bas ?

– Comment savez-vous que c'est là qu'ils sont partis ?

– Je l'ignore, mais il me paraît plus raisonnable de parler à la famille de cet homme que de lui courir après dans tout Buenos Aires.

Adam était préparé à la discussion qui suivit. Wyatt avait toutes les bonnes raisons du monde de vouloir l'accompagner à Ushuaia. En fin de compte, il parvint à le convaincre qu'il valait mieux pour eux tous qu'il attende à la maison. Il y avait trop en jeu pour raviver de vieilles inimitiés ou réveiller des souvenirs de l'une des périodes les plus pénibles de la vie de ces gens.

Il n'existait que deux vols quotidiens pour Ushuaia les jours de semaine et un seul par jour pendant les week-ends. Le vol de samedi était déjà parti. Adam réserva son passage pour le dimanche matin, ce qui l'amènerait à Ushuaia six heures plus tard, vers cinq heures de l'après-midi. Il avait promis d'appeler Wyatt dès qu'il aurait appris quelque chose; ils décideraient alors s'il devait le rejoindre. S'il arrivait quelque chose qui empêchât Adam d'appeler, du moins Wyatt saurait-il où il était.

Chapitre vingt-trois

Le 737 des Aerolinas Argentinas plongea vers le Canal Beagle dont les eaux agitées déferlaient sur les berges pelées de petites îles. L'avion roulait d'une aile sur l'autre en passant entre les montagnes déchiquetées qui encadraient l'étroit couloir aérien, puis il survola les eaux calmes de la baie d'Ushuaia pour entamer son approche finale de l'un des aéroports les plus courts et les plus dangereux au monde. Dès qu'il eut rebondi sur la piste, le pilote enclencha instantanément les freins, faisant hurler les pneus de l'appareil.

Dans le terminal, près de la zone de livraison des bagages, Coriandre attendait. Les murs étaient couverts d'avis mettant en garde contre le choléra, de dessins représentant des fruits et des légumes en train de bouillir dans des marmites, d'affichettes alertant contre la *meria roja*, cette maladie mortelle qui attaque la mer et les crustacés durant certains mois de l'année.

Sur le mur au-dessus des comptoirs Lade, Austral et Aerolinas Argentinas, des photos agrandies montraient des moutons en train de paître sur des collines verdoyantes, des bateaux à coque de bois amarrés à des docks inachevés, des fleurs sauvages couleur d'ambre piquetant un rivage lointain. Levant la tête, elle vit des fils pendant

371

du plafond sillonné de tuyaux métalliques. Un vent glacé s'échappait d'entre les planches de contre-plaqué bouchant des trous dans les murs. Elle releva le col de son manteau.

Par le hublot de son avion, Adam découvrait les étendues de terre nue, d'interminables tapis de neige vierge sur lesquels s'éparpillaient de petites maisons au toits rouges, des sites de construction, des bâtiments entourés d'échaffaudages, des machines rouillées, des camionnettes à plate-forme à moitié ensevelies.

Depuis l'autre côté de la carlingue, on apercevait une structure basse en tôle ondulée coiffée d'un toit en coupole qui ressemblait au poste de commandement d'une caserne. Plus loin sur la gauche, il y avait d'autres bâtiments dans le même style. Tandis que l'avion roulait jusqu'à une échelle mobile l'attendant sur le tarmac, Adam remarqua un bimoteur Cessna. Un homme était assis sur les marches menant à la carlingue. Il n'avait pas de mains.

Il y avait beaucoup de gens dans le terminal, rassemblés autour d'un kiosko qui vendait des parfums et du maquillage en duty. Hernando avait déjà appelé l'estancia pour parler à Danny qui lui avait promis d'attendre leur arrivée.

Coriandre avait plus ou moins espéré qu'il serait là quand ils débarqueraient dans le terminal. Elle surveilla du regard toutes les issues de la salle, de peur de le rater. Elle n'avait jamais été aussi terrifiée de toute sa vie. C'était moins la peur de le revoir que de devoir prendre une décision qu'elle regretterait jusqu'à la fin de ses jours.

– Coriandre, *querida*.

Le son de sa voix la fit sursauter et elle se retourna. Il paraissait différent, ou peut-être était-ce elle qui le voyait

372

différemment. Ses cheveux avaient poussé et il portait une barbe en broussaille. Un éclat intense brillait dans ses yeux. Il était vêtu du même pantalon noir, du même col roulé que le jour de son départ.

Elle ne fut pas capable de prononcer un mot. Le choc de ces retrouvailles anesthésiait tout le soulagement qu'elle aurait dû éprouver à savoir qu'il n'était pas mort, qu'il s'était contenté de l'abandonner sans prendre la peine de lui expliquer ses raisons ni d'entendre ses arguments avant de disparaître. Tremblante, elle se contentait de le regarder. Son cœur battait à tout rompre.

Il n'hésita pas, se comporta comme s'il l'attendait depuis des semaines, comme si elle était celle qui était partie sans prévenir. La prenant dans ses bras, il pressa ses lèvres contre son oreille.

— Dieu merci, tu es là...

Ses paroles semblaient vaguement familières, pleines de cette gratitude bizarre qu'il avait exprimée lorsqu'elle lui avait appris qu'elle portait son enfant. Elle se raidit sans le vouloir.

— Peut-être aurais-tu mieux fait de ne pas venir, *querida*.

Faux, hurla-t-elle en silence, toujours trop secouée pour parler, peut-être que c'est toi qui n'aurais pas dû partir...

— C'est peut-être égoïste de ma part de te vouloir près de moi. Peut-être aurait-il mieux valu laisser les choses en l'état... Je ne veux que ton bien...

Il continuait à s'excuser, justifiant vaguement ses actes comme il l'avait toujours fait, par le bien de quelque chose ou de quelqu'un, jamais le sien, toujours sous prétexte de désintéressement et d'altruisme. Mais cette fois, ça ne suffisait plus ; toute la douleur et le chagrin se cristallisèrent en elle pour produire une rage pure. Elle se rua sur lui, lui frappant le visage et la poitrine de ses poings, le visage inondé de larmes, hurlant :

— Comment as-tu pu faire une chose pareille ? Comment as-tu pu m'infliger ça...

Si cet éclat le surprit, il n'en laissa rien voir. Il se contenta de lui saisir les poignets et de les immobiliser pour lui parler d'une voix apaisante.

— J'ai essayé de te protéger, tu ne comprends pas ça ? Je ne voulais pas que tu sois impliquée là-dedans.

Elle respira lentement pour tenter de se calmer, et alors seulement, il lâcha ses mains et recula d'un pas.

— Tu m'avais promis, Danny, sanglota-t-elle, tu m'avais juré de ne plus jamais te mêler de ces choses-là...

Il pilotait à vue, c'était évident rien qu'à la façon qu'il avait de jauger ses réactions, de chercher le mot juste pour la calmer.

— Je t'aimais trop pour te perdre...

— Tu m'as menti...

— Mon seul crime est de t'_voir trop désirée...

— Tu as fait de notre vie commune une histoire dénuée de sens.

Il retourna aux origines.

— Je ne peux pas survivre sans toi.

Curieusement, elle se sentait à côté de la scène, plus spectatrice que participante, à la périphérie d'une épreuve émotionnelle qui devait aller jusqu'à sa fin. Tout en l'écoutant, elle sentait les larmes sourdre de ses yeux, ses mains trembler, ses genoux faiblir.

— Tu m'en croyais capable ? insista-t-il.

Elle serrait les mâchoires pour contenir ses pleurs.

— Comment pourrais-je encore te faire confiance ?

— Parce que c'est un nouveau départ.

– Non, c'est juste une fin de plus.

– C'est le début de l'éternité, ma chérie, maintenant qu'il y a cet enfant...

Mais elle n'écoutait pas ses promesses.

– Tu as tué Matthew Johnson, l'accusa-t-elle, étranglée par les larmes, tu m'as menti sur Hernando, et tu savais que cet avion devait exploser après que tu en serais descendu à Houston.

– Tous ces gens sont des victimes tragiques de la révolution.

Sa rage revint d'un coup.

– Quelle révolution ?

Il se raidit.

– La révolution mondiale.

– Mais de quoi parles-tu ? hurla-t-elle, à nouveau prête à lui sauter au visage. C'est de la démence pure.

Il s'exprima lentement, les yeux rivés aux siens.

– Tu ne comprends pas, *querida*, c'est toute ma vie, c'est tout mon engagement. J'ai essayé de te l'expliquer il y a des années.

Elle le dévisageait, sentant monter en elle une énorme vague de pitié pour ce qu'il était devenu.

– Mon unique erreur a été d'imaginer que je devais sacrifier la seule personne au monde que j'aimais. (Il se tut un instant.) Tu me l'a appris il y a bien longtemps à Cordoba, tu t'en souviens ?

Elle s'adressa à lui comme on parle à un enfant.

– Danny, c'est de meurtres qu'il s'agit, ces gens étaient des êtres humains...

Mais il voulait parler de sa cause.

– Comment puis-je te convaincre que la menace est revenue ? Il n'y a peut-être plus d'uniformes, de défilés ou de rassemblements, on ne fait peut-être plus allusion au *faterland*, aux juntes ou aux nazis, mais rien n'a changé. Il n'y a pas une campagne électorale dans le monde où on ne voie leur idéologie réapparaître cachée derrière une façade parfaitement honorable. C'est le nouveau visage du fascisme...

C'était horrifiant parce qu'il y avait une part de vérité dans ce qu'il disait et qu'il était capable de s'en servir pour justifier ce qu'il avait fait.

— Tu as volé l'argent des innocents.

— Jamais pour moi.

Elle pouvait à peine respirer.

— Jusqu'où cela ira-t-il ? murmura-t-elle.

Il tendit la main.

— Jusqu'à nous. Jusqu'à toi et moi réunis. J'ai besoin de toi. Accompagne-moi.

C'était un assassin, un menteur, un voleur. Il avait été son seul amant, son mari, le père d'un enfant à naître.

Elle s'approcha de lui. Lui prit les mains pour essayer à nouveau de tout lui expliquer, comme s'il était capable de comprendre et qu'ils allaient pouvoir partir vivre heureux tous les deux.

— Ça n'excuse rien de ce que tu as fait. Ça ne justifie rien. Tu ne te rends pas compte que tu es aussi mauvais qu'eux quand tu agis de cette façon ? (Les larmes coulaient librement sur ses joues.) Je t'aime, reprit-elle la voix cassée. Je t'ai toujours aimé, mais je ne peux pas m'associer à ça...

— Tu portes mon enfant.

— Qu'est-ce que tu t'imaginais quand tu m'as quittée ?

Un calme surprenant l'enveloppait à présent.

— Je n'avais pas l'intention de t'abandonner pour toujours.

– Le problème, c'est que tu n'as jamais rien prévu pour toujours..., fit-elle tristement.

– Ce n'est pas vrai, protesta-t-il.

Mais il y avait moins d'assurance dans sa voix.

Elle aurait pu amener l'accident d'avion, la banque et un million d'autres arguments ou de dollars sur le tapis pour lui démontrer qu'il avait eu pleinement l'intention de la quitter pour toujours. Mais elle le laissa lui prendre le bras et l'entraîner à l'extérieur. Il continuait à s'expliquer.

– Ils ont assassiné des milliers de gens, disait-il les larmes aux yeux. Ils ont supprimé les meilleurs, les plus brillants, parce que c'était ceux qui avaient la force de s'opposer à eux.

Même si elle avait voulu lui répondre, elle n'aurait pas pu car Hernando les avait rejoints et demandait en espagnol si elle les accompagnait. Le vent forcissait et le pilote devenait nerveux. Tendant la main à nouveau, Danny l'implora :

– Viens avec moi.

Je suis en deuil, pensa-t-elle, je suis la veuve égarée qui pleure son mari vivant, je suis folle.

Il virent tous les deux l'incrédulité dans ses yeux, le chagrin et la pitié tandis qu'elle les dévisageait l'un après l'autre. Danny s'avança d'un pas, continuant sa plaidoirie :

– Quoi que j'aie pu faire, aussi fort que je t'ai blessée, je t'ai toujours aimée. Tu es l'amour de ma vie...

Elle vit la vérité d'un seul coup et se demanda pourquoi elle la découvrait seulement maintenant. Elle ne bougea pas, se contentant de secouer la tête.

– Non Danny, je n'ai jamais été l'amour de ta vie... (Tout devenait clair d'un coup.) C'est Alicia. Ça n'a jamais cessé d'être Alicia...

Il était blême. Il ne parvint qu'à murmurer son nom, il n'émit pas une protestation. Mais c'était sans importance, c'était au-delà de la colère et de la souffrance, chacun restait avec sa douleur, sa culpabilité d'avoir survécu à la *sale guerre* qui avait pris la vie de tant d'autres. C'était un point en sa faveur. La passion froide dont elle ne se départissait jamais à l'hôpital lorsqu'elle soignait d'autres victimes s'était envolée. Elle avait été capable d'être à la fois dévouée et distante; à présent, c'est en tremblant qu'elle marchait entre eux vers le petit avion. Un point en sa faveur. Enfin presque...

Adam courait vers elle comme au ralenti, les cheveux flottant, sa veste lui battant les flancs.

Il n'était qu'à trois mètres d'elle et criait pour couvrir le bruit du vent :

— Coriandre, attendez...

La panique et le soulagement la submergèrent en même temps.

— Que faites-vous ici ? lança-t-elle.

Mais il parlait à Danny.

— Lâchez-la.

Danny se contenta de lui serrer le bras plus fort. Adam avança.

— Adam, dit-elle, ne...

— Elle vient avec moi, dit Danny d'une voix sans appel.

— C'est vrai, Coriandre ? Après tout ce que vous savez, après tout ce qu'il a fait, vous voulez toujours l'accompagner ?

Il avança encore d'un pas.

— C'est ma femme...

— Pourquoi ne faites-vous pas la première chose bien de votre vie ? Laissez-la partir.

– Ça ne vous regarde pas.

– Adam, allez-vous en, je vous en prie, je m'en occupe...

Les larmes, à nouveau, dans ses yeux.

– De quoi voulez-vous vous occuper ? Combien de fois vous a-t-il abandonnée ? Combien de fois vous a-t-il menti ?

Hernando s'approcha et, à la surprise générale, Coriandre pivota vers lui pour hurler :

– Ne t'en mêle pas...

– Le vent devient mauvais, plaida-t-il. Encore quelques minutes et Milos ne pourra pas décoller.

Adam ne lâchait pas prise.

– Demandez-lui de vous parler de ce torse dans le bac en métal. Demandez-lui de vous raconter comment ils ont tué un innocent et poussé son camion dans un ravin parce qu'il leur fallait un corps...

Danny se disculpa aussitôt.

– Je ne l'ai pas tué. Je n'y étais même pas...

– Dites-lui qui l'a tué. Pourquoi ne lui expliquez-vous pas que vous étiez au courant de ce meurtre et où vous vous trouviez quand il s'est produit ?

La distance qui séparait les deux hommes s'amenuisait.

– Foutez le camp d'ici, cria Danny, vous mettez sa vie en danger en nous faisant perdre du temps.

– Adam, je vous en prie, le supplia Coriandre, laissez-moi partir, je vous promets de revenir...

L'enquêteur avança encore prudemment.

– Il ne vous le permettra jamais. Et si vous essayez de vous en aller, il vous tuera.

– Tu portes notre enfant.

– Il ne s'en est jamais soucié.

– Un nouveau départ, *querida*.

A cet instant, Milos émergea de l'avion, les mains dans les poches de son anorak doublé de fourrure.

– On doit partir. Le vent...

– On n'a plus de temps à perdre, Danny, intervint Hernando. L'argent est déjà là-bas.

La main tendue, Danny demanda avec une infinie tristesse :

– Veux-tu venir avec moi ?

Elle ne dit rien mais prit son visage entre ses mains et l'embrassa à pleine bouche. Puis elle recula d'un pas, secouant lentement la tête, les yeux plein de larmes.

– Je ne peux pas t'accompagner.

Et dans sa tête, défilaient toutes les raisons, d'Alicia à Matthew Johnson, de Jorge à Fernando Stampa.

Il ne restait plus de temps. Le vent sécha les pleurs qui brouillaient son visage tandis qu'elle se tournait vers lui pour prononcer silencieusement les mots « je t'aime » parce que c'était la vérité, parce que ce serait la vérité jusqu'à la fin. Elle le regarda suivre Hernando jusqu'à l'avion, surpris l'expression de ses yeux, une étincelle de regret, au moment où il lançait ses instructions au pilote.

– Mets en marche, Milos.

Adam était à ses côtés, la serrant si fort qu'elle pouvait à peine respirer, la protégeant du vent et du monde. Mais elle se moquait de respirer, ou de sentir, ou de voir quoi que ce soit, en dehors de Danny qui partait pour la dernière fois.

Le bruit des moteurs noyait les paroles d'Adam. Elle n'entendit qu' « amour » et « toujours ». Le vent achevait de sécher ses yeux. Le Cessna creva les énormes nuages blancs pour entamer son ascension vers les sommets enneigés, réapparut sur fond de ciel saphir et continua à monter, accrochant sur ses ailes d'argent la lumière dorée du soleil.

L'explosion déchira le silence, fit trembler le sol sous leurs pieds. Des boules de feu traversèrent l'azur tandis que retentissaient des détonations en chaîne. Des débris de l'appareil tombaient vers la terre, seulement visibles à la traînée de fumée noire et d'étincelles qu'ils laissaient derrière eux. La carcasse tordue et embrasée s'abattit dans la crevasse d'un glacier éternel.

Coriandre était immobile, la bouche entrouverte, les lèvres sèches, les yeux rivés à cette horreur invisible et lointaine. Un temps, elle resta hébétée, en état de choc puis un cri étranglé s'échappa de sa bouche et elle se retourna pour cacher son visage contre la poitrine d'Adam.

– Serre-moi, sanglota-t-elle. Serre-moi fort.

– Je ne te laisserai jamais partir, Coriandre, promit-il. Tu es à moi pour toujours...

Il y avait bien longtemps, à l'hôtel El Tropezon, sur le delta du Tigre, elle avait entendu les mêmes mots. Aujourd'hui, pourtant, ils sonnaient vrai.

Remerciements

Comme toujours, je suis reconnaissante envers Lennart Sane pour son travail infatigable.

Ma gratitude va à Jorge Naveiro qui a été plus que généreux de son temps et de sa gentillesse. A Boris Hoffman, également, pour son aide et son attention.

Je remercie tout particulièrement le docteur Jonathan Paull Gertler qui m'a aidé à entrer dans l'univers de la traumatologie, et à en sortir.

Et, encore une fois, je voudrais remercier Barbara Taylor Bradford et Lynn Nesbit d'être d'aussi précieuses amies.

Achevé d'imprimer en novembre 1994
sur les presses de l'Imprimerie Bussière
à Saint-Amand (Cher)

POCKET - 12, avenue d'Italie - 75627 Paris Cedex 13
Tél. : 44-16-05-00

— N° d'imp. 2817. —
Dépôt légal : novembre 1994.
Imprimé en France